Het ergste wat ik ooit gedaan heb

Ursula Hegi

Het ergste wat ik ooit gedaan heb

Vertaald door Fanneke Cnossen

Amsterdam · Antwerpen

Uitgeverij Archipel stelt alles in het werk om op milieuvriendelijke en duurzame wijze met natuurlijke bronnen om te gaan. Bij de productie van dit boek is gebruikgemaakt van papier dat het keurmerk van de Forest Stewardship Council (FSC) mag dragen. Bij dit papier is het zeker dat de productie niet tot bosvernietiging heeft geleid.

Mixed Sources
Productgroep uit goed beheerde bossen, gecontroleerde bronnen en gerecycled materiaal.
www.fsc.org Cert no. CU-COC-803615
© 1996 Forest Stewardship Council

2 3. 06. 2008

Omslagontwerp: Marjo Starink
Omslagfoto: © Jonny Le Fortune / Zefa / Corbis

ISBN 978 90 6305 299 7 / NUR 302
www.uitgeverijarchipel.nl

voor Gail Hochman en Mark Gompertz

[1] Annie

– *Radiopraatprogramma* –

Vanavond rijdt Annie van North Sea naar Montauk en weer terug naar North Sea, zoals elke avond sinds Mason zelfmoord pleegde. Ze zet de radio aan. Hoort dr. Francine. Door te luisteren naar mensen die zo wanhopig zijn dat ze hun hart bij een radiopsycholoog uitstorten, wordt Annie afgeleid van het snijdende touw in Mansons slanke nek, zijn platliggende oren zelfs in de dood nog mooi. Dat leidt haar een poosje af – maar alleen 's avonds laat, wanneer ze in haar eentje in de auto zit en net zo anoniem kan zijn als die bellers.

Tijdens de lange reclames over antijeukpoeder en zalfjes die gegarandeerd allerlei kwaaltjes genezen, switcht Annie tussen dr. Francine en dr. Viriginia heen en weer. Dr. Virginia is vinnig, valt mensen in de rede, komt al met de oplossing voordat ze hun hele verhaal hebben kunnen vertellen. Maar dr. Francines stem klinkt troostend. Wanneer ze een zucht slaakt, hoor je hoe ze meeleeft, zelfs met de bellers die maar doorratelen... zoals deze bibberstem van Linda uit Walla Walla, Washington, over garnalen.

'Iedereen in Walla Walla weet het. Tweeënvijftig jaar geleden heb ik bij de kruidenier een zak garnalen gestolen. Ik weet niet waarom, dr. Francine. Ik zag ze in de etalage, zo... rond en roze.' Linda's beschrijving van het ronde, roze vlees had een merkwaardige seksuele bijklank. Een rond roze verlangen...

Dr. Francine zucht. Annie hoort zo dat ze goed kan luisteren. Ze stelt zich een vriendelijk, intelligent gezicht voor, met rimpels.

'Dat is de enige keer dat ik ooit... iets heb gestolen, doctor. De manager vroeg me of ik mijn jas wilde openritsen...'

Annie sloeg van Towd Point af naar Noyack Road. Leeg. Evenals de lucht. Leeg, met alleen een wolkenflard om de maan.

'...want daar had ik de garnalen verstopt, in mijn bontjas, geen echte mink, dr. Francine, nepbont. De manager zei dat ik hem in de rechtszaal wel zou weerzien, maar er gebeurde niets, en ik bleef maar wachten. En intussen zei de moeder van mijn man dat ze hem nog zo had gewaarschuwd voor hij met me trouwde. De laatste tijd...'

'Ja, Linda?'

'De laatste tijd heb ik het gevoel dat iedereen het over mij en die garnalen heeft.'

'Na een halve eeuw nog?' vraagt dr. Francine zachtjes.

'Ik durf mijn huis niet meer uit omdat mensen me erop aanspreken.'

'Wat zeggen ze dan tegen je, Linda?'

'O, niet recht in mijn gezicht, dat niet...'

'*Hasjkoekjeshemel.*' *Masons stem. Uit de radio?*

'*Nee.*' Daarom zit Annie in de auto... op de vlucht voor hem. Het stuur trilt onder haar handen terwijl op de bochtige weg de kilometerteller naar vijfenzeventig kruipt.

'*Hasjkoekjeshemel.*' *Mason, neuriet 'Twilight Zone' in Annies hoofd...*

'*Sodemieter op, Mason.*'

'In mijn hart blijf ik altijd met jou getrouwd.'

'Dat klinkt zo... aanmatigend.'

Haar koplampen flitsen over een zeshoekig verkeersbord

met het silhouet van een van links naar rechts springend hert. Altijd van links naar rechts. Ze rijdt op een stuk weg met aan weerskanten water. Even vraagt ze zich af... zou haar woede ophouden als ze gewoon een ruk aan het stuur naar rechts zou geven en North Sea Harbor in zou rijden? *Niet omwille van mij.* Ze trapt op de rem. Dat hij een kind had heeft Mason er niet van weerhouden. Met hem was alles tomeloos, met die ongebreidelde energie waar Annie zo van hield omdat hun huwelijk ervan zinderde. Maar voor haar eindigde al die tomeloosheid acht jaar geleden, toen Opal werd geboren. Daarom rijdt ze hard, maar niet gevaarlijk. Vanwege Opal. Die eindelijk in slaap is gevallen in het huis van tante Stormy in North Sea, waar ze de afgelopen zeventien dagen sinds Masons dood logeren.

Een paar avonden geleden duurde het uren voordat ze Opal in slaap kreeg, ze bleef Annie maar roepen. Mijn knieen doen pijn. Mijn hoofd doet pijn. Alles doet pijn. Allemaal smoesjes om Annie maar bij haar bed te krijgen. Vanavond, mijn duim doet pijn. En toen Annie haar vasthield, voelde ze Opal huiveren, voelde ze haar eigen vurige liefde voor Opal als een huivering, een flikkering, door haar hele lijf, als altijd deel van haar.

'Je bent vervloekt omdat je dit hebt gedaan.'

Masons ouders hadden zijn begrafenis geregeld. Ook al was Annie zijn vrouw en ging zij erover. Ze hebben het haar gevraagd. Begrafenis? Crematie? Ze was dankbaar dat zij de keus voor haar maakten en kwam naar New Hampshire om met hen, en Jake, haar man te begraven.

Vroeger kon ze Jake veilig omhelzen.

'En dat onbehaaglijke gevoel is onlangs opgekomen, Linda?' vraagt dr. Francine.

'Nou... ik heb me er nog een paar jaar over geschaamd,

maar daarna heb ik niet meer zo vaak aan die garnalen gedacht... tot pasgeleden.'

Nog een zucht. 'Ik merk dat dit ene incident je hele leven heeft verziekt, maar dat is toch niet nodig, liefje.'

Nou, als dr. Virginia dit telefoontje had aangenomen, was ze Linda allang in de rede gevallen met: *'Binnenkort ga je vast weer stelen.'* Annie weet gelijk op welke zender ze zit: als de beller aan het woord is, zit ze in het programma van dr. Francine, als de doctor praat, is dat absoluut dr. Virginia.

Annie ziet Linda zo voor zich, hoe ze een zak embryonale garnalen in haar nepbontjas meesmokkelt. Ze wedt om tien dollar dat Linda nooit kinderen heeft gehad.

'Twaalf,' zegt Mason. *'Ik wed om twaalf dollar dat ze minstens één kind heeft.'*

'Ik zet vijftien in. En geen kinderen. Misschien garnaalgrote miskramen. Geen voldragen kinderen.'

'Twintig. Op één voldragen kind. Misschien wel meer.'

Ze wedden overal om, zij en Mason. Welke kleur haar de receptioniste heeft wanneer ze in een hotel inchecken. Hoe laat op een dag de eerste keer de telefoon gaat. En al die weddenschappen over Opal. Zouden haar ogen blauw blijven? Haar haar net zo rood als dat van Annie? Hoeveel weken voor ze een hele nacht zou doorslapen? Wanneer doet ze haar eerste stapjes? Wat is haar lievelingseten? Ze betaalden altijd en deelden de winst.

'Ik wed om acht dollar dat ze zich voor vrijdag op haar buik draait.' Mason had Opal op een arm en wurmde de fles voorzichtig in haar mondje.

'Tien dollar op zaterdag of zondag,' zei Annie.

Hij krulde zijn lippen.

Annie lachte. 'Ben je soms voor haar aan het slikken?'

'Ja. Vind je haar bijzonder?'

'In welk opzicht?'

'Oplettender dan andere baby's. Zoals ze naar ons kijkt.' Hij wreef over Opals buik.

'Je klinkt als een trotse ouder.'

'Trots als terechte oudertrots?'

'Gezond trots, Mason.' Annie streek langs Opals gezicht, van haar slaap omlaag naar haar puntkinnetje, alsof ze haar uittekende. Ze had dezelfde spitse kin als Annie en haar moeder.

'En ik dan?' vroeg Mason

Ze streek over zijn slaap, zijn oor en kin en hals.

'Hé...' Hij glimlachte naar haar.

De melk drupte uit Opals mond. Ze was zo stevig als Annie en zo bevallig als Mason.

'Laat haar maar lekker drinken. Heb ik je ooit verteld dat ik dol ben op nieuwkomertjes?' Hij draaide nog steeds kringetjes op Opals buik.

'Oké. Nieuwkomertje?'

En dat werd zijn eerste koosnaampje voor haar: Nieuwkomertje.

Nieuwkomertje werd Sterretje.

Zandkopje wanneer ze in de zandbak speelde.

Ragebol als de wind door haar haren stoeide.

Als Annie een van die radiodoctors zou bellen – niet dat ze dat zou doen – zou dat zeker niet dr. Virginia zijn, maar dr. Francine, die zou begrijpen waarom Annie bij Mason weg wilde. Maar hij was haar voor geweest, uiteraard – hij maakte overal een wedstrijdje van – had zelf al de benen genomen, zo plompverloren en plotseling dat zij achterbleef met de schuld, woede en het verlies van alles wat goud tussen hen was geweest.

Want zo was het begonnen, het was al goud nog voor ze

goed en wel konden praten – zij geboren in augustus, hij in hetzelfde jaar in december bij de pianoleraar en bankier van hiernaast. Ze hadden een geschiedenis samen.

Een aanraking, dat was haar eerste herinnering: haar vingers op Masons tenen, ze streelde ze... kneep erin.

Haar tweede herinnering: stapjes naast Masons vader, die Mason in de wandelwagen voortduwde en zei: 'Houd je goed vast, Annabelle.'

Houd je goed vast.

Zijn achternaam was Piano, en Annies vader mocht graag zeggen dat hij niet wist of meneer Piano zijn naam had veranderd omdat hij pianoleraar was, of dat hij pianoleraar was geworden omdat hij zo heette. Meneer en mevrouw Piano waren lang en elegant, hun blauwzwarte haren hingen tot op hun schouders.

'Duur kapsel,' zei Annies vader dan, 'maar goedkoop meubilair.'

Meneer Piano droeg zijn haar in een paardenstaart. De enige huisman in de buurt en thuis droeg hij een driedelig pak. Daardoor zag hij eruit als een bankier, wat raar was, want mevrouw Piano was de bankier, maar met haar lange vingers en lange sjaals zag zij eruit als een pianolerares.

Een zwarte sjaal op de begraafplaats. Een zwarte sjaal op een zwarte mantel. En haar vingers frummelend aan de eindjes van die sjaal. 'Kom met ons mee naar huis, Annie.'

'Opal, ik moet naar... huis, naar Opal.'

'Ik begrijp het. Het is nog een heel eind.'

'Ik kom wel weer een andere keer.'

'Neem Opal dan mee,' zei mevrouw Piano.

'Gauw.'

'En Jake,' zei meneer Piano. 'We willen jullie iets vragen.'

Toen Annie drie was, trokken zij en Mason elkaar in Jakes rode autootje voort. Hij woonde naast Mason, twee huizen bij Annie vandaan, en zijn moeder paste altijd op een paar kinderen uit de buurt. Ze was universitair docent maar begon een crèche aan huis omdat ze voor Jake thuis wilde zijn. Ze was goedlachs, had engelengeduld en maakte elke lunch klaar die de kinderen maar wilden: wafels of hamomelet of eiersalade of pindakaas met hagelslag.

Jakes vader werkte bij Sears. 'Een bíjna-knappe man,' hoorde Annie haar moeder eens tegen Masons moeder zeggen, en dan moesten ze lachen. 'Zijn gezicht is een beetje asymmetrisch omdat zijn gelaatstrekken een beetje schuin staan...'

'Schuin staan?'

'Je weet wel, naar zijn linkerkaak?'

'Toch is hij de knapste man van de buurt,' zei Masons moeder. 'Een beetje... zwierig.'

Als Mason als enige een bepaalde lunch wilde, zei Jake altijd: 'Ik neem wel wat de andere kinderen willen, mam.' Na het eten hielp hij afruimen terwijl Mason door de keuken rende en schreeuwde: 'Ik wil ik wil ik wil...' heel snel alsof hij maar niet kon bedenken wat hij wilde, alleen dát hij iets wilde.

Jake bekeek hem dan met gemelijke blik. Maar op een dag ging hij pal voor Mason staan. 'Jij bent niet haar baas.'

'Goed onthouden...' Zijn moeder trok Jake dicht tegen zich aan, kuste hem op de kruin van zijn witblonde haar. 'Mason is een betalende gast.'

Betalende gast. Annies nek voelde klam. Zoutig. Soms betaalden haar ouders te laat. 'Niet omdat ze niet genoeg geld hebben,' hoorde ze Jakes moeder zeggen, 'maar omdat ze het gewoonweg vergeten. Ze kunnen zich niet voorstellen dat mensen hun dagelijks verdiende geld nodig hebben.'

'Linda? Denk eens goed na,' zegt dr. Francine. 'Is er pasgeleden iets in je leven veranderd waardoor dat schuldgevoel is opgekomen? Daar komen we na onze sponsorboodschap op terug, dat beloof ik je.'

'Ik eet nog steeds geen garnalen.' En opnieuw klonk in haar stem dat roze, ronde verlangen door.

'Alsjeblieft...' zegt Mason, 'heb het met een man nooit over roze rond verlangen.'

En dan hoort ze een vrouw een tandbleekmiddel aanprijzen, niet-goed-geld-teruggarantie, topmerk voor allerlei beroemdheden over de hele wereld. Fluit- en harpmuziek speelt door haar tirade over de akelige bijwerkingen heen, zodat die heilzaam overkomen.

Aangezien de reclames langer duren dan de adviessessies, schakelt Annie over naar dr. Virginia.

'...je moet kijken naar wat jouw rol hierin is, Frank,' zegt dr. Virginia.

'Het enige wat ik weet is dat mijn vrouw tien minuten geleden is thuisgekomen en rook naar...'

'Frank, zo is het wel genoeg.'

'Maar ze rook naar een andere man, wil me met gelijke munt terugbetalen omdat ik die ene keer met mijn eerste ex-vrouw ben geweest en...'

'Frank, wat jij nu vertelt is typisch een geval van...'

'...en toen heb ik haar verteld dat ik u zou bellen, dr. Viriginia – u moet weten dat ze op kantoor de hele dag naar u luistert en u steeds maar citeert...'

'Je luistert niet naar me, Frank. Je vrouw is duidelijk een intelligente vrouw die heel goed voor zichzelf kan denken. Bedank haar maar voor mij.'

'...dus bedacht ik dat u me wel zou kunnen vertellen waar ik mijn vrouw een test kan laten doen, om uit te zoeken of ze met een andere man is geweest en...'

'Hoe lang ben je al getrouwd, Frank?'

'Vijf maanden en als ik haar zeg dat ze zich van u moet laten testen, dan doet ze dat omdat u dat zegt en...'

'Om een uur 's nachts?' Dr. Virginia klinkt ongeduldig omdat ze naar de koop-me-nú-reclames toe wil. 'Om te beginnen lost een test niet op wat er werkelijk tussen jullie aan de hand is. Het gaat om vertrouwen, tussen...'

'Maar ze heeft net seks gehad, dr. Viriginia, als we de test nu gelijk doen, moeten er nog sporen te vinden zijn, net als een röntgenfoto of in een bekertje pissen of...'

'Je valt me alweer in de rede, Frank.'

'Sorry. Ik zeg het nog één keer tegen mijn vrouw en dan heb ik het gehad en...'

'Frank...'

'...dan gaat ze toch steeds weer naar het café ook al weet ze...'

'Frank. Frank. Heb je wel een woord gehoord van wat ik heb gezegd?'

'Tuurlijk maar...'

'Luister je ooit wel naar je vrouw? Jullie probleem is communicatie, en die jaloezie van jou saboteert je huwelijk...'

'Ik zal je iets over jaloezie vertellen,' onderbreekt Annie dr. Virginia. 'Vind ik op Masons kant van het bed een kwartje... een paar maanden geleden, toen hij en tante Stormy in Washington, DC, waren, om tegen een preventieve oorlog tegen Irak te protesteren. Toen hij thuiskwam vroeg ik hem naar het kwartje, en eerst zei hij dat hij er niets van wist... maar toen gaf hij toe dat hij het daar had neergelegd... een meter bij het voeteneind vandaan... Als Mason weg is, slaap ik altijd op de futon in de woonkamer en hij zei dat als het kwartje was verplaatst of de lakens waren verschoven, ik met een andere man naar bed was geweest, en...'

15

'En nu gaan jullie allebei slapen,' adviseerde dr. Virginia.

'Ik was verbijsterd,' zegt Annie. 'Toen woedend. Zei tegen hem dat er een steekje bij hem los was. Dat mijn liefde voor hem nooit genoeg was.'

'En morgen gaan jullie op zoek naar een relatietherapeut.'

'Daar is het te laat voor,' zegt Mason.

'Tenzij je dat huwelijk van je niet wilt redden, uiteraard, Frank.'

'Als ik met een test zeker wist dat mijn vrouw met niemand anders naar bed gaat, had ik er meer vertrouwen in.'

Annie rijdt door het donker, neemt als het even kan B-wegen, haar koplampen werpen vaalgrijze cirkels op het zwarte asfalt. Elke avond rijdt ze hetzelfde rondje: vanuit North Sea westwaarts naar Riverhead, dan naar het oosten de hele Route 27 af tot Montauk Point, van daaruit naar het westen naar North Sea, waar tante Stormy woont, aan het einde van een lange, hobbelige oprijlaan met een strook onkruid in het midden. Grote oude bomen. Een hangmat. Vanaf de oprijlaan kun je zowel haar cottage als Little Peconic Bay zien liggen... de baai door de cottageramen, aan weerskanten, en de zilvergrijze, verweerde schuur ernaast. Aan de kaarsenkroonluchter binnen hangen een in een stuk wrakhout verstrengelde gedroogde roos en een paar breekbare glazen ballen.

Annie wil niet dat Opal weet dat ze rondrijdt. Maar tante Stormy weet het wel. Tante Stormy zegt: 'Voorlopig heb je dat nodig.'

'En wat dan, Frank?' vraagt dr. Virginia. 'Elke week een test om te kijken of je vrouw je wel trouw blijft?'

'Bestaan die dan?'

'Er bestaan geen vertrouwenstesten.'

'Oké.' Annie slaat op de rand van het stuur en moet terug-

denken aan een dag in het begin van haar huwelijk, toen ze een gouden halsketting voor zichzelf had gekocht om te vieren dat ze twee collages uit haar Meerserie had verkocht.

Mason had zijn hand naar haar hals uitgestoken en aan het goud gevoeld. 'Wie heeft dat voor je gekocht?'

'Ik.'

'Ik kan eenvoudigweg niet geloven dat een vrouw zo'n halsketting voor zichzelf koopt.'

'Je maakt een geintje, hè?'

'Zoiets koopt een minnaar voor een vrouw.'

Toen ze naar zijn hoekige gezicht staarde met de brede mond en bleke huid, naar zijn blauwzwarte ogen en dito krullen, was ze verbaasd hoe alle vertrouwelijkheid opeens kon uitmonden in deze vreemdeling.

En ze kaatste onmiddellijk terug. 'Een minnaar? Weet je dan niet dat elke vrouw haar eigen minnares is?' En dat was ze ook, ze was inventief, gunde zichzelf plezier, niet alleen in bed maar ook aan tafel, in zee...

'Als er al vertrouwenstesten waren,' zegt dr. Virginia, 'stel ik voor dat je vrouw jóú laat testen. Want je hebt de gewoonte om gebreken bij anderen te zoeken terwijl je de confrontatie met je maar al te reële eigen fouten uit de weg gaat.'

'Kunt u me tenminste vertellen hoe die test heet zodat ik die vast in huis heb voor het geval mijn vrouw de volgende keer...'

Maar dr. Virginia was de vierenveertigjarige Gloria uit Albany al aan het begroeten die bij haar vader woont die weduwnaar is.

'Mijn vader behandelt me als een kind. Ik moet van hem om elf uur thuis zijn en...'

'Betaal je huur, Gloria?'

'Als mijn vriendje op bezoek is, mag ik van hem niet eens

17

mijn kamerdeur dichtdoen. Alleen maar omdat mijn vader zich dan alleen voelt en...'

'*Wil je een echt verhaal horen?*' vraagt Annie aan dr. Virginia. '*Luister hier dan maar eens naar. Een verhaal van een vrouw die keihard rondrijdt nadat haar man zichzelf heeft verhangen.*'

'Nogmaals: betaal je huur, Gloria?'

'Dat kan ik niet betalen. Dat wist mijn vader toen ik bij hem introk. Ik verdien het minimumloon als inpakster bij een supermarkt in...'

'Gloria, luister...'

'*Hé, luister jij eens, kippetje,*' zegt Annie tegen dr. Virginia en ze lacht hardop omdat ze niemand ooit kippetje heeft genoemd. Maar in een tijdschrift bij haar tandarts stond een foto van dr. Virginia en daarop leek ze precies op een kip, met dat bolle lichaam, de snavelachtige neus en de kastanjebruine permanent.

'Luister goed, Gloria. Zolang jij je door je vader laat verzorgen, want hij betaalt het eten, vervoer, toiletspullen...'

'Geen toiletspullen. Hij haalt altijd de goedkoopste merken. Nou, daar pas ik voor!'

'...onderdak, verwarming...'

'Ik betaal mijn eigen toiletspullen!' Gloria klinkt geagiteerd.

'...geef je hem permissie om je als een kind te behandelen. Als een van mijn dochters weer bij mij zou intrekken... Iedereen die naar mijn radioprogramma luistert of via www. deardoctorvirginia.com een abonnement heeft op mijn nieuwsbrief weet dat mijn vier meisjes nog te jong zijn om op zichzelf te wonen. De oudste is zeventien, dan komt er een van twaalf, daarna een van zeven en de jongste is twee, met de perfecte vijf jaar ertussen...'

'Weet u wat ik denk, dr. Virginia?'

'...waardoor ik inzicht krijg in elke leeftijdsfase van een op- groeiend kind, terwijl...'

'Dr. Virginia? Weet u wat ik denk, dr. Virginia?'

'...zij kunnen profiteren van mijn professionele inzichten in het ouderschap, die jij tegen een introductieprijs je ook ei- gen kunt maken, vijftien maanden voor de prijs van...'

'Ik denk dat mijn vader gewoon eenzaam is en me alleen maar thuis wil hebben om hem gezelschap te houden.'

'Luister eens, Gloria. Ik heb het er simpelweg over dat je pas onafhankelijk bent als je betaalt voor je eigen...'

'*Luister jíj maar eens, kippetje.*'

'*Je hebt alle reden om jezelf te verachten, Annie,' zegt dr. Vir- ginia. 'Ik kan je uitzetten,' dreigt Annie.*'

'*Niet alleen door de manier waarop Mason jou en Jake in de sauna heeft gemanipuleerd maar omdat jullie dit samen heb- ben bekokstoofd.*'

'*Wrijf het er maar in, dr. Virginia,' zegt Mason.*'

'*Om wat je kunt worden als je bij hem bent,' zegt dr. Virgi- nia.*'

'*Een waarheid als een koe,' zegt Mason.*'

'*In hemelsnaam, Annie,' zegt dr. Virginia, 'je bent moeder. Je moet toch toegeven dat je er in zekere zin zelf ook een aandeel in had...*'

'*Jezus... Zelf een aandeel in had? Je klinkt niet als jezelf, kip- petje.*'

'*...en dat je je kans schoon zag om je man een streek te leve- ren.*'

'*Dank u wel, dr. Virginia.' Mason klinkt dankbaar en attent en zo volwassen.*'

'*U bent zo beleefd,' zegt dr. Virginia tegen hem. 'Zo attent en volwassen.*'

'*Klote artiesten,' zegt Annie. 'Jullie allebei.*'

'*We hoeven Annies grove taal niet te pikken,' zegt Mason te- gen dr. Virginia.*'

'*Je zit te slijmen, Mason,*' zegt dr. Virginia. '*Houd daarmee op. En als het om jou gaat, Annie, jullie hebben elkaar buitenspel gewed. Alleen heeft hij verloren.*'

'We hebben allebei verloren,' fluistert Annie.

Daarmee lijkt dr. Virginia tevreden, want ze begint tegen Gloria een preek over verantwoordelijkheid af te steken.

'Ik heb genoeg van je, kippetje.' Annie schakelt weer naar dr. Francine: beller Mel is bang voor zijn nieuwe kamergenoot.

'Hij is een bullebak. Hij slaat me, stompt me. En hij wil niet weg, ook al liggen we voortdurend met elkaar overhoop.'

Als Mel dr. Virginia had gebeld, zou zij hem in de rede zijn gevallen: '*Je hebt jezelf in de nesten gewerkt, Mel, want je hebt geen ruggengraat en bent overdreven afhankelijk.*'

Maar zo is dr. Francine niet. Ze slaakt als altijd geduldig en vol empathie een zucht terwijl ze naar Mel luistert en redelijke oplossingen aandraagt. 'Maak een lijstje van gedragsregels voor je huisgenoot.'

'En als hij dat niet wil?'

'Probeer hem er op een of andere manier bij te betrekken en spreek dan een datum af waarop je huisgenoot moet verhuizen als hij zich er niet aan houdt.'

'Dan wordt hij boos op me, dr. Francine, en...'

'Een ogenblikje, liefje.'

Een emotionele stem prijst voetpoeder aan: getuigenissen van folterende pijn voor en van opluchting na de behandeling. Annie rondt een rotonde in Riverhead en rijdt in de richting van Hampton Bays. Het opflitsen van koplampen: drie auto's komen haar tegemoet. Een bord: VRIJWILLIGERS GEVRAAGD VOOR BRANDWEER EN AMBULANCE. Opnieuw duisternis. Als ze verder naar het zuiden doorrijdt, rijdt ze de oceaan nog in.

'Staat het huurcontract op jullie beider naam, Mel?' vraagt dr. Francine.

'Nee, alleen op mijn naam.'

'Goed zo. Heel goed. Dan is er een uitweg. Pak nu een blanco vel papier, trek in het midden een streep en schrijf de redenen op waarom jij en Humphrey...'

'Hubert, niet Humphrey.'

'...de redenen waarom jij en Hump...'

'Hump.' Annie schudt haar hoofd.

'Sorry,' zegt dr. Francine. 'Sorry, Mel. Ik bedoel Hubert... waarom jij en Hump... ubert...' Een ingehouden kuchje. '... Hubert wel of niet de cruise zouden moeten cancelen.'

'*Welke cruise?*' Annie komt langs het bord: HAMPTON BAYS 12 MONTAUK 58. Einde eiland. *Einde van de wereld.*

'Hoe weet ik nou...' Mel begint te snikken... 'dat Hubert niet... boos wordt?'

Nog zo'n diepe zucht van dr. Francine.

'Ik wed dat ze een zuchtknop op haar microfoon heeft,' fluistert Mason.

Annie moet lachen. 'Ja. En als het zo uitkomt, drukt ze erop.'

Wanneer ze het Shinnecock Canal oversteekt, draait ze haar raampje open. De koude nachtlucht slaat haar in het gezicht en haar ogen gaan tranen. Ze blijft op de 27. Passeert Premier Pest Control. Voor de Elviswinkel staan levensgrote beesten in felle kleuren – giraffen, koeien en olifanten – zo neergezet alsof ze op het punt staan de straat over te steken. Annie weet niet hoe de winkel echt heet. Mason noemde hem altijd de Elviswinkel omdat hij er ooit een plastic buste van Elvis te koop zag staan. Hij ging er dolgraag heen met tante Stormy, en struinde dan tussen de onthutsende hoeveelheid kettingzaagkunst en rococomeubels, oude jukeboxen en waterverflandschappen, cowboyfiguurtjes en tuinstoelen, glas-in-loodruiten en plastic servetringen.

'Mason heeft het expres zo geregeld dat ik hem zou vinden.'
Annie vertelt dr. Francine dat het touw te dun was om je aan te
verhangen. Bij een zwaardere man was het misschien geknapt,
had hij zichzelf kunnen redden en haar dat in zijn hals snijdende touw kunnen besparen. Je ziet het voordat je probeert weg te
kijken – Mason – zijn gezicht niet Masons gezicht.

Annie wordt duizelig van de honger.

'Ik was er niet toen hij het deed, stelde me voor dat ik bij hem
wegging, had Opal met me meegenomen. Hij had het huis en
die verdomde sauna mogen houden, daar kwam ik er immers
achter dat ik hem moest verlaten.'

Maar hij verliet háár. Impulsief. Uit rancune. In haar atelier, en daardoor was het voor altijd bedorven. Haar de kans
niet gegeven zich te bedenken. Had een touw om de dakspant
gegooid en was van haar werktafel gestapt, had hem omge-
gooid zodat al haar gereedschap en collagemateriaal op de
grond lagen – schaar en garen en draad en lijm en doossnij-
ders, manden met eucalyptus- en wisteriadoppen, haar kwasten en potten – als een soort decor om zijn lichaam, zijn dood
haar ultieme werkstuk. Ook nu nog jaloers op al die tijd die
ze aan haar collages besteedde.

Annie vertelt dr. Francine hoe ze zacht jankend op de tafel was geklommen, op het touw had ingehakt. *Stel dat hij nog
leeft?* Net zolang gehakt tot hij viel, de man die Masons groene Earth Day t-shirt droeg maar wiens gezicht niet Masons
gezicht was.

'De politie zei dat ik niets had mogen aanraken,' zegt Annie.

'Ik had me zo... op die cruise verheugd.' Mel snottert. 'Wij
allebei.'

'Mel, luister...' waagt dr. Francine.

Maar Mel snottert.

Rechts van Annie staat Southampton College. Maar één
rijbaan. Een drankwinkel. Twee jachthavens. Sunoco.

'*Toen ik Mason vond,*' zegt Annie tegen Mel en dr. Francine, '*waren al mijn collages uitgestald... tegen de muren gepropt... tegen de poten van mijn werktafel. En het enige wat ik kon bedenken was dat de lucht naar rook stonk. Die rook had niets met Masons dood te maken maar met de branden in Canada.*'

Die brandden nog altijd sinds de bliksem twee weken geleden op de verdroogde grond was ingeslagen. En de rook dreef steeds verder naar het zuiden – wel ruim zevenhonderdvijftig kilometer zuidwaarts – de grens over, verspreidde zich over New England.

Mel. Snottert nog steeds.

Annie zet de auto bij de 7-Elf stil, waar een wildharige man over de parkeerplaats hinkt, in een merkwaardig patroon van drie pasjes opzij en drie naar voren. Als hij tegen Annies auto botst, staart hij haar door het passagiersraampje aan met zo'n blik van een klein kind dat nog niet heeft geleerd dat dat onbeleefd is.

Ze wuift hem weg. *Vertelt dr. Francine en Mel dat Opal op de dag na Masons dood de tuinslang mee naar het noorden wilde nemen om de branden in Canada te lijf te gaan. 'Alsof het te lijf gaan van die branden Masons leven nog kon redden.*'

Ze zet de motor af. Wacht tot de man de 7-Elf in is gelopen. Als zij binnenkomt, probeert hij bij een piepkleine spiegel op een displaytoren een zonnebril uit, tilt zijn kin op, trekt een gezicht. Twee tieners bestuderen de snoepafdeling. Bij de snacks kopen vier jonge latino's burrito's. Goed idee. Annie koopt een burrito, friet, chocolademelk en twee donuts.

Rijden en eten is beter dan rijden en niet eten.

En rijden en eten én luisteren naar een praatprogramma is nóg beter, omdat dat weinig ruimte laat voor iets anders.

Annies moeder zong altijd in de auto, liedjes van Hildegard Knef die ze voor Annie en Annies vader vertaalde, met een rokerige stem over gestolen uurtjes van geluk, liedjes over leugens die we onszelf wijsmaken en waar we zelf in gaan geloven. Ze zong haar Knef-songs in de auto op de ochtend dat ze met Annie en Mason naar Boston was gereden, om tegen de Golfoorlog te protesteren. Hun eerste protest, ze waren vijftien, blij om met haar mee te mogen demonstreren omdat ze zich helemaal niet als een moeder gedroeg – eerder als een vriendin met een rijbewijs, zwaaiend met haar protestvlaggetje, haar wapperende rode haar – en ze waren ontsteld toen ze hun vertelde dat ze wel eens gearresteerd was. Zij en tante Stormy hadden aan zoveel protestdemonstraties meegedaan, om te beginnen tegen Vietnam toen ze in Amerika aankwamen, dat ze sindsdien wel zeven keer waren ingerekend.

Kauwend op haar friet vervolgt Annie de 27 naar het oosten en wacht op dr. Francine. Maar het is de man die een haarmiddel verkoopt. Daarna opgewekte lui van een schriftelijke taalcursus.

Dan maar dr. Virginia. 'Denk nou eens goed na, Kevin, je begrijpt er helemaal niets van. Zie je niet wat je jezelf aandoet?'

Stilte, terwijl Kevin met zichzelf overlegt. Het moment dat hij zegt: 'Nee...' zit dr. Virginia alweer boven op hem.

'Zelfvertrouwen. Omdat je zo'n laag zelfbeeld hebt...'

'Dat valt wel mee. Ik ben afgestudeerd in de communicatiewetenschappen. Ik werk vier dagen per week. Ik heb mijn eigen bedrijf en ben pasgeleden getrouwd.'

'...en je stelt je zo verdedigend op over dat lage zelfbeeld,' – dr. Virginia verheft haar stem – 'dat het niet meer dan normaal is dat de narigheid een uitweg zoekt, eruit barst.'

'Dit is zo'n onzin,' zegt Annie tegen haar.

'Wat moet ik dan doen?' vraagt Kevin.

'Dat heb ik je net verteld,' snauwt dr. Virginia.

'Niet waar,' snauwt Annie.

'Niet waar,' snauwt Kevin.

'Sommige mensen leren nooit te luisteren.'

'Ik dacht dat u me zou vertellen wat ik op mijn puistjes moest smeren, zodat...'

'Het heeft niets te maken met wat voor soort zalfje je op je gezicht smeert...'

'Wacht eens even...' onderbreekt Annie. 'Hoe zit het dan met al die zalfjes en rotzooi waarmee je tijdens je reclames leurt? Wil je dan niet dat Kevin die koopt?'

'...hoewel er een paar buitengewone producten verkrijgbaar zijn die ik in mijn programma aanbeveel...'

'Als je dat maar weet, kippetje...'

'...maar wat jij moet doen, Kevin, is dat je naast die producten die je volgens de gebruiksaanwijzing moet gebruiken, je zelfvertrouwen als een soort laag onder je huid moet zien, een laag waar je controle over hebt... Hallo? Heb ik Brittany uit Newark aan de lijn?'

'Dank u wel, dr. Virginia, dat u me te woord wilt staan.'

'Daar wordt ze voor betaald,' zegt Annie tegen Brittany. 'Zo brengt ze haar puistencrème aan de man.'

Zodra Brittany begint over het drugsgebruik van haar dochter, geeft dr. Virginia haar een fikse uitbrander. 'Dat komt omdat je een egoïstische ouder bent.'

Annie probeert boos te worden op dr. Virginia, Brittany een hart onder de riem te steken. Maar ze kan niet in het gesprek inbreken. Ze zet het geluid harder, maar het touw wil maar niet verdwijnen... Snel stelt ze er een ander beeld voor in de plaats – dat haar sinds haar dertiende is bijgebleven: Mason en Jake op een vlot op zomerkamp – dat plaatje kan ze elk moment oproepen, omdat op die middag dat gouden plekje binnen in haar voor hen beiden zo warm en intens werd. Op het glinsterende water duwden ze elkaar van het vlot, ze joelden – lachten? – en klommen er weer op, hun bewegingen waren een voortdurende dans... Mason, de spin, de apendanser, een en al armen, benen en beweging... Jake, de centaur, dikke kuiten en brede voeten, de rest tenger, alle stabiliteit van zijn lijf zat onder zijn knieën.

Vlot/1 was geïnspireerd op wat Annie die zomermiddag had gezien, de jongens samen midden op het vlot, een kluwen armen en benen die zich met onmetelijke gratie naar de rand bogen, een gratie waarvoor ze zich geneerden toen ze hun de collage liet zien.

Tot nu toe had ze elf vlotcollages gemaakt. In twee jaar tijd had ze de Treinreeks voltooid. De Meerserie in vier jaar. De meeste collages waren geen onderdeel van een serie, maar de Vlotreeks hield haar al ruim haar halve leven in zijn greep en elke collage onthulde meer dan ze voor mogelijk had gehouden. Die dans op het water die haar band met Mason en Jake uitdrukte – *een van ons kijkt altijd vooruit*. Als ze het beeld zou begrijpen, zou ze er niet naar hoeven zoeken. Zo gaat dat als ze aan het werk is... het onbekende slokt haar op. Ze laat zich liever door haar materialen leiden, een soort interactie: ze legt een rij papieren neer zoals een schilder zijn palet inricht; ze scheurt, verfrommelt en verkreukt ze; rangschikt ze op kleur, textuur en reliëf; en wacht op die ene glimp wanneer de werkelijkheid onwerkelijk wordt en het onwerkelijke werkelijkheid, tot – in een oogwenk van verschuiving en wording – ze beide werkelijkheid worden.

'Ik geloof in openheid,' zegt dr. Francine.
'Oké. Opal kan alles met me bespreken.'
Annie slurpt de afgekoelde chocola door een rietje wanneer ze de East End Tick Control, Burger King, Fast Lube, Mobil en Gulf passeert. Langs het dierenhospitaal en de ijzerwinkel. Langs lege zijstraten die overdag verstopt zitten.

'Altijd als ik ouders tegenkom die problemen met hun kinderen hebben, neem ik aan dat ze truttig zijn.' Ze verwacht dat dr. Francine tegen haar gaat zeggen dat truttig niet op de radio thuishoort.

Maar de doctor zegt: 'Als je té diplomatiek bent, verberg je eigenlijk dat je niet bereid bent om te communiceren.'

'Als die ouders niet zo truttig zouden zijn,' zegt Annie, 'dan zouden die kinderen wel tegen ze praten, het eruit gooien. Ik heb een antwoord op al Opals vragen. Ze heeft foto's van Mason uit albums gescheurd en ze op de koelkast geplakt. Ik word er ziek van, maar wat kan ik ertegen doen? Ze aanbad Mason... aanbidt hem nog steeds, hoewel ze weet wat hij heeft gedaan... en hoe. Ik hou haar in de gaten of ze... problemen vertoont. Moedig haar aan om te praten.'

Met Mason had ze eindeloze gesprekken, heerlijke gesprekken, uitzinnige gesprekken, uitputtende gesprekken. 'Natuurlijk waren er ook stiltemomenten. Dat heeft elk huwelijk, toch?' vraagt Annie aan dr. Francine.

Maar zelfs nadat Masons jaloezie de spuigaten begon uit te lopen waardoor ze uitgeput raakte en zich veroordeeld voelde, bleven ze praten – behalve na die nacht in de sauna, toen hij met haar en Jake over de schreef was gegaan, de grens had verlegd die sinds hun jeugd had bestaan, en zichzelf voor altijd van hen had afgescheiden.

'Hij houdt ons in de gaten alsof hij erop rekent dat we hem tegenhouden, zoals zo vaak is gebeurd... zoals we hem bij een klif vandaan zouden trekken.'

Dr. Francine slaakt een zucht.

Annie stopt de laatste drie frietjes in haar mond. Kwijnden weduwes niet altijd weg van verdriet? In films wel. Maar Annie niet. Ze is nooit het wegkwijnende type geweest, en sinds de zelfmoord zwelt ze helemaal op, met de complimenten aan Mason. Ze is al zeven kilo aangekomen. Op naar de twaalf.

'*Daar word je ook voor bedankt, Mason.*' Ze houdt links aan, langs het wegrestaurant en Pier 1. Borden van de wijngaarden: Wolffer, Duck Walk, Channing Daughters.

'*Ik wed dat je niet meer dan negen kilo aankomt.*'

'*Je kunt niet wedden, je bent dood.*'

'*Hoe dik je ook bent, je bent betoverend.*'

'*Als je in zeventien dagen zeven kilo aankomt, komt dat neer op ruim vier ons per dag. Toch? In een jaar is dat een kleine honderdvijftig kilo.*'

'Je bent betoverend...' Mason stootte diep bij Annie naar binnen, zo langzaam en zoet en nog eens.

Een bons tegen glas. Achter Masons schouders, aan de andere kant van het raam, een grijze streep, een eekhoorn die uit een boom leek te zijn geschoten.

'Wat is er?' vroeg Mason. 'Wat...'

Annie legde een vinger op zijn lippen.

Geschraap. Dan de kop van de eekhoorn en zijn witte buik toen hij zich langs het raamkozijn liet glijden en zich tegen de ruit slingerde. Nog een bons. En de eekhoorn dook naar omlaag.

'We hebben een pottenkijker,' kondigde Mason aan. 'Vast de incarnatie van een ex-geliefde van je.'

'Bereid je dan maar voor op minstens vijfentwintig eekhoorns.'

Hij lachte geschrokken.

Ze was blij dat ze hem daarmee de mond kon snoeren. Want als ze hem had verteld wat ze werkelijk voelde – *ik wilde dat je dat soort dingen niet zei... je weet dat er nooit iemand anders is geweest* – zou hij weer met zijn jaloerse vragen beginnen. Elk moment dat ze niet bij hem was, zo jaloers. Behalve als het om Opal ging. Bij haar was hij aardig, speels en...

De eekhoorn zette zich schrap voor nog een sprong, zette

zich tegen het glas af en kwam weer op de grond terecht.

'Ik weet wat hij wil.' Mason. Langzaam en zoet en nog eens.

Ze hield in – haar adem... hem... en wist uit te brengen: 'Moet behoorlijk koud zijn daarbuiten.'

'Hierbinnen niet.'

'Geen medelijden met de bontjassen.'

'Ik wed dat hij er zo weer op springt.'

'Twee keer.'

'Drie sprongen. Ik wed drie.'

Buiten herhaalde de eekhoorn zijn ritueel. In de naastliggende kamer sliep Opal overal doorheen en Annie was blij dat het zo rustig was.

'Drie sprongen,' zei Mason. 'Ik win.'

'Jij wint.'

'Jij wint de volgende keer.' Een huid zo transparant.

Annie streelde de fijn gebouwde, krachtige lijnen van zijn botten. De brug en lengte van zijn neus. De kaakhoeken en het voorhoofd. *Sexy narigheid.*

'Sexy narigheid,' hoorde ze tante Stormy een keer tegen haar moeder zeggen toen Annie nog op de basisschool zat. 'Die jongen van hiernaast geeft nog een keer sexy narigheid. Ongetemd en prachtig.'

Tandbleekmiddel.

Zalf voor verkoudheidskwaaltjes.

Dr. Virginia. 'Ja, David?'

Het touw, te dun, voor altijd snijdend in Masons lange hals...

Plotseling weet Annie dat ze zijn dood als een schild tegen andere rampspoed zal gebruiken. Haar en Opal zal niets verschrikkelijks meer overkomen. Een vaststaand feit dat Annie tot op haar botten voelt en ze wordt er onoverwinnelijk door.

29

Merkwaardig genoeg biedt dat haar – boven het verdriet, de spijt uit – troost.

'Ik begin me steeds meer zorgen te maken over mijn vrouw...' de stem van de beller klinkt ongerust, zo ongerust. 'Ze heeft stuiptrekkingen en...'

'Ben je met haar naar een neuroloog geweest?' onderbreekt dr. Virginia hem.

'Nee, maar ik heb...'

'Naar een cardioloog?'

'Nee, maar...'

'Hoe lang is dit al aan de hand, David?'

'Even denken...'

'Ik heb niet de hele nacht.'

'...vijfendertig jaar.'

'Bedoel je te zeggen dat je vrouw al vijfendertig jaar stuiptrekkingen heeft?'

'Dat is juist, dr. Virginia.'

'Natuurlijk is het juist. Ik luister...'

'Wat een egotisme,' zegt Mason

Annie vindt dat ook. 'Ego-kippetje.'

'David,' vraagt dr. Virginia, 'waarom kom je daar nu pas mee?'

'Zo lang zijn we getrouwd, doctor. Maar ik begin me er nu meer zorgen over te maken.'

'Heb je je vrouw op bepaalde aanvallen laten testen?'

'Nog niet.'

'Op epilepsie?'

'Nog niet. Ik heb mijn eigen instrumentmakerij...'

'Wat heeft dat te maken met haar doktersbezoek?'

'Ik maak lange dagen. Heel...'

'Hoe lang duren die stuiptrekkingen van je vrouw?'

'O... vroeger zo'n twintig tot dertig seconden. Maar naarmate ze ouder wordt, duren de aanvallen langer... Ze gaan maar door... nog een hele tijd daarna. Soms denk ik dat de stuiptrekkingen zijn opgehouden, maar dan beginnen ze weer van voren af aan...'

'Hebben we het hier over uren, David?'

'Geen uren. Nee.'

'Minuten?'

'Gisteravond heb ik de tijd opgenomen omdat ik wist dat u het op prijs stelt als uw bellers heel precies zijn, dr. Virginia.'

'Alle lof. Ik houd van precisie.'

'Twaalf minuten en drieënveertig seconden.'

'Wanneer treden ze op, David?'

'Die stuiptrekkingen?'

'Ja! Die stuiptrekkingen!' Dr. Virginia klinkt korzelig.

'Als we klaar zijn...'

'Als jullie klaar zijn met wat, David?'

'Als ze hebben geneukt,' legt Annie uit.

Maar David is niet zo recht voor zijn raap. 'U weet wel...' mompelt hij.

'David, als je wilt dat ik een oplossing voor je probleem vind, dan moet je me álle bijzonderheden van het probleem opbiechten. Is dat duidelijk? Ik heb geen zin in een potje raden.'

'Copuleren.'

Dr. Virginia zwijgt. Voor het eerst.

Mason giechelt. 'Meervoudig orgasme,' zegt hij tegen de beller.

Dr. Virginia zwijgt nog steeds. Het is een white-out, oorverdovende stilte. Nog stiller dan de stilte van iemand die zwijgt. Het soort stilte waar je maar snel van moet genieten, want lang duurt ze nooit. 'Meervoudig orgasme,' verklaart dr. Virginia. 'De stuiptrekkingen van je vrouw zijn een orgasme. En langdurige stuiptrekkingen...'

'Langdurige stuiptrekkingen...' Mason imiteert dr. Virginia's stem.

31

'...uit jouw beschrijving maak ik op, David, dat je vrouw een meervoudig orgasme heeft. Hoe ouder een vrouw wordt, des te langer duren haar orgasmes. Volkomen normaal.'

Buiten is het donker, op de koplampen van een andere auto na. Een sirene in de verte. Een paar kilometer naar rechts, parallel aan de 27, ligt de oceaan.

Dr. Virginia in Annies auto: 'En wie past er vanavond op je kind, Annie?'

Mason

...vraag het me, Annie. Vraag me: wat is het ergste wat ik ooit heb gedaan? Vraag het, verdomme. Omdat je dan weet dat ik nooit verder zal gaan dan die laatste avond. Als je dat weet, laat me dan bij jou en Opal blijven.

Je ging Opal naar school brengen en ik doorzoek je collages. Ik ben op zoek naar die ene die je het meest zult missen. Uit je Vlotserie, Annie? Je Treinenreeks?

Denk je dat je weet wat het ergste is wat ik heb gedaan? Geloof me, zo eenvoudig ligt het niet. Omdat het zich gisteravond in de sauna aandiende, toen jij en Jake op de bank onder de mijne lagen, glinsterend in de zwoele hitte. Ik pakte wat ijsblokjes uit de koeler, liet ze op Jakes borst vallen en toen hij ze zonder naar me te kijken wegveegde, vroeg ik me plotseling af hoe het zou zijn als jullie lichamen samenkwamen, Annie.

Daarop vroeg ik me af hoe het voor mij zou zijn als ik toekeek hoe jij met Jake naar bed ging. En toen wist ik zeker dat jullie daar ook aan dachten. En vervolgens moest ik het jullie natuurlijk vragen.

Ik vroeg: 'Hebben jullie er ooit aan gedacht om met elkaar naar bed te gaan?'

Jullie moesten allebei lachen, zo'n nerveus, verhullend lachje.

'Natuurlijk niet,' zei Jake.

33

'Hou erover op, Mason.' Je transpireerde, Annie, ander zweet dan saunazweet.

'Luister,' zei Jake, 'jij en ik zijn al een eeuwigheid vrienden...'

'En Annie,' bracht ik hem in herinnering.

'Die met jou getrouwd is.'

'Alsof ik dat niet weet.'

'Hou er nou maar over op,' je snauwt tegen me, Annie. Berin. Vrouw. Gespierde billen, sterk. Alles aan jou is weelderig, gul: je krullen, je neus, je zucht naar macht en je eetlust.

'De Canadezen smachten naar regen,' zei Jake.

'Bijna vijftig branden,' zei jij, 'bosbranden en...'

'Ik laat me niet door de Canadezen afleiden,' zei ik.

'Ze hebben regen nodig,' zei jij. 'De grond is zo droog dat...'

'Regen...' Ik pakte de houten lepel, goot water over de kooltjes en zong: 'Regen regen regen...' in de plotseling ontstane mist.

Hoorde je Opals ademhaling over de babyfoon, Annie? Want je keek ernaar, op de plank bij de deur. Jake ook. En terwijl we naar haar slapende ademhaling luisterden – dieper en langzamer dan anders – moest ik aan haar denken, in het huis, in haar bed.

'Regen regen regen... Is het niet merkwaardig dat we naakt in het meertje zwemmen of zo vaak in de sauna zitten, hebben jullie je dat nooit afgevraagd? Ik wed dat jullie...'

'Zoiets vraag ik me niet af,' val je me in de rede. Maar je ogen verloochenden dat, Annie.

Ik wist het omdat ik naar je lippen keek: ze waren rusteloos terwijl je ogen kalm bleven. Ik wed tegen jou. Omdat je moeder ons beiden heeft geleerd dat je bij het inschatten van mensen hun mond los van hun ogen moet beoordelen, hun lippen moet bestuderen voordat je door hun ogen wordt afgeleid. En jouw ogen, Annie, zeiden iets anders dan je lippen.

'Ik wed om honderd dollar,' zei ik, 'dat jullie er allebei wel eens over hebben gedacht om met elkaar te vrijen.'

'Hou op,' zei Jake, heel slecht op zijn gemak.
'Zoals je wilt,' zei ik. 'Maar waarom geef je het dan niet toe?'
Ik wilde niet dat het zou gebeuren, Annie...

[2] Annie

– *Duizend rondjes* –

Op mijn trouwdag met Mason was de buik van mijn moeder reusachtig. Met gezwollen enkels danste ze met mijn nieuwbakken echtgenoot – haar aardbeikleurige haar stond alle kanten op, haar paarse jurk helemaal geen moeder-van-de-bruidjurk – en toen ze mijn dans met mijn vader afbrak, daarmee de traditie tartend, trok ze me in een tango als een rondbuikige man die zich tegen me aandrukt, haar hand hield de mijne vast en haar ring flitste op. Mijn zuster schopte in haar buik en vulde alle ruimte tussen ons op alsof wij drieën voor elkaar gemaakt waren, precies zo.

Na de receptie, op weg naar huis, schaarde een vrachtwagen en sleurde de Honda van mijn ouders mee, waardoor ze opzij werden geslingerd en mijn vader op slag dood was. Mijn moeder bleef nog zo lang leven dat mijn zuster in de ambulance ter wereld kon komen.

Altijd als ik me mijn moeder en zuster voorstel, nog steeds door de navelstreng met elkaar verbonden tijdens de minuten tussen geboorte en dood, hapt de mond van mijn zusje naar lucht, op zoek naar mijn moeder. Mijn zuster is roze – nog niet dat blauwachtig witte van magere melk, nog niet inert en schriel, nog niet aan draden en slangetjes verbonden in een couveuse waar ik haar die avond zou zien, en haar de naam zou geven die mijn ouders voor haar hadden gekozen toen de echo een meisje had onthuld: Opal.

Mag ik haar houden?
Haar opvoeden?

De ochtend dat Mason en ik Opal meenamen naar ons appartement op de universiteitscampus, zetten we het autozitje van het ziekenhuis op ons bed en gingen aan weerskanten van haar zitten, bang om iets te zeggen of te bewegen. We waakten over haar als ze sliep, haar hartslag in haar kleine lijfje als van een vogeltje dat je in je hand houdt om te kijken of hij gewond is.

Wanneer ze schreeuwend en met maaiende armpjes wakker werd, drukte ik haar tegen me aan. Haar beentjes opgevouwen, haar kreten door me heen scheurend tot ze mijn eigen smart werden, knietjes schoppend tegen mijn borst alsof ze door mijn huid in mijn baarmoeder wilde klimmen.

'Ik voel me zo'n oplichter,' zei ik.

'We zijn allebei oplichters.' Mason kwam achter me staan en sloeg zijn armen om me heen, om haar heen.

'Denk je dat haar lichaam zich het ongeluk nog herinnert?'

'Ze was nog niet eens geboren.'

'Maar evengoed...' Ik wreef met mijn rug tegen hem aan en hij wiegde me... ons... en ze bleef maar schreeuwen. Ik was doodsbang voor haar.

'Aangezien we oplichters zijn en zij nu van ons is...'

Haar snot en tranen brandden in mijn hals.

'Ze wordt toch van ons... hè, Annie?'

De advocaat van mijn ouders had het over adoptie gehad. Ondenkbaar. 'We kunnen haar niet zomaar aan iemand anders geven,' zei ik tegen Mason.

'Dan moeten we zorgen dat we verdomd goede oplichters worden.'

'Zoals vadertje en moedertje spelen?'

'Zoals fantastische ouders zijn.' Zoveel hoop in die stem. 'Ik mis ze zo.'

'Ik mis ze ook.' Hij kuste me tussen mijn schouderbladen.

'Denk je dat ze honger heeft?'

'We kunnen haar de fles proberen te geven.'

'Ik ga de gebruiksaanwijzing lezen.' Opals hoofdje ondersteunend legde ik haar in Masons armen.

Hij streek met zijn duim over haar buik. Murmelde tegen haar: 'Wat moeten we met jou aan?'

Elke keer dat Opal wakker schrok – krijsend, haar haren in vochtige klitten van angst – wist ik zeker dat haar lichaam zich het ongeluk kon herinneren. Om beurten liepen we met haar door het appartement, wel honderd rondjes of meer. Jake hielp. Liep rondjes met haar als hij op bezoek was. We wreven over Opals rug of buikje, fluisterden of zongen haar toe, maakten muziek.

Tante Stormy en Pete kwamen uit North Sea met visstoofpot en citroenschuimgebak. Pete was tandarts en liep de marathon, woonde in het huisje naast dat van tante Stormy en sliep in haar bed. Over een grote liefde gesproken. 'Elke volle maan vieren ze dat ze samen zijn,' had mijn moeder me verteld. 'Dan peddelen ze met hun kajaks vanuit hun kreek naar de baai... drinken champagne en eten cake bij de ondergaande zon en opkomende maan. In de winter rijden ze naar Montauk en nemen hun champagne met cake op de grote rotsen onder de vuurtoren.'

Tante Stormy en Pete liepen hun rondjes met Opal en hielpen ons net zoals ze mijn ouders hielpen toen ik was geboren. Toen ze Mason en mij naar een restaurant uit eten stuurden – de eerste keer dat we niet bij Opal waren – had ik steeds het gevoel dat ik iets was vergeten. Voelde me te licht omdat ik haar gewicht zich nergens aan mijn lichaam voelde vastklampen.

Hoewel ik Opal steeds makkelijker in slaap kreeg, wist ik niet wat ik met haar aan moest als ze wakker was, want dan was ze de eerste tien minuten ontroostbaar. Vreugde voelde ik – het enige vreugdemoment sinds de dood van mijn ouders – toen ik op een ochtend Opal na het wakker worden kon troosten en ze haar natte en kleverige gezichtje tegen mijn schouder vleide. Een blij moment dat zich dwars door mijn woede en verwarring heen boorde.

Jakes flat was een paar minuten bij ons appartement vandaan, hij deed boodschappen voor ons en ging voor Mason en mij naar de bibliotheek. De tafel in onze woonkamer was ondergesneeuwd: op de ene helft lagen zoals altijd rijstpapier en lapjes stof, bonnetjes en afgescheurde kaartjes, schaar en lijm, doosjes met spijkers en foto's die ik uit tijdschriften had geknipt. De andere helft lag bezaaid met pakken flesvoeding en wegwerpluiers, truitjes en pyjamaatjes die nodig opgevouwen moesten worden.

Ik stopte met mijn studie kunstgeschiedenis. Ik kon me niet voorstellen dat ik Opal in de steek zou laten – zelfs niet met Mason of Jake in de buurt, die me aanspoorden om de zomeruniversiteit wel af te maken. In plaats daarvan zat ik met haar op de schommelstoel die Jake op een boerenveiling had gekocht. Met Opals buik op mijn dijen, haar gezicht op mijn knieën – een houding die Mason had ontdekt – schommelde ik zachtjes met haar heen en weer.

'Door dat schommelen laat ze zich gaan,' had hij tegen Jake en mij gezegd. 'Je voelt haar helemaal zwaar worden... tevreden.'

Het was een goede houding... voor Opal en voor mij, want zo kon ze me niet zien huilen.

Voor Mason was het een natuurlijke stap om haar ouder te worden, maar ik worstelde ermee. *Stel dat ik haar laat vallen?*

Haar ergens kwijtraak? Ik was er totaal niet op voorbereid om zo plotseling moeder te worden. Als je zwanger bent en je al die maanden dat kind bij je hebt gedragen, raakte je er wel aan gewend. Dan legde je het niet zomaar ergens neer om het vervolgens te vergeten.

Toen Mason en Jake zich voor het herfstsemester inschreven – Mason voor politieke wetenschappen en Jake milieubeheer – vroeg ik voor dat semester verlof aan.

'Dat hoef je niet te doen,' zei Mason.

'Als we met z'n drieën om de beurt voor Opal zorgen,' zei Jake, 'kunnen we allemaal onze studie afmaken.'

'Ik werk thuis wel aan mijn collages.'

In plaats daarvan breide ik een wollen Afghaanse deken in vier verschillende tinten roze, in ongelijke rechthoeken die ik aan elkaar naaide... wat ik kon doen als Opal wakker was.

'Ik help je wel met alles te rangschikken,' bood Jake aan, met zijn naar alle kanten piekende blonde haar en het ene oorlelletje lager dan het andere.

'Ik regel een atelier voor je,' zei Mason.

'Waar?'

'Ik bedenk wel wat.' Met Jake in de buurt was Mason altijd veel attenter.

'Daar hebben we geen ruimte voor. En ook al hadden we die wel, ik...'

'Je kunst is belangrijk.'

'Noem het niet zo.'

'Als je materiaal eenmaal goed is gerangschikt,' zei Jake, 'ga je zo weer met je collages aan de gang.' Hij kon in een oogwenk van cool in een halvegare veranderen, en vandaag zag hij er absoluut cool uit in zijn jeans, zwarte t-shirt en met zijn haar. Maar zodra hij zich ging optutten – bijvoorbeeld wanneer we hem aanmoedigden om een date mee te nemen – dan plakte hij zijn haar helemaal naar opzij en droeg hij een broek met Schotse ruit, een ouwelullenjasje en brogues.

Maar ik was moe. Niet geïnspireerd. Niet gedreven. Alles wat Opal aanging was veel dringender dan mijn werk.

Mijn laatste collage was van toen ik in de trein zat en er een uit tegenovergestelde richting langs raasde. Om dat moment vast te houden, die stroomlijn – lucht en beweging van jassen en rails – had ik flinters wrakhout in langs vliegende daglichtsegmenten geschaafd. Een stuk uitgebleekt wrakhout zou geen wrakhout blijven maar treinramen worden of, wellicht, het haar van een kind. En een vogelveer werd niet deel van een vogel maar iets heel anders. Misschien wind. Een rok. Een wolk.

Nu betwijfelde ik of ik ooit nog een collage zou maken. Veel te ingewikkeld. Een duidelijk teken dat ik hét was kwijtgeraakt, hoe hét ook werd genoemd. Ik benoemde hét niet graag, hoewel sommigen van mijn docenten dat wel hadden gedaan. Talent? Gave? Prima als zij het zeiden. Hoogdravend als ik het zei.

Ik twijfelde er zelfs aan of mijn werk me nog wel zou herkennen. In plaats daarvan ging ik de geuren van Opals huid onderscheiden – die wisselden voortdurend – haar huilgeur en eetgeur, en haar vochtige geur en slaapgeur. Ik leerde de kracht van haar vingertjes kennen wanneer ze die in mijn wang groef. Ik ontdekte die oeroude blik die soms diep in haar pupillen opflakkerde wanneer ze me in volkomen stilte observeerde. *Mijn besje. Mijn wijze vrouwtje.*

Meestal zeulde een van ons met haar rond. Als ze huilde, schoot Mason toe en pakte haar onmiddellijk op. Hij en Opal bloeiden op, gingen met de verrukte blik als van een kind in elkaar op. Jake maakte muzieklijstjes: waar werd ze kalm van en waarvan niet. Opal was dol op Soul Asylum, maar hield niet van Nirvana. Melissa Etheridge wel maar Alice in Chains niet. De Lemonheads, maar niet Bad Religion. Pearl Jam, geen Offspring.

Hoeveel rondjes hebben we dat eerste jaar met haar gelopen?

Wel duizend ieder? Drieduizend rondjes? Bij Mason als in een wiegje, met haar achterhoofd tegen zijn armen; Jake hield zijn grote handen om haar middel, haar rug tegen zijn borst zodat Opal kon zien waar hij liep; en ik probeerde te voorkomen dat ze me verslond als ze met haar gulzige mondje in mijn hals sabbelde.

Daar heb ik *Duizend rondjes* van gemaakt. Meestal dacht ik pas over een naam na als ik bijna klaar was – liet ik alleen mijn handen, het materiaal en alle mysterieuze dingen binnen in me hun gang gaan – maar voor deze collage wist ik vanaf het begin hoe die moest gaan heten. En ze zou klein worden. Dat wist ik ook, maar meer niet, toen ik een dubbele laag vetvrij papier op mijn werktafel uitspreidde en water met lijm mengde. Ik verdunde de acrylverf... smeerde dat lukraak op een stuk canvas, mijn manier om mijn weerstand te overwinnen om überhaupt te beginnen, mijn angst voor blanco canvas dat alles zou onthullen wat ik niet kon. Terwijl ik zo ronddoolde, kon ik mezelf wijsmaken dat ik aan het werk was, hoewel ik wist dat dit niet als werk gold. En toch voerde het niet-werken me dieper in mezelf mee, waar ik wist wat ik niet dacht te weten. Waar ik voelde hoe de ene ronding de andere aanraakte, samensmolt, zachter werd terwijl ik rondjes draaide van wilgentakken en klokonderdelen... van veren en de franje van een sari. En ook al onderbrak Opal me als ze me nodig had, ook tijdens het creëren van *Rondjes* was ik meer met haar op mijn gemak, hield haar vast tot haar lichaam zich overgaf, zich tegen het mijne vleide.

En dat legde ik in mijn werk.

Op een ochtend in november, Opal sliep nog, zette ik mijn vlotcollages tegen de muren van de woonkamer en liep ze stuk voor stuk na. Waarom was ik daar nog niet mee klaar? Wat was dat toch met die twee jongens en het vlot dat me maar niet losliet?

Als ik het allemaal tegelijk zou kunnen vangen – de jongens en het vlot en hun voortdurende beweging – zou ik dan weten wat ik zag? Tot nu toe had ik ze in aparte beelden voorgesteld, boven op het vlot... naast het vlot... onder het vlot... en, in mijn laatste versie, Jake die Mason over de rand duwt en er in een glanzende boog vanaf springt. Ik stokte...

Waarom heb ik dat meisje niet eerder gezien? Op elke collage was een meisje, helemaal in rood, dichter naar de jongens op het vlot gekomen... in *Vlot/1* haar hand; in */3* haar onderarm; haar elleboog en schouder in */4*; haar profiel in */6*. Ik streek met mijn vingertop langs het rode profiel, sloot mijn ogen omdat een blinde aanraking de textuur beter aanvoelt.

Nieuwsgierig naar wat het volgende beeld zou zijn waarop het meisje nog dichter bij het vlot zou komen, roerde ik witte lijm in een pot water en smeerde dat op een stuk dik aquarelpapier. Op het opbollende oppervlak legde ik snippers moerbeipapier en groen rijstpapier... De waterdiepten verschilden, ja. Voor het vlot koos ik twijndraad en...

Opal begon te huilen. Snel waste ik de lijm van mijn handen. Ik pakte haar op en verschoonde haar luier, gaf haar de fles en zong een liedje, terwijl ik ondertussen nadacht over hoe ik het twijndraad vanuit het midden naar buiten moest weven, zodat het boven het water uitkwam. Daarna ging ik met Opal wandelen en stopte haar in voor haar middagslaapje.

Ik spreidde het garen in een rechthoekig gevormde doolhof uit, drukte het erop en besmeerde het met dikke klodders van het lijmmengsel. Om het stevig vast te plakken legde

ik er waspapier op en rolde er met mijn rubberroller overheen. Maar hoe dat vlot erbij lag stond me niet aan, te sym-
metrisch... als een gehaakt tapijtje. De achtergrond was veel
krachtiger, een veelheid van fragmenten die meer suggereer-
den dan ze waren... vooral de horizon, een afgescheurde hoek
met iets bruins eronder, misschien een bergrug in de verte. Ik
had een ander perspectief ingebracht... Intrigerend... tijdens
het werk had ik niet aan bergen gedacht. Nu wilde ik diezelfde ontknoping in het vlot terugzien, dezelfde complexiteit als
de achtergrond.

Opal huilde. Ik haastte me naar haar toe, stopte haar in
bad, gaf haar te eten, spoelde mijn kwasten uit, legde ze op
een stuk keukenpapier te drogen, las Opal voor en zette haar
op mijn heup terwijl ik eten ging koken.

Toen Mason thuiskwam, snoof hij de geuren op. 'Je bent
aan het werk.' Hij klonk opgetogen.

'Dus niet vanwege mijn kookkunsten?' plaagde ik hem.

'Ga je ermee door?'

Ik knikte.

Hij stak zijn handen uit naar Opal. 'Vinden we de geur van
Annies werk niet heerlijk?'

Ik maakte het een beetje verder open, ging er met mijn
handen in, woelde het door elkaar... en werd door een plotselinge paniek gegrepen. *Nog geen jongens.* Het meeroppervlak
was glad – *ze waren allebei onder water* – bleef te lang glad.
De paniek wist meer dan ikzelf, wist het al en voor altijd, en
de wetenschap van die paniek: *ik had het bijna te pakken, bijna...*

Scheurend aan het te gladde wateroppervlak moest ik denken aan wat Diane Arbus ooit had gezegd – een foto is een geheim binnen een geheim – en ik bleef nieuwe papierstroken
scheuren tot er een hoofd doorheen brak. *Een speling van het
licht?* Slechts één hoofd. Geel, het hoofd was helemaal geel,

rees op uit het te gladde wateroppervlak...

Het is een speling van... Toen, plotseling, het andere hoofd... nu beide zichtbaar... ja, schouders en armen... Eindelijk was de gedrevenheid er weer. Het vuur en de gretigheid. Het gebeurde zelden op die manier – vormen die zich als vanzelf op het canvas wierpen en zich daar vastklemden alsof ze voor dat ene punt waren voorbestemd – maar als het gebeurde, wist ik dat het een gave was en hield eraan vast. En aan de verrukking ervan.

Wanneer Opal sliep, werkte ik, bouwde ik het beeld op om het vlot in balans te krijgen. Laag op laag op de jongens en het meisje, kleurde hun lichaam in de kleuren van hun haar: Jake helemaal geel, Mason helemaal bruin, en rood voor wat ik als het meisje aanzag. Snippers en twijn... verschillende kleuren verkreukelde repen rijstpapier... nog meer lijm op de lagen.

'Waarom alweer het vlot?' wilde Mason weten.

'Dat weet ik niet.'

'Ik vind de *Duizend rondjes* mooi. Waarom niet nog een van...'

'Dat is klaar.' Mijn vingertoppen voelden aan als oud vel van de opgedroogde, niet meer klevende lijm en ik trok het er als stukjes huid na een zonnebrand af.

'Hoe weet je dat het klaar is?'

'Dat is gewoon zo.'

'Dat vlot... dat is zo lang geleden.' Hij raakte het rood langs de bovenrand aan. 'Dat is toch geen bloed, hè?'

Bloed... ik had helemaal niet aan bloed gedacht. 'Je kunt het als bloed zien... uitwaaierend in het water.' *Iets anders dan het leek. Net zoals het vlot nu eindelijk langzaam kwam bovendrijven en liet zien wat het was.*

'Maar het is geen bloed?'

'Ik weet het niet.'

'Hoe kom je aan die zuigplekken?' plaagde Mason me op een middag toen hij en Jake terugkwamen van een wandeling met Opal in de wandelwagen.

'Dat zijn babyplekken.' Ik stak mijn armen naar haar uit en ze kraaide, wiebelde met haar benen alsof ze door de lucht naar me toe liep. Nu was er niets schriels meer aan... ze had een rond gezichtje en ze groeide en bloeide.

'Je had die twee kerels in het park moeten zien,' zei Mason tegen me. 'Ze hadden een jongetje bij zich, van Opals leeftijd, en...'

Jake viel hem in de rede. 'Een van hen vroeg aan ons: "Hebben jullie haar geadopteerd?" En toen we vertelden dat Opal niet geadopteerd was, vroegen ze: 'Kennen jullie de biologische moeder?"'

'Dus zei ik: "Ja." Nou, moet je horen...' Mason lachte. 'Toen vroeg die andere vent: "Hebben jullie sperma of een spermacocktail gebruikt?" En ik zei: "Ze is van het sperma van mijn schoonvader."'

'Daar moesten ze wel even over nadenken,' zei Jake.

'En ik ook.'

'Ze dachten dat we een stel waren, Annie.'

'Twee vaders,' voegde Jake eraan toe.

'Omdat zij dat ook waren. En zij hadden geadopteerd.'

'Daar was ik al achter,' zei ik. 'Mooi... dus jullie zitten zo verankerd in je... mannelijkheid dat jullie niet uit je dak gingen?'

Ze namen een pose aan... aangespannen biceps, kin in de lucht.

'Moet je die twee nou zien,' zei ik tegen Opal. 'Willen dolgraag de bink spelen.'

Ze werd zwaar in mijn armen. Kronkelde.

'Weet je waardoor zij pas uit hun dak zouden gaan?' vroeg Mason. 'Als ik ze had verteld dat mijn schoonmoeder de drager is geweest.'

Jake schudde zijn hoofd. 'Bij ziekten heb je een drager. Je bedoelt draagmoeder.'

'Opal heeft nu twee vaders,' zei ik.

'Cool.' Jake straalde. Ogen wijd open. Groen. 'Dank je wel.'

'Jij moet je eigen gezin stichten,' zei Mason.

Jake keek gekwetst en we waren weer vier jaar oud... op onze hoede, omdat Mason wilde dat ik hem leuker vond dan Jake, wilde dat Jake hem leuker vond dan mij. En als we dat niet deden, negeerde hij Jake, duwde hem weg of lachte hem uit.

'Laat zitten, Mason,' zei ik. 'Je weet wat er gaat gebeuren. Jij moet altijd...'

'Ik moet ervandoor.' Jake liep naar de deur.

'Ga niet weg, Jake,' zei ik. 'Alsjeblieft?'

Hij aarzelde.

Ik wendde me tot Mason. 'Kunnen we hier nu eindelijk eens mee ophouden? Je gaat altijd tegen Jake tekeer tot hij niet meer komt. Na een week ga je hem missen, dan ga je naar hem toe en sleur je hem weer hierheen. Kun je niet...'

Mason trok Opal uit mijn armen en gaf haar een kus. 'Wil je niet graag een broertje of zusje?'

'Jij,' zei ik, 'bent gestoord.'

'Serieus.'

'Serieus gestoord.'

'Ze heeft al een zuster,' zei Jake.

'Ik zie Annie niet als haar zus.'

'Dat is duidelijk.'

'We worden als ouders gewoon hartstikke goed, Annie. Ze huilt bijna niet meer. Kijk haar eens.' Mason raakte met zijn neus haar voorhoofd aan. 'Mijn vader zei dat ik vroeger voortdurend huilde.'

'Ik kan me niet herinneren dat ik je ooit heb zien huilen,' zei ik.

'Omdat jij me hebt genezen. Soms, als we mensen over huis hadden, vertelde hij dat ik vroeger altijd zoveel huilde. De hele tijd, zei hij.' Mason lachte. 'En om zichzelf en mijn moeder een beetje rust te gunnen, legde hij me in de kinderwagen, reed me naar de garage achter ons huis en liet me daar een paar uur staan. Tegen de tijd dat hij terugkwam, was ik uitgehuild en in slaap gevallen.'

'Jezus,' zei ik. 'Wat is daar zo leuk aan?'

'Ik kan me alleen maar herinneren dat mijn vader altijd lachte als hij dat verhaal vertelde... en ik lachte met de volwassenen mee.'

'Je moeder ook?' vroeg Jake.

'Ik... ik geloof het wel.'

Jake wreef over zijn kin. 'Vonden zij dat leuk?'

'Moet haast wel. Hij heeft het verhaal in elk geval vaak genoeg verteld.'

'Geen wonder dat je Opal nooit laat huilen.' Jake legde een hand op Masons schouder.

Maar ik niet. Ik voelde me er ongemakkelijk bij. Was dit weer zo'n spelletje van Mason om hem hier te houden en medelijden te wekken?

'Er is geen enkele reden om een baby te laten huilen,' zei Jake.

Op de ochtend van onze eerste jaardag – mijn ouders' sterfdag, Opals verjaardag en onze trouwdag – was ik degene die schreeuwend wakker werd.

'Sst, Annie...' Mason sloeg zijn lange, stakige armen en benen om me heen, stakig op de plekken waar ik zacht was, niet breed genoeg om me helemaal in te sluiten, hoewel hij dat wel probeerde, alsof hij dacht dat hij me kon laten ophouden met beven.

Die Annabelle is te groot voor een meisje.

'Sst...'

Ik klemde me aan hem vast. Stijf. Nu beefden we beiden.

In de eerste klas ging ik altijd tekeer tegen de jongens die het op Mason gemunt hadden. Hij was toen nog klein – zijn verbazingwekkende groeispurt zou nog jaren op zich laten wachten – en wanneer andere jongens hem duwden of beentje lichtten, rende ik ze met maaiende armen achterna, schreeuwde zo hard dat de onderwijzer me zou horen en gaf ze een oplawaai als ze niet wegvluchtten.

Masons vader zei dat het andersom had moeten zijn: 'Die Annabelle is te groot voor een meisje. Bij zo'n meisje lijkt een jongen nóg kleiner.'

Alleen, Mason en ik hadden er geen last van. We waren zulke dikke maatjes, zulke wonderlijk dikke maatjes... een meisje-jongensschepsel, het beste van twee werelden in één. En zo was het ook met Jake. Van kinds af aan geloofde ik dat ik met beiden verbonden was: de een om mee te trouwen, de ander als vriend. Ik wist niet zeker wie wie zou worden. Nog niet. Maar het maakte me niet uit dat ik het niet wist, want ik hield van ze allebei, vond het heerlijk hoe ze zich tot me aangetrokken voelden terwijl ik de vriendschap in evenwicht hield. Alleen al de gedachte was onweerstaanbaar... dat ik dat voor hen kon betekenen.

Mijn eerste kus: Jake, toen we twaalf waren. Sneeuw in ons haar. Sneeuw tot aan onze enkels achter de school.

We hebben het Mason nooit verteld, omdat hij dan in alle staten zou zijn geweest. Jake wist dat. Ik wist dat.

En op een dag in Marokko, op de muren van Asilah, wisten we allebei dat ik hem liever wilde dan Mason. Jake en ik voelden ons altijd al sterk tot elkaar aangetrokken, net zoals tot Mason. Soms zelfs nog sterker. Maar we bleven op afstand, Jake en ik, in elk geval op voldoende afstand... een flux van duwen en trekken.

Mason legde zijn lippen tegen mijn oor. Fluisterde.

'Wat? Dat kietelt.'

'Ik heb een buitensporig idee.'

'O?' Mason en ik deden al van kinds af aan samen buitensporige dingen, we hadden achter auto's aan gerend en ze laten stoppen om limonade van ons te kopen. Buitensporig betekende uitdagend. En de schok als je iets zei. Buitensporig was vlak nadat je van school kwam door Marokko reizen. Masons ouders stonden erop dat Jake met ons meeging – 'Hij is zo volwassen,' zeiden ze – maar Jake had geen zin om als onze chaperonne mee te gaan... hij ging alleen mee omdat hij van ons allebei hield, nog steeds van ons hield, voordat hij alleen van mij hield en Mason ging vrezen.

'Je houdt van buitensporig,' bracht Mason me in herinnering.

Ik hield hem vast terwijl hij fluisterde, onze lichamen vochtig van het zweet waar ze elkaar raakten. 'Ik ga de camera halen, Annie.'

'Geen sprake van.'

'Het is zo schandelijk.' Zwart verward haar, zwarte wenkbrauwen.

'Het is respectloos.'

'Dan zou je moeder als eerste in de lach schieten.'

Plotseling verdriet – *haar hand op mijn middel terwijl ze met me danst. Haar verwarde haar tegen mijn wang. Die oneerbiedige lach van haar.*

'Hé... nu ben je weer bedroefd.' Mason streek over mijn onderlip. 'We hoeven niet...'

'Misschien kunnen we erom lachen... ooit?'

'Ik wist dat je ja zou zeggen.'

'Ik heb eigenlijk niet...'

'Ja? Het is een schitterend cadeau voor tante Stormy. Ik breng het rolletje naar de één-uursservice en dan halen we het op als we naar Long Island gaan. Zeg ja?'

'Ja.' Ik duwde hem weg. 'Oké?'

Hij trok zijn sweatshirt aan en liep zingend naar Opals kamer: 'Lang zal ze leven...'

Van de bovenste plank uit onze kledingkast pakte ik de doos met mijn trouwjurk.

Hoorde de kraan in de badkamer. Masons stem: 'Weet je dat je vandaag jarig bent, Sterretje?'

Voor de spiegel stopte ik een kussen in mijn onderbroek.

'We gaan je lekker wassen, Sterretje.'

Toen ik mijn trouwjurk over het opbollende kussen trok, stelde ik me mijn moeder voor... met net als ik brede schouders. Brede heupen. En die schaamteloze lach.

'Wat een gezichtje,' zei Mason tegen Opal terwijl hij haar naar onze slaapkamer droeg. 'Van wie zou je dat grappige, mooie gezichtje nou hebben?'

Ze strekte haar armen naar me uit.

'Hetzelfde gezicht als dat van Annie! Je hebt het van haar. Annie is een bruidje, zie je wel? Hupsakee.'

Ik kuste haar, plantte haar, mijn blote zusje, op mijn heup, poseerde met haar voor de camera, dacht aan mijn moeder, dacht: *Opal is van jou... ze zal altijd van jou zijn.*

Op Masons foto ben ik een heel zwangere bruid met al een kind op een heup.

'Opal heeft een cadeautje voor je,' zei Mason tegen tante Stormy. Hij stopte de foto-envelop in Opals handjes en bracht haar naar tante Stormy.

'Voor mij? En het is nog wel jouw verjaardag, Opal.' Ze haalde de foto's eruit. Ze schaterde van het lachen. 'Schitterend... een bruid die al of niet het altaar haalt voordat haar volgende kind eruit piept. Wiens idee is dit?' vroeg ze aan Mason, alsof ze het al wist.

Hij schokschouderde. Grinnikte.

'Ik had niet gedacht dat ik vandaag zou kunnen lachen,' zei tante Stormy. 'Dank je wel, Mason.'

Zodra ze mij omhelsde, stond ik te huilen.

Zo ging dat bij tante Stormy. 'We zijn tenminste... samen... een ritueel om samen te zijn... deze jaardag der jaardagen...'

'Hé...' Mason sloeg zijn armen om ons heen. 'Tante Stormy? Ziet Annie er zwanger niet prachtig uit?'

'Ik ben niet zwanger.'

'Zelfs zogenaamd zwanger ben je prachtig.'

'Zal wel...'

Hij zwaaide met Opal in zijn amen. 'Jij en ik gaan de eenden inspecteren.' Hij liep naar buiten waar de lucht zo helder was dat de schaduwen tintelden.

'Hij is geweldig met 'r,' zei tante Stormy.

'Geweldig...'

Ze nam mijn gezicht tussen haar handen. Veegde mijn tranen terug. Onze tranen.

Tante Stormy heeft mijn moeder – en later mij – geleerd hoe je in de weg staande bomen kon omzeilen, zelfs de kleintjes, door het pad er als vanzelf tussendoor te laten slingeren. Ons geleerd hoe je afgebroken boomstronken en -takken kon verankeren met V-vormige, gevallen takken. Maar met doornstruiken had ze geen genade, ze knipte de heldergroene loten af zodat ze de bomen en het struikgewas niet konden verstikken. De doorns bekrasten haar armen en gezicht, maar ze ging net zolang door tot ze ze allemaal had. Dan wond ze de takken in grote lussen op en duwde die tussen het kreupelhout langs de noordgrens van haar terrein, zodat de vogels erin konden nestelen.

Tante Stormy en mijn moeder waren geen echte zusters. Ze kwamen niet eens uit dezelfde stad, maar wel uit dezelfde streek langs de Duitse Waddenzee, niet ver van Holland: mijn moeder uit Norddeich, tante Stormy uit Benersiel. Ze werden zelfverkozen zusters, zoals ze dat noemden, toen ze als au pairs kennis met elkaar maakten en ze voor de kinderen uit twee gezinnen in Southampton zorgden. Op oude foto's was mijn moeder lang en stevig gebouwd, met weerbarstig rood haar, en tante Stormy klein met een donkere vlecht tot aan haar middel. Maar naarmate ze ouder werden begonnen ze op een of andere manier op elkaar te lijken. Ze heetten Lotte en Mechthild. De kleine kinderen konden Mechthild onmogelijk uitspreken en noemden haar Stormy omdat ze zo graag in stormachtig weer buiten met ze ging dansen. Mechthild vond haar nieuwe naam veel mooier dan de naam die ze van een obscure oudtante had geërfd en begon zichzelf ook als Stormy te zien.

Lotte en Stormy waren dag in dag uit alleen met kleine kinderen die nog niet naar school gingen en herkenden weinig van het Amerika dat hun door het au-pairbureau was voorgespiegeld: cultuur, reizen en vooruitgang. In plaats daarvan zaten ze opgesloten in dure huizen, opgescheept met de vocabulaire en routine van kleine kinderen.

'We zijn niet compleet gek geworden,' zei mijn moeder altijd, 'omdat we naast elkaar woonden.'

Lotte en Stormy hadden zich duizend continenten van huis verwijderd gevoeld als ze elkaar niet hadden gehad, omdat ze elkaar begrepen en erover konden praten. Hoewel ze allebei op school Engelse les hadden gehad, nam de taalbarrière iets van hun vlugheid en zelfvertrouwen weg.

Hun werkgevers waren vriendelijke mensen die dachten dat ze hun au pairs er een plezier mee deden als ze ze mee uit namen op gezinsuitjes en familie-etentjes, maar dat kwam slechts boven op al die uren van voederen en badderen, van jamvingertjes, babygehuil en vertroetelen. En omdat de kinderen hun au pairs beter kenden dan hun ouders, kwamen ze natuurlijk ook binnen de gezinsomgeving naar hen toe als ze wilden spelen of getroost wilden worden, zodat hun ouders van ze verlost waren en onderling grotemensengesprekken konden voeren. Ze prezen de toewijding van hun au pairs – hoewel Lotte slordig en Stormy vaak aan de late kant was. Maar wat ertoe deed was dat ze het bewijs zagen dat er van hun kinderen werd gehouden terwijl de ouders aan het werk waren of afspraken hadden... ook al voelden ze zich enigszins ongemakkelijk omdat hun kinderen zo stapelgek met hun kindermeisjes waren.

Ze waren inventief, Stormy en Lotte. Zorgden bij toerbeurt voor het eten en de snacks voor de kinderen, in totaal zeven. Ze verzonnen spelletjes voor hen allemaal samen, dansten met de kinderen op de platen die ze van huis hadden meegenomen: Edith Piaf en Hildegard Knef en Charles Aznavour.

In de winter liep het stadje leeg, alsof het volkomen geïsoleerd raakte. Maar de zomers waren fantastisch omdat ze slechts vijf minuten lopen van Coopers Beach woonden, waar ze de hele dag te vinden waren met emmertjes en parasols en dekens en picknicks, met elkaar praatten terwijl ze de kinderen in de gaten hielden die door het ondiepe water achter elkaar aan zaten of hun middagslaapje deden.

'We spraken vaak Duits met ze,' had tante Stormy me verteld. 'De kleintjes gaven dan net zo makkelijk antwoord als in het Engels.'

Mijn moeder stemde daarmee in. '*C'est le ton qui fait la musique*, Annie.'

'Het gras waarover we naar elkaars huis liepen, was helemaal platgetrapt.'

Ze leenden elkaars lievelingsboeken. Lottes gedichtenverzameling: Annette von Droste-Hülshoff, Heinrich Heine, Rainer Maria Rilke. Stormy hield van romans, vooral van Ilse

Aichinger en Hermann Hesse. Pearl S. Bucks *Die Mutter* was met ze meegereisd de Atlantische Oceaan over. Het eerste Engelstalige boek dat ze helemaal uitlazen – waarbij ze tussen de hoofdstukken door uitwisselden – was *Peyton Place*, gewaagder dan ze tot dan toe ooit hadden gelezen.

Zondags was hun vrije dag en dan namen Lotte en Stormy de trein naar Manhattan. Urenlang slenterden ze door de verschillende buurten. Het leek wel of heel Europa – nee, heel de wereld – in één opwindende stad was samengekomen. Ze gingen naar concerten, protesteerden tegen de Vietnamoorlog, gingen naar de bakkers op Eighty-sixth om *Kuchen* te kopen, naar Greenwich Village, musea...

Zo ver weg van hun geboorteland vormde taal een krachtiger band dan thuis het geval zou zijn geweest. En toch, als mensen zeiden: 'Jullie accent... waar komen jullie vandaan?' leerden ze al snel te antwoorden: 'Uit Holland.' Lotte was daarmee begonnen. Want als ze 'Duitsland' zeiden, viel er die stilte... ging nieuwsgierigheid over in behoedzaamheid. 'Ik heb gehoord dat de straten daar zo schoon zijn,' zei iemand dan. Of: 'De Duitsers brouwen lekker bier.' Of: 'Rijden de treinen daar niet altijd op tijd?'

'Maar stel dat ze Nederlands spreken?' had Stormy aan Lotte gevraagd.

'Er zijn heel weinig mensen die Nederlands spreken. En als dat al het geval is, dan maar een paar woordjes. Het is een klein land.'

'Maar stel dat...'

'We zeggen gewoon dat we hebben afgesproken dat we een heel jaar geen Nederlands spreken om ons Engels te oefenen.'

Veel later zou mijn moeder me vertellen dat daar dat onderhuidse afgrijzen schuilging vanwege Duitslands barbaarse geschiedenis en dat ze het heel akelig vond als ze daar voor altijd mee geassocieerd zouden worden. Ze hadden er last van dat ze zo weinig over de Holocaust wisten. In Duitsland werd dat compleet buiten de geschiedenislessen gelaten, maar hier in Amerika was het onderdeel van het lesprogramma. Voor veel Amerikanen die ze ontmoetten waren Lotte en Stormy schoolvoorbeelden van dé Duitser – punctueel, gehoorzaam, rigide, schoon, wreed en humorloos zoals de schurken op het witte doek – waardoor ze zich op een sinistere manier meer Duits gingen voelen dan als ze in hun eigen land waren gebleven.

Zo nu en dan verstopte mijn moeder dingen voordat tante Stormy bij ons op bezoek kwam. 'Stormy is behalve op jou ook dol op spulletjes,' zei ze dan.

Ik ben opgegroeid met een verhaal van mijn vader over Stormy en de blauwe glazen bal die hij voor Lotte bij een glasblazerij had gekocht toen ze van mij zwanger was. 'Omdat die me aan jou deed denken, zoals je in haar buik rondzweefde, Annie... een en al blauw licht.'

Op de dag dat ik werd geboren kwam Stormy aan met boeken en wijn voor mijn ouders, voor mij een wit, kantachtig gehaakt jasje en een krat groenten en fruit van haar favoriete boerenkraam. Twee weken lang kookte ze, maakte schoon en deed de boodschappen, stopte me in bad, droeg me naar mijn moeder die me dan de borst gaf.

Op een ochtend zag Stormy de glazen bal. 'Wat een bijzondere tint blauw.'

'Daarom vinden Phillip en ik hem ook zo mooi,' zei Lotte.

'Ik heb nog nooit zoiets gezien.'

Lotte knikte. Legde me aan de andere borst.

'Zie je hem al hangen aan mijn kaarsenkroonluchter in de keuken, Lotte, hoe dat zou staan?'

Maar Lotte deed hem haar niet cadeau, hoewel Lotte

meestal als Stormy zei dat ze iets heel mooi vond nadrukkelijk zei: 'Neem maar mee, Stormy.' Want dat zou Stormy ook
voor haar doen.

'Ik zou meer met dat blauw kunnen doen... kralen misschien, of de sluiting van een houtje-touwtjejas... deurknop-
pen. Dat blauw zou helemaal de toon zetten. Je wilt zeker
niet...' Stormy schudde haar hoofd. 'Nee, dat mag ik niet vragen.'

Lotte streelde mijn haar. Neuriede tegen me tot ze de toon
in haar tanden voelde trillen.

'Wil je hem misschien... ruilen?'

Lotte was te stomverbaasd om antwoord te kunnen geven.

'Ruilen voor mijn schaal uit Hong Kong? Waar jij altijd zo
dol op was?' Stormy was met haar au-pairgezin drie maanden
naar Hong Kong geweest en teruggekomen met handgeschil-
derde schalen, verhalen over het Feest van de Hunkerende
Geesten, angstige zielen die geen fatsoenlijke begrafenis hadden gehad. Ze was van plan op het strand haar eigen kamp-
vuur voor een Hunkerende Geest te stoken, offers te brengen
en hem gelukkig heen te sturen.

'Je hoeft me die schaal niet te geven. Je hoeft me er helemaal niets voor terug te geven,' zei Lotte in de veronderstel-
ling dat haar dat de mond zou snoeren.

Maar Stormy pakte het blauwe glas in haar handen, hield
het eerbiedig vast. 'Dank je, Lotte. Zijn we niet allen de hoe-
ders van de bezittingen die ons worden toevertrouwd?'

Die avond in bed – met mij tussen hen in – vroeg Lotte aan
Phillip: 'Denk je dat vrijgevigheid alleen maar betekent dat je
iets weggeeft wat je eigenlijk zelf had willen houden?'

'Volgens mij is dat abnormaal.'

'Stormy komt uit een arme familie. Ze hebben nooit veel
gehad. Misschien is het daarom...'

'Ben je nu een omgekeerde snob?'

'Ik probeer te begrijpen waarom ze dit doet, Phillip.'

'Alleen als iets uit vrije wil is gegeven, is het een geschenk.'

'Waar haal je die wijsheid nou weer vandaan?'

'Doordat ik met jou ben.'

'Volgens mij gelooft Stormy dat ik het uit vrije wil heb gegeven.'

'Zoals jij met haar omgaat, snap ik dat wel.'

'Je kunt haar onmogelijk iets weigeren... als je bedenkt hoe vrijgevig ze zelf is.'

De moed die Lotte heeft moeten opbrengen om die glazen bal terug te vragen! 's Ochtends pakte ze Stormy's hand vast en ging naast haar zitten. Met racend hart zei ze tegen haar dat ze haar blauwe glazen bal graag wilde houden.

'Maar natuurlijk,' had Stormy onmiddellijk gezegd. 'Ik zal hem voor je halen.' Toen ze terugkwam, legde ze de blauwe bal naast het broodrooster, waarin zijn spiegeling hem in twee glazen ballen verdubbelde, voor ieder een.

'Sorry,' zei Lotte.

'Het geeft niet. Echt niet.'

'Ben je nu niet teleurgesteld?'

'Ik ben blij dat je het hebt gezegd.'

Lotte voelde zich vrekkig. Egoïstisch. Maar toch... als ze er niet om had gevraagd, zou ze zichzelf hebben verloochend. 'Stormy?'

'Ja?'

'Neem alsjeblieft iets anders wat je graag wilt hebben... alsjeblieft?'

'Het enige wat ik wil is hier zijn met Phillip en Annie.'

Maar op de dag nadat Stormy naar North Sea was teruggekeerd, kon Lotte haar blauwe glazen bal nergens vinden, en hoewel ze alle kamers doorzocht, wist ze dat hij er niet meer was. Ze was dan ook niet verbaasd toen ze tijdens haar volgende bezoek aan North Sea hem aan Stormy's kaarsenkroonluchter zag hangen. Maar Lotte was er wel woedend over, en ze fantaseerde erover om hem terug te stelen. Ze vond zichzelf gemeen maar ook dat ze in haar recht stond, ze bedacht hoe ze hem als Stormy buiten was van de kroonluchter zou halen, en hem zonder een woord te zeggen in een luier zou verstoppen en weer mee naar huis zou nemen. Later zei ze tegen me dat ze nog steeds niet wist waarom ze hem niet heeft teruggestolen, misschien omdat het genoeg was om hem boven haar hoofd te zien bungelen, waar het blauw het licht aantrok uit de kaarsen en vensters.

'Ik zal Opal wat voer voor de eendjes geven.' Tante Stormy maakte het deksel open van een afvalblik vol maïskorrels dat ze met een elastiek afsloot zodat de wasberen er niet bij konden. Ze schepte er wat van in een emmertje.

We liepen het pad af, langs rietkragen, over het planken strandpad, kruisten de vlakke wetlanden. Mason had Opal op het hek in de bocht naar de kreek gezet. Hij hield zijn arm om haar heen en ze keken naar het water omlaag.

'Hier, *Vögelchen*,' riep tante Stormy.

'Eend...' zong Opal.

'*Vögelchen* betekent vogeltjes... eenden en ook kippen. Alle vogelsoorten.' Tante Stormy streek met haar blote wreef de takjes van haar andere kuit.

De wind kreeg ons in zijn greep, schudde ons door elkaar. Opal schaterlachte. Twee grote witte reigers vlogen uit de baai op, zwenkten en landden op de kroon van BigC's rode kersenboom. BigC betekent Big Calla. Big Calla Holland. Niet omdat ze zo groot was, maar omdat haar huis zoveel groter was dan tante Stormy had verwacht. Als een deksel lag een rood lemen dak op de roze gestucte hoeve. Een nachtmerrie in roze, zo noemden de buren het.

Eind jaren zestig had tante Stormy haar cottage in North

Sea gekocht omdat de naam haar deed denken aan de Duitse Noordzee. Van haar lerarensalaris kon ze het betalen, maar een jaar geleden was de belasting te hoog voor haar geworden en had ze ruim tweeduizend vierkante meter grond aan BigC verkocht, een reclameontwerpster met een appartement in New York waar ze wandschilderingen in restaurants maakte. Om de week kwam BigC naar North Sea, maar wanneer ze huurders had, logeerde ze bij een B&B in Southampton.

'Eendje...' zong Opal.

Mason deed met haar mee. 'Eendje.'

Toen tante Stormy met haar emmertje rammelde, haastten de eenden zich naar de kreek alsof ze op haar hadden zitten wachten. 'Doe je handjes open, Opal. Ik heb iets voor jou en de Vögelchen.' Ze strooide wat maïs in Opals handen.

Maar Opal klemde haar vingertjes om de korrels en bracht haar vuistje naar haar mond.

'Dat is geen meisjeseten.' Mason hield haar tegen. 'Nee, nee...'

Opal gilde. Zoog op haar knuistje.

'Nee, nee... dat eten is voor de...' Hij grijnsde naar tante Stormy. 'Waggeltchen?'

'Vögelchen, Mason.'

'Dat zei ik.' Hij maakte Opals vingertjes los. Gooide de maïs naar de eendjes. 'Zie je wel? Zo moet het.'

Tante Stormy gaf hem het emmertje. 'Ga je in de herfst weer studeren, Annie?'

Ik knikte. 'Mason, Jake en ik zijn onze roosters op elkaar aan het afstemmen zodat een van ons altijd bij Opal kan zijn.'

'Daar ben ik blij om.'

Mason liet Opal een handje maïs uit de emmer nemen en de eendjes voeren. Een paar keer gingen haar handjes instinctief naar haar mond, maar dan leidde hij haar af, werkte zijn handen tussen de hare en leidde ze om tot ze moest lachen en de maïs aan de eenden gaf.

'Van nu af aan zijn het jouw eendjes, Opal,' zei tante Stormy.

'Wacht eens even.' Ik veinsde verwarring. 'Dat zei je vroeger ook altijd tegen mij.'

'Ze waren ook van jou.' Tante Stormy knikte. 'Tot er een nieuw kind op de proppen kwam.'

'Je moet leren delen, Annabelle.' Mason hield zijn hoofd een beetje schuin, licht viel op zijn wangen, zijn lippen.

Elk jaar vierde tante Stormy in augustus, op de avond voor volle maan, haar eigen Feest van de Hunkerende Geesten. Mijn ouders en ik logeerden dan bij haar. Meestal namen we Mason en Jake mee. Onderweg stopten we in China Town om een heleboel Chinees *spirit money* – valse geldbriefjes – voor de geesten te kopen, en klatergoud en crêpepapier en serpentines, en meters flinterdun rood en paars tissuepapier.

Elk jaar was de geest weer anders, en ik hield het meest van de geest met de twee hoofden. Met z'n zevenen waren we toen we tante Stormy en mijn ouders hielpen met het skelet van bamboestokken die Pete achter zijn garage had gekapt. We kleedden het lijf van de geest aan met krantenpapier en papier-maché. Met plakband plakten we het Chinese spirit money en de gouden serpentines op de paarse geestjurk die er als een tent over uitgespreid was. Aan de lange bamboearmen bevestigden we grote bamboe harkhanden.

Mijn moeder en tante Stormy lachten en spraken Duits, met die vertrouwde, zangerige melodie die er niet was als ze Engels praatten. Toen mijn moeder de trappen naar de logeerkamer op rende en met haar oudste badpak terugkwam, werden die twee bepaald frivool.

'Dubbel D!'

'Driedubbel D!'

Ze knipten een grote behacup uit het badpak en modelleerden die als een neus op het hoofd van de vrouwengeest. Dat had een rode winegummond, rode stroken als haar en een lange hals waardoor het hoofd iets boven een mannengezicht uitstak, met zijn papieren-handdoek-mopsneus en voorhoofd van degenkrab.

'Meer schepsel dan mens,' zei mijn vader.

'Degenkrabben waren er al miljoen jaren voor de dinosaurussen,' vertelde tante Stormy me.

De Hunkerende Geest was twee keer zo groot als mijn vader en als we hem naar het strand zeulden, liepen we in een rij achter elkaar over het plankenpad: Jake en ik droegen de hoofden van het beeld, mijn ouders en tante Stormy liepen in het midden, Pete en Mason hadden de geest bij de voeten vast.

Aan de waterkant stonden tante Stormy's gasten al op ons te wachten: een paar buren en uitverkoren klanten; vrienden van Amnesty International die elke maand voor briefschrijfsessies bij elkaar kwamen en onderwijzers van de basisschool waar ze vroeger lesgaf tot ze haar eerste bedrijf begon, zomerhuisjes beheren. Buiten het seizoen sloot ze de huizen af en maakte die 'winterklaar'. Voor de vakanties maakte ze die weer open, huurde aannemers en verschillende bedrijven in voor het onderhoud, en controleerde de huizen wanneer de eigenaars weg waren.

Al haar gasten hadden strandstoelen, parasols, met indiaanse beddenspreien gedekte tafels en wonderbaarlijk eten meegenomen. Ze maakten foto's van de geest en van elkaar met de geest, brachten met wijn of sap een toost op de geest uit. Na het eten legden we onder de geestjurk offers die met de geest in brand zouden worden gestoken: boze dromen en consumentisme en wapens en droefenis en corrupte politici en schulden en leugens en toerisme...

En de Hunkerende Geest moet die allemaal meenemen.

Tante Stormy knielde neer, haar broek was zandkleurig, haar kaftan felblauw, haar donkere vlecht deelde haar rug in twee. Algauw zou de maan opkomen, nog niet helemaal vol, dat was pas morgen, als we met de kajaks de tweede dag van het ritueel zouden uitvoeren, om getuigen te zijn van de zonsondergang en de maan in zijn volle augustusglorie te zien opkomen.

Tante Stormy sprenkelde aanstekervloeistof aan de voet van de figuur en over de jurk. Mijn vader ging op zijn hurken naast haar zitten, zijn lange dijen parallel aan de grond.

'Niet zo dichtbij,' riep mijn moeder die alleen in de buurt van vuur voorzichtig was.

Toen de eerste vlammen een krantenfoto krulden, een rond gat in de foto brandden, bruine randen, oranje vlammen, ging mijn vader achter mijn moeder staan, die tegen hem aanleunde toen hij haar in zijn armen vouwde en zij haar armen om mij wikkelde, en zo keken we met zijn drieën naar de geest. In vuur en vlam leek de figuur wel te bewegen – hij stond stil, maar bewoog – de serpentines rimpelden in de vlammen, de armen waren al verdwenen. En toen de gedaante zich in de vlammen naar zichzelf vooroverboog, werd ze zelf de vlam, een rode en gele sensatie.

'Ik heb een picknick klaargemaakt,' zei tante Stormy tegen Opal. 'Als verjaardagsetentje, liefje. We gaan naar de oceaan. We moeten alleen even langs het huis van een klant om te kijken of de meubels zijn gerepareerd.'

Op Noyack Road stopte een politiewagen met brandend zwaailicht achter een beige gedeukte auto.

'Als die chauffeur geen latino was geweest,' zei tante Stormy, 'zou de politie er geen werk van hebben gemaakt. Ik zou wel willen stoppen en hem eraan helpen herinneren dat we in dit land allemaal immigranten zijn... op de oorspronkelijke Amerikaanse bewoners na, natuurlijk. Degenen die het laatste zijn binnengekomen krijgen het altijd voor de kiezen. Laat die politieman liever achter bumperklevers aangaan.'

'Ik heb altijd het idee dat hier meer bumperklevers zijn,' zei Mason.

'Omdat ze gewend zijn in de stad te rijden. Bumper op bumper.' Tante Stormy keek naar Opal en ging zachter praten. 'Ik vermoed dat die klootzakken daar ook thuishoren. Vroeger stak ik mijn middelvinger naar ze op, met arm en al, tot ik hoorde dat er steeds meer agressie in het verkeer komt. Nu ga ik langzamer rijden, daar worden ze gek van.'

Een blok bij Sagg Main Beach vandaan stopte ze op de oprijlaan van een geel huis met overdekte veranda's. 'Hier wonen twee zusters,' zei ze, 'allebei in de tachtig. Nog nooit van elkaar gescheiden geweest. Zijn opgegroeid in Westchester en na hun pensioen verhuisd.'

'Hun hele leven samengewoond...' zei Mason, 'klinkt zo vredig.'

Tante Stormy lachte. 'Dat zou je niet zeggen als je die kenaus zag.'

'Waarom kenaus?'

'Ze maken altijd ruzie, slaan met hun schrille stemmetjes alleen maar smerige taal uit, scheppen altijd tegen me op dat ze zoveel beroemde mensen hebben gekend. Ik laat het je wel zien.'

In de woonkamer hingen honderden kiekjes aan de muren. Op elk ervan stonden twee oude vrouwen – met veel haar, een laag make-up en een overdreven glimlach – die aan een tafel naar een of een paar mensen toe leunden, op elke foto iemand anders, maar met dezelfde verwilderde uitdrukking op het gezicht.

'Zo doen ze dat, die haaibaaien... stappen in restaurants op beroemde mensen af en laten een ober een foto maken voordat hun slachtoffers nee kunnen zeggen.'

'Dus daarom staart een hert als versteend in een stel koplampen,' zei Mason.

Toen we op Sagg Main aankwamen, blies de strandwacht voor het laatst op zijn fluitje en gebaarde alle zwemmers dat ze het voor vandaag voor gezien moesten houden. Zodra de stoel van de strandwacht leeg was, zwermden kinderen als sprinkhanen de ladder op. Sprongen in de berg zand die de strandwachten voor de hoge stoel hadden geschept en klommen weer omhoog.

'Dat deed ik ook altijd,' zei ik en ik spreidde een oud beddenlaken uit, terwijl tante Stormy ons diner uitpakte.

Een man en een vrouw, allebei dik en met mannelijke gelaatstrekken, arriveerden met handdoeken en scheppen. Hij was ongeveer dertig, zij twee keer zo oud als hij. Hij ging op het zand liggen, met zijn gezicht naar het water en een handdoek onder zijn hoofd, en zij begon hem helemaal met zand te bedekken tot hij een berg zand was geworden, met alleen zijn hoofd en hals erbovenuit. Ze liep het water in, spoelde het zand van haar handen, deed een paar diepe kniebuigingen, hielp zichzelf met haar knuisten op de knieën overeind en kuierde naar haar zandberg terug.

'Help me eens met de parasol.' Tante Stormy stak het scherpe uiteinde van de stok in het zand.

'Laat mij dat maar doen,' zei Mason.

'We hebben een beetje schim nodig,' zei tante Stormy.

Ik glimlachte, maar verbeterde haar niet. Mijn moeder haalde schaduw en schim ook altijd door elkaar. In het Duits is het één en hetzelfde woord: *Schatten.*

Opal liep half kruipend naar de rand van de zee. Ik liep achter haar aan, ging op mijn knieën zitten en trok haar in de elleboogholtes van mijn armen zodat we naar de golven konden kijken en hun kracht konden voelen... net als ik op haar leeftijd had gedaan. In mijn blootje stoof ik dan naar die witte, krullende golven die boven me uit torenden terwijl mijn sterke en zongebruinde vader kwam aanrennen en zich tussen mij en het water wierp, een mensengolf die de watergolf bij me vandaan hiel. Dan ging mijn vader achter me staan, trok me bij mijn handen omhoog en op het moment dat de golf me bijna omvergooide, liet hij me erboven vliegen – *vogel... vis... vogelvis* – en ik vloog net zolang boven het water tot hij me op het zand liet landen. Mijn vader, verlegen op de wal maar een held in het water. Hij tilde me opnieuw op zodat ik ook over de volgende golf kon vliegen, elke golf groter en sneller. Geen een gooide me omver. Ik kon immers vliegen. En toen hij me voor de laatste keer neerzette, draaide hij me in de richting van mijn moeder en tante Stormy. Ik ging op mijn hurken zitten en schepte mijn vuistjes vol zand voor hen.

Hoe kan ik dat nou nog weten, pap? Door de verhalen die je me hebt verteld? Door wat ik nog steeds in mijn lijf voel: het vliegen... de lichtheid... de zekerheid dat er een weg bestaat? 'Zo heb ik er nog niet over nagedacht,' zei je dan altijd.

'Vlieg...' Ik tilde Opal boven de golven en ze kraaide van plezier. 'Vlieg...'

'Vlieg...' Mason legde zijn lippen tegen mijn oor. 'Jij en ik... wij zouden fantastische kindjes maken.'

'Dat meen je niet.'

'Te vroeg?'

'Ik weet nauwelijks hoe ik voor één moet zorgen. Terwijl jij vadertje en moedertje aan het spelen bent.'

Tante Stormy kwam naast ons staan.

Mason hield zijn hoofd schuin. 'Je moet niet boos op me worden, Annie. Ik wil alleen maar...'

'Wat zijn die aan het doen?' Ik wees naar de vrouw die de man had begraven. Ze legde haar opgevouwen handdoek naast de zijne en ging zo liggen dat haar hoofd naast dat van hem kwam te liggen, maar haar lichaam stak in tegengestelde richting uit van het zijne, het hoofd van het water af. Toen begon ze zichzelf in te graven, met de kleinste schep van de twee groef ze het zand rondom zichzelf weg en schepte dat boven op haar lichaam. In het begin zat ze rechtop en kon ze met haar schep nog bij het zand, maar toen moest ze gaan liggen en strooide ze het zand over zichzelf uit tot ze tot haar borst onder lag.

'Dat doen ze altijd op het strand,' zei tante Stormy.

'Maar waarom?'

Ze haalde haar schouders op. 'Dat doen ze nou eenmaal altijd.'

De vrouw deed haar ogen dicht. Rustte uit. Er was iets oerouds aan die twee, zo ingegraven, vreemd en intiem.

'Zijn ze getrouwd?'

'Geen idee.'

'Ik wed dat ze moeder en zoon zijn.' Ik ging op mijn hurken zitten, balanceerde Opal op mijn knie en trok haar omtrek in het zand. *En man en een vrouw die elkaar ingraven. Een ander zou het als een begrafenis zien. Ik wist dat het dat niet was. Ik stelde me het heerlijke gewicht van het koele zand voor. Dat doen ze altijd op het strand...*

'Ik wed dat ze getrouwd zijn,' zei hij.

'Zij is veel ouder dan hij,' zei tante Stormy.

'Wat dan nog?' vroeg Mason.

Tante Stormy moest lachen. 'Punt voor jou, Mason.'

'Ik wed om tien dollar dat het moeder en zoon zijn.'

'Tien dat ze getrouwd zijn,' zei ik.

'En hoe kom je daarachter?' vroeg tante Stormy.

Mason grijnsde naar haar. 'We sturen jou op ze af om het te vragen.'

'O nee. Jullie twee... jullie gaan nog eens failliet.'

'We verliezen al ons geld aan elkaar,' zei hij, 'het kost ons nooit wat. En zelfs als ik win, wil ik dat Annie ook wint. Niet op dat moment zelf, maar wel snel daarna.'

'Vliegen?' Opal wrong zich in bochten.

Ik stond op en tilde haar in mijn armen op. 'Vliegen...'

'Lotte was net als jij in het water,' zei tante Stormy, 'als een vis.'

Toen Opals mollige voetjes de lucht boven de golven boetseerden, schoot het door me heen dat ze niet alleen mijn zuster maar ook mijn dochter was – banden veel nauwer dan elke aparte band op zich – en dat door haar mijn ouders in mijn armen voortleefden.

Ik tilde haar hoger op. 'Vliegen...' *Dochter.* En drukte mijn lippen op haar ruggetje. Niet langer haar zogenaamde moeder. Maar haar echte moeder. *Nu.*

Mijn dochter giechelde.

Tante Stormy begroef haar tenen in het zand, wrikte iets los.

'Wat heb je gevonden?' vroeg Mason.

'Beestenboel?' vroeg ik.

Ze bukte zich. Pakte een stukje kraakbeen op dat aan een bot en een paar veren vastzat. 'Een schitterend stukje beest.'

Als kind vond ik het heerlijk om met haar het strand af te struinen op zoek naar veren, botten, schedels en wervels.

'O jeetje,' zei ze dan, 'die beesten zijn uit elkaar gevallen.'

We verzamelden de stukjes, namen ze mee naar haar cottage en knutselden ze met touw, draad en spijkers in elkaar, creëerden een dier dat op geen enkel ander dier leek. En als ik leven in die verbleekte botten probeerde te blazen, voelde ik me oppermachtig. Toen is mijn voorliefde voor collages begonnen, zo brutaal en overtuigd als ik was dat ik die dieren opnieuw tot leven kon wekken zoals ik ze me voorstelde, of – wellicht – zoals ze hadden moeten zijn.

Mason

...maar de maan en de stenen raakten verhitter, jouw ademhaling ging sneller. En hoewel jij en Jake elkaar niet aanraakten – nog niet, Annie – zag ik jullie samen.

'In hemelsnaam... Doe het gewoon.'

'Wil je nou eens ophouden?' beet Jake me toe. 'Alsjeblieft, Mason?'

Op dat moment had ik bewijs nodig. Het soort bewijs dat je krijgt door mensen iets voor te stellen wat ze volgens eigen zeggen niet willen. 'Als jullie nu met elkaar vrijen, geloof ik dat het voor jullie geen punt is en dat jullie de waarheid vertellen.'

'Wat een verdomde logica, zeg.' Je stem klonk zo woedend, Annie, dat ik wist dat ik chaos met je wilde trappen, ook al zou ik nu ophouden.

Maar ik kon niet ophouden. Omdat het zo... overduidelijk was dat Jake je wilde. Dat heb ik heus niet zelf bedacht, Annie. Het droop van hem af, zoals zo vaak bij hem. De manier waarop hij zijn hoofd achterovergooit of zoals hij in tante Stormy's hangmat gaat liggen, precies zo, alsof hij je uitdaagt zijn kaken aan te raken om te voelen dat ze werkelijk ondraaglijk glad zijn.

'Doe het gewoon,' zei ik tegen hem.

'Ik ben weg,' zei hij.

En ik was zo opgelucht... meer nog dan opgelucht, Annie... en stelde me al voor hoe ik vanuit deze slaapverwekkende en ver-

woestende hitte achter Jake aan zou gaan... de nacht koud op onze huid die al begon te gloeien... ons schrap zettend tegen de sprong in ons meertje dat onze bewegingen zou verbergen.

Maar Jake ging niet weg.

Jake zei: 'Stel je niet aan als een idioot, Mason.'

Maar ik zag dat jij was veranderd, Annie. Hoe jij en Jake plotseling over elkaars lichaam gingen nadenken. Speculeerden. Verboden. Net als Jake en ik tijdens zomerkamp, Annie, en jij ons op het vlot aantrof. Verboden. Bang en opgewonden, en hij zou me absoluut vermoorden als hij kon.

Diezelfde aandrang in de sauna gisteravond. Diezelfde aandrang vanochtend in jouw atelier. Eén collage is niet genoeg, Annie. Vroeger vond ik het heerlijk om daar met jou te zijn, als we met zijn tweeën je materiaal rangschikten en je rijstpapier op dikte legden, naar je te luisteren wanneer je hardop over je volgende project nadacht. Zoals Wit op wit. *Het meertje in de winter. Je zei dat het iets te maken had met herinnering en kou, en ik was verbijsterd hoe je die twee in die weelderige, verzadigde wittinten samenbracht. Maar je vond het niet mooi genoeg, je hebt het nooit tentoongesteld.*

Jij waardeert je kunst anders dan ik, Annie, je wil niet dat ik het kunst noem. Elke keer dat ik zeg dat je kunst in een museum thuishoort, zeg je me dat het zo niet werkt.

Wit op wit. *Ik houd het tegen het raam. Buiten is de lucht grijs, zoals vlak voor het uitbreken van een storm, wanneer je denkt dat het nog geen avond kan zijn maar dat het wel al zo donker is. Rijd voorzichtig, Annie.*

Gisteravond steeg in de sauna die merkwaardige houtgeur van de latten – duizenden keren uitgezet en gekrompen – omhoog.

'Doe het nu,' zei ik, terwijl ik die aandrang teniet wilde doen, de hele zaak wilde afblazen, 'het is de enige manier om me ervan te overtuigen dat het er niet toe doet.'

'Je lokt ruzie uit, Mason.' En jij, Annie, snauwt alweer tegen me.

Ik schep meer water op en er ontstaat nog meer stoom. Als ik weer ga liggen, graven de hete latten zich in me in, nemen me de maat, omlijnen me. 'Er verandert niets,' zei ik tegen jullie beiden. 'Omdat we elkaar zo erg vertrouwen.'

'Je hebt een paar akelige dingen gedaan,' zei jij, 'maar dit slaat alles. Doe tenminste de deur op slot.'

Ik stond op. Bij de deur wilde ik plotseling dat ik kon ontsnappen. En ik dacht: waarom niet? Probeerde te bedenken wat ik moest zeggen om dit alles ongedaan te maken, doen alsof het de hele tijd één grote grap was geweest – niet die verwrongen jaloezie die me achtervolgde, me tackelde en sloopte, steeds opnieuw. Denk je dat het makkelijk is, Annie, dat met me mee te moeten zeulen?

'Jake?' Je boog je naar hem toe. 'Jake?'

Toen hij...

[3] Mason

− *Huis aan het meer* −

De tweede dag in North Sea besmeurde de regen buiten tante Stormy's ramen de groepjes bomen en rietkragen. Mason voelde zich lui, tevreden, terwijl hij op de oude fluwelen bank lag met zijn hoofd op Annies knieën en zijn voeten op een stapel boeken die meestal op tante Stormy's bank rondslingerden.

'Kleine schildpadden zijn het slimst. Zie je wel?' Tante Stormy sloeg een pagina van de *National Geographic* om.

Opal sloeg met haar handen op het tijdschrift terwijl tante Stormy haar een verhaaltje vertelde.

'Vooral schildpadjes met rood bovenop, net als jij.'

Mason voelde aan Annies vingers in zijn haar. 'Niet ophouden.'

'Wat is het je waard?'

'Mijn leven,' zei hij zonder erbij na te denken, maar hij meende het, wist dat het waar was.

'O ja?' Haar gezicht boven hem, open, breed. Haar glimlach misleidend. Maar haar ogen verdrietig. *Klopte niet.* Ze hadden niet − nog niet? − het licht terug van voordat haar ouders stierven.

Gisterochtend, op hun sterfdag, was ze huilend wakker geworden, ze gierde het uit, en gisteravond had ze opnieuw in zijn armen gehuild, zachtjes, omdat ze in tante Stormy's logeerkamer lagen met naast hen Opal in haar bedje. Hij had

73

Annie vastgehouden, zoals hij dat al die andere nachten dat ze huilde had gedaan. Maar opeens was hij woedend op haar ouders geworden. Omdat ze op zijn trouwdag waren gestorven. Omdat ze het licht uit Annie hadden gewrongen. Omdat ze van hun feestdag een rouwdag hadden gemaakt – nu en voor altijd.

Het is ook mijn dag. Hij was dol op haar ouders geweest, vooral op haar moeder, die altijd zo blij naar hem had gekeken, al sinds hij als kind bij haar over huis kwam. Waren ze maar een week later gestorven of, bijvoorbeeld, een maand, dan hadden hij en Annie tenminste hun dag kunnen vieren. Dan hadden ze op een later tijdstip kunnen rouwen. In plaats van dat hun vreugde door verdriet werd verzwolgen. *Is dat egoïstisch, dat je vreugde en verdriet gescheiden wilt houden?*

Nee. Het is ook Opals dag. Haar verjaardag.

'Je bent heel sterk, Opal,' zei tante Stormy.

'Wat heeft ze gedaan?' vroeg Mason.

'Ze heeft mijn schoenveters bij de uiteinden losgetrokken en mijn voet in de lucht getild.'

'Je bent sterk, Sterretje,' zei hij tegen Opal.

Ze lag bij het raam tegen tante Stormy aan genesteld, boven op een stapel haardkleden en dekens van 'Uw persoonlijke smaak', het tweede bedrijf van tante Stormy. Dat had niets met koken of eten te maken, maar bood een service aan zomergasten wier smaak in botsing kwam met het interieur van hun verhuurder. In haar advertentie in de plaatselijke krant stond:

'Uw persoonlijke smaak'
daar knapt elk zomerhuis van op

Veel van haar klanten kwamen elke zomer terug en hadden ver voor het seizoen bepaalde beddenspreien, serviesgoed of meubelhoezen gereserveerd. Ze wist allerlei verhalen over ze te vertellen. Zoals de hartchirurg uit de stad die boos was omdat zijn interieur al door een andere klant was gehuurd.

Haar voorraden lagen opgestapeld in de reusachtige logeerkamer die de hele eerste verdieping besloeg. Mason en Jake hadden meer dan tien houten roeden aan het plafond bevestigd waar ze buiten het seizoen gordijnen, tafelkleden en lakens overheen hing.

'Het lijkt wel op de eerste verdieping van ABC-tapijten,' placht Pete te zeggen.

Maar het grootste deel van haar inboedel – op hoge planken gestapelde borden, zilverwerk en kristal, schilderijen van de oceaan en wetlanden die ze op grootte tegen de muur neerzette – kocht ze op veilingen en rommelmarkten. Zomers verhuurde ze het allemaal, maar in de winter verschrompelde de logeerkamer tot een cocon met ragfijne kamerschermen.

Sommige klanten werden vrienden van haar, zoals Valerie, een dichteres die een huis had geërfd dat ze onmogelijk kon onderhouden maar kon aanhouden omdat ze het gedeeltelijk kon verhuren, als dichterlijk toevluchtsoord.

Tante Stormy's minst geliefde klant was een financieel analist die ze de 'koloniaal' noemde omdat hij klaagde dat zijn manusje-van-alles in Florida zat. 'Tegenwoordig kan dat allemaal maar, veronderstel ik... dat ze op vakantie gaan.'

Op de fluwelen bank streek Mason langs de halvemanen onder Annies ogen.

'Tante Stormy had gelijk,' zei ze.

'Waarover?'

'Dat ze je heel vroeger sexy narigheid noemde.

'Zie je me zo, dan?'

75

'Soms...'

'Niet vaak?'

'Ergens tussen soms en vaak. En wat vind je van mij?'

'Altijd.'

'Narigheid en sexy?' vroeg Annie.

'Sexy. Geen narigheid.'

'En vroeger, toen we nog klein waren...?'

'Ja?'

'Wat is je eerste herinnering aan mij?'

'Jij.'

Ze frutselde met zijn haar. 'Welk deel van me?'

Mason glimlachte naar haar. Daar hield hij zo van... die speelsheid tussen hen die alle kanten op kon gaan.

'Welk deel van me, Mason? Ik kan me jouw tenen nog herinneren... dat ik je tenen aanraakte.'

'Oké. Je linkerknieschijf.'

'Klootzak. En dat bedoel ik teder.'

'Met zo'n vraag...'

'Wees serieus.'

'Alles. Ik herinner me alles van je. Altijd.'

'Altijd?'

'Beter dan mijn ouders.'

'Beter dan Jake?'

'In vergelijking met jou doet Jake er niet toe.' Hij voelde dat hij moest blozen. Het voelde als verraad. Maar het was wel waar. *Half waar. Ik had ook gewoon met ja kunnen antwoorden.*

'Is dat het ergste wat je vandaag hebt gedaan?'

'Wat?'

'Wat je over Jake zei?'

'Tot nu toe wel.'

'Dat is verschrikkelijk akelig.'

'En jij? Wat is het ergste wat jij vandaag hebt gedaan?' Het hing altijd tussen hen in, die vraag, als ze elkaar naar de kroon staken, met elkaar wedijverden.

'Ik hield niet meer van je toen je zei dat Jake er niet toe doet.'

'Ga je wel weer van me houden, Annie?'

'Niet gelijk.'

'Jake doet ertoe. Oké?'

'Oké.'

'Gisteren dan,' zei Mason. 'Wat was gisteren het ergste?'

Opal zat aan een tijdschrift van tante Stormy te trekken. *Met haar rode haar en sproeten had ze Annies dochter kunnen zijn. Maar als Jake hier nu was... zou Opal dan meer op hem lijken dan op mij?*

'En hoe zat het gisteren met jou?' Annie stootte tegen hem aan. 'Wat heb jij...'

'Ik heb Opal verboden vogelvoer te eten.'

'Gemeen.'

'Heb ik nu gewonnen?'

'Nee.'

'Waarom niet?'

'Omdat de uitkomst prima is.'

'Inderdaad... ook dat.'

'Ze had wel een gekke vogelziekte kunnen krijgen. Of kunnen stikken. Of...'

'Oké, ik weet een betere. Een betere slechtere. Eergisteren...'
Hij wees naar zijn nieuwe leren jack aan de blauwe glashaken bij de deur. Boterzacht en zo lichtbruin dat het bijna naar blond neigde.

'Zeg op.' Annie rekte zich uit.

'Ik heb het prijskaartje verwisseld.'

'Wat?'

'Ik heb het label van een uitverkoopjasje geplukt.'

'Je zei dat het jack voor de halve prijs was.'

'Nietwaar.'

'Je zei...'

'Ik heb je verteld dat ik het voor de halve prijs heb gekrégen.'

Ze gleed zo abrupt opzij dat zijn hoofd tegen de bank stootte.

'Uiteindelijk hadden ze het toch wel afgeprijsd.'

'Die logica van jou... daar deugt niks van.'

'Heb ik gewonnen?' probeerde hij, wel wetend dat hij haar dit niet had moeten vertellen. Maar toch... Moeilijk in te schatten bij Annie. Soms hing ze de clown uit... en vervolgens kon ze je met het wijsvingertje om de oren slaan.

'Je kunt een cheque naar de winkel sturen. Om het verschil bij te passen.'

'Geen denken aan.'

'Of je pakt het in en stuurt het met een briefje terug... anoniem.'

'Nee.'

'Dat was stelen, Mason.'

'Precies. Áls ik het had gedaan.'

'Lieg niet tegen me.'

'Ik heb het verzonnen. Om te kijken of ik kon winnen.'

Ze keek hem diep in de ogen alsof ze daarin de waarheid dacht te vinden.

Dus stopte hij die erin. Zonder te knipperen. Hield haar blik vast. Stelde zich de waarheid in zijn ogen voor en sloot zich af voor de kick toen hij de prijskaartjes had verwisseld en de halve prijs had betaald, en tegen de verkoper had gezegd dat hij het aanhield. Daarna was hij met dat jasje aan de winkel uit gelopen, zo licht dat zijn schouders het nauwelijks voelden.

'Luister, Annie, het ergste wat ik vandaag heb ik gedaan is dat ik dit verhaal heb verzonnen.'

'Zweer je dat?'

'Ik zweer het.' Hij gleed over de bank naar haar toe en nestelde zijn hoofd weer op haar knieën. 'Het haalt het niet bij wat je in de trein in Marokko hebt gedaan.'

Een hoekje van haar mond krulde omhoog.

'Is dat nog steeds het ergste wat je hebt gedaan, Annie?'

Toen ze knikte, zag hij haar in Tanger, waar ze woedend een enorme zwarte sjaal had gekocht. Waar ze ook ging staarden mannen haar aan omdat ze geen sluier droeg. Het was opwindend, maar ze begreep er niets van. Ze wikkelde de sjaal om haar hoofd en schouders alsof ze zichzelf onzichtbaar wilde maken. Ze stoof door de overvolle stegen van de medina, ging in de rij staan voor stalletjes waar je orchideeën, bloederige schapenkoppen, kleding, transistorradio's, levende hanen, sieraden, specerijen kon kopen...

'Wacht op ons!' riep Jake.

Een man met een fiets schoof langs Annie heen, over het stuur hingen schapenmagen.

In hun reisgids hadden wel plaatjes van de medina gestaan, maar geen beschrijving van de stank: bloed, stof, zoetigheid en uitwerpselen. Zelfs nu nog kon Mason de verftonnen ruiken die ze de dag tevoren hadden gezien, waar jongens met hun met verf bespatte benen in grote ketels hadden rondgestampt. Jonge jongens. Ook aan de pottenbakkerswielen, met een masker voor omdat je door het stof nauwelijks kon ademen.

Ze aten lamsvlees en kippenpastei in een restaurant met in het midden een podium waar buikdanseressen optraden. Verrassend in een land waar vrouwen gesluierd en koffieshops alleen voor mannen toegankelijk waren.

Op straat naar het hotel hield Annie Masons arm vast.

'Ik wil hier vanavond nog weg,' zei ze.

'Morgen,' zei Jake tegen haar. 'Het hotel is voor vannacht al betaald.' Hij hield bij hoeveel ze konden uitgeven zodat ze zo lang mogelijk met hun geld konden doen.

Sjacheraars klampten hen aan, probeerden hasj te verkopen.

'Sodemieter op!' Annie stak beide handen in de lucht om degene die het dichtst bij haar was af te weren.

'Je bent een wrede, wrede vrouw,' siste de man. Holle wangen. Van haat brandende ogen. 'Heel akelig.'

In het hotel stond Annie erop dat ze nog diezelfde avond uit Tanger zouden vertrekken. Mason was dol op de stad en wilde blijven. En Jake vroeg Annie tenminste tot de volgende ochtend te wachten omdat hij zijn kleren had gewassen en ze in de kleinste kamer in het raamkozijn te drogen hingen.

'Nu niet meer.' Ze smeet ze allemaal in hun rugzakken, als een wervelende derwisj die al haar spullen inpakte, zo uitzinnig wilde ze daar vandaan.

Toen ze een late trein naar Asilah namen, begon Mason lol in het avontuur te krijgen, vooral omdat Jake zo van slag was. Vanaf de stoel tegenover hen zat een man naar Annies borsten te staren. Ze bloosde, knipperde, maar Mason zag zo dat ze hier heimelijk van moest genieten, en hij voelde een verhitte blos.

'Ja, dat is een foto van een duiker,' vertelde tante Stormy aan Opal. 'Hij heeft van de schildpadden alles over duiken geleerd.'

Ze droeg Opal naar de koelkast en schonk een beker appelsap voor haar in.

'Kijk maar eens naar die foto's.' Ze hield Opal dichter bij de foto's op haar koelkastdeur.

'De meeste zijn van jou,' zei Mason. 'Zie je wel? Met Annie. Met mij. Met tante Stormy en Pete.'

Opal klapte in haar handen en kraaide, ze straalde zoveel blijdschap uit dat Mason die kon voelen.

'Daar is Pete zijn trompetrietjes aan het snijden,' vertelde hij haar.

Maar ze stak haar hand uit naar de foto met de zwangere bruid.

Daaronder hing een foto van Annies ouders tegen een zonsondergang. Daarnaast een folder die een fundraising voor Amnesty International aankondigde. Mason en tante Stormy stuurden elkaar vaak e-mails door, om petities te tekenen, senatoren te bellen. Op dat gebied had hij met haar de beste band, net als met Annies moeder het geval was geweest. Toen ze in Boston tegen de Golfoorlog demonstreerden had zij hem en Annie geleerd dat ze hun verantwoordelijkheid moesten nemen en bij onrecht hun stem moesten laten horen.

'Jake was in Marokko zo van slag.' Mason greep Annies hand en woelde ermee door zijn haar. 'Hij zei dat je bijna de Derde Wereldoorlog was begonnen.'

'Ik was heus wel ergens anders gaan zitten. Maar het was te vol in de trein.'

'Jake maakte er te veel gedoe over,' zei Mason, hoewel hij ook bang was geweest toen Annie strak naar de man ging terugstaren – niet naar zijn gezicht maar naar zijn kruis – en bleef staren, ook toen de man woedend werd. Toen had ze een gebaar gemaakt naar Mason en Jake, haar duim en wijsvinger opgestoken en die grinnikend ongeveer zes centimeter van elkaar gehouden.

'Jake was ervan overtuigd dat de man op het punt stond hem en mij aan te vallen,' zei Mason.

'Omdat je je vrouw niet onder controle had.'

'Alsof we dat konden.'

'Jake houdt niet van wraak.'

Mason duwde haar hand weg. 'Jake is beter in wraak dan wie ook.'

'Hoe kom je daar nou bij?'

'Jake zou me vermoorden... als hij kon.'

'Ik heb er zo'n hekel aan als je met... met dit soort verdenkingen aan komt zetten.'

'Ik krijg altijd de schuld van wat hij doet.'

'Spaar me, ja? Alsjeblieft.'

Ze stelden hun rit naar huis in New Hampshire steeds maar uit, wachtten tot de regen minder werd, maar toen dat niet gebeurde zette Mason Opal in het kinderzitje in de auto en met Annie aan het stuur reden ze naar de South Ferry. Op Shelter Island ging het zo stortregenen dat ze bij de ingang van Mashomack stopte. De auto rook naar baby en knabbelkoekjes. Van alle koekjes hield Opal daarvan het meest, ze zoog erop tot ze helemaal zacht waren en haar geur hadden opgenomen.

Op de North Ferry waren maar twee andere auto's en de regen geselde erop neer. Mason was blij toen ze in Greenport aankwamen. Maar hij wilde rijden want Annie ging op de weg naar Orient Point steeds langzamer rijden. Vroeger reed ze van nature goed, snel en met goede reflexen, maar sinds het ongeluk van haar ouders was ze overvoorzichtig geworden.

'Rij nou door.'

'Jaag me niet op, Mason.'

'Ik heb extreem veel geduld.'

'Ha. Meneer Extreem veel geduld.'

'Straks missen we de pont naar New London nog.'

'Dan nemen we de volgende.' Met gestrekte hals boog ze zich iets naar voren, de ruitenwissers zwiepten, haar vingers stuk voor stuk om de bovenkant van het stuur geklemd. Net een karikatuur van een ouwe taart die haar zondagse ritje doet.

Mason moest lachen.

'Wat nou?'

Hij zuchtte. 'Zomaar.'

Opal sliep toen hij haar naar het passagiersdek van de Cross Sound Ferry droeg, sliep de hele overtocht door, ook nog toen hij haar weer naar de auto tilde en tijdens de rit naar het noorden met hem aan het stuur, agressiever dan anders, om Annies slakkengangetje te compenseren. In New Hampshire waren behoorlijk wat wegen afgesloten vanwege overstromingen en hij volgde de omleidingsborden. Door de hevige regenval was de grond doorweekt.

'Laten we teruggaan,' zei Annie toen ze bij een onder water gelopen deel van de weg kwamen.

'Deze auto kan drijven.'

Achter hem begon Opal zich te roeren.

'Opal gelooft me. Toch, Ragebol?' Hij zwaaide naar haar in de achteruitkijkspiegel.

Ze maaide met haar armen, stootte ze tegen de stoffen veiligheidsstang van haar autozitje.

'Wil jij zien dat deze auto kan drijven, Ragebol?'

'Zit niet zo op te scheppen,' waarschuwde Annie.

Hij knarste met zijn tanden. Liet de auto uitrollen naar de rand van de ondergelopen weg. Zijn handen waren vochtig, maar toen hij Annies angst naast zich voelde, putte hij daar moed uit. Nu moest hij bewijzen dat ze niet bang hoefde te zijn. Opeens wist hij dat ze hem geloofde dat de auto zou drijven... daarna de opwinding die hem – omdat hij, ongelooflijk, door het water reed, *wielen als vleugels als propellers als vleugels*– opzweepte, voorwaarts door de overstroming heen, waar tegen een heuvel aan de overkant een grauwe schuur en een grijs huis zich over een meertje naar elkaar toe bogen.

Leeg. Volgens hem stonden ze leeg. Nog een paar orkanen en dan zouden ze tegen elkaar aan leunen. Plotseling wist hij zeker dat hij, Annie en Opal hier zouden gaan wonen, zo zeker als hij vorig jaar was geweest dat hij het coassistentschap bij het New Hampshire Vredesinitiatief zou krijgen, een nonprofitorganisatie in Concord. Die dag had hij ook in de auto gezeten. Weg van de campus. En op het moment dat hij een paardentrailer had ingehaald, wist hij dat hij de baan kreeg. En zo was het ook.

Toen de auto uit de vloed tevoorschijn kwam, sloeg Mason linksaf een grasachtige oprijlaan op, verwachtend dat Annie zou vragen wat hij aan het doen was, maar ze staarde naar een in de tuin staande schriele tulpenboom. Ze stapte uit, raakte een van de takken aan zonder de bloesems te verstoren. Daarna liep ze naar de schuur. Mason maakte Opal los en ging met haar achter Annie aan.

Ze zeiden geen woord.

In een hoek van de schuur was een koude en muffige sauna, negen latten van de banken waren gebroken. Het huis zat niet op slot en was leeg. De ramen waren kaal. Op de vloeren gebarsten linoleum. Boekenplanken aan de muur rondom de haard, zo grijs als de regen. De kranen stonden droog.

Maar Annie haalde een emmer regenwater en terwijl ze de op Opals handen en gezicht vastgekoekte brei knabbelkoekjes wegwaste, wees Opal naar het keukenraam. De regen was opgehouden en in het meer strekten de weerspiegelingen van het huis en de schuur zich naar elkaar uit.

'Dit zie ik zo voor me in een collage,' zei Annie.

'Stel dat...' Mason kromde een arm om haar middel. '...je ergens een werkplek zou hebben?'

'Mijn eigen atelier...'

'Jouw atelier. Daar hoef je niemand binnen te laten.'

Maar ze zei niets, keek slechts alsof ze in haar hoofd al aan het schetsen was.

'Het is maar vijfentwintig kilometer van de campus af, Annie.'

'Als we naast een meertje wonen, moet ze onmiddellijk leren zwemmen.'

'Reken maar.'

'Ik zie het zo voor me, mezelf hier aan het werk.'

De volgende ochtend deden ze een bod met het geld dat Annie en Opal van hun ouders hadden geërfd, belden Jake en vierden het met een etentje in het gemene-koekjesrestaurant.

Op de dag dat ze naar het huis aan het meer verhuisden, bracht Jake de sauna weer tot leven. Annie zwom in het meertje en Mason trok Opal aan haar zwemvest rond. Het was nog steeds warm – de maan geel, vol – en Opal trappelde op z'n hondjes met haar benen en voeten. Zoveel aan haar was nog zo dierlijk, dacht Mason. Die gretige, instinctieve knuistjes, haar plotselinge woede. *Alles moet nu.* Er was iets primitiefs aan haar. *Een babywolf.* Hij schaamde zich bij die gedachte... *als ik haar echte vader was geweest, zou ik zo niet denken.*

Helemaal bezweet kwam Jake de sauna uit rennen en sprong in het meer, dook naast Mason op en riep: 'Koud en schoon en springlevend!'

'Kan het niet een beetje enthousiaster?' plaagde Mason hem.

'Zelfs de viezigheid op dit meertje voelt schoon aan.'

'Welke viezigheid?' Mason sloeg op wat drijvend groen slik.

Ze moesten allebei lachen.

Opal stak een handje naar Jake uit terwijl ze Masons oor stevig in haar andere handje vasthad.

'Au, joh...' Mason maakte haar knuistje los.

Jake tilde haar boven zijn hoofd – '*weer met ons viertjes*' – zijn liefde voor haar lag er zo dik bovenop dat Mason het niet kon verdragen.

Bij ons is hij het allergelukkigst... bij mijn gezin. Wil me dat afpakken. Hij heeft het allemaal al.

Jake hielp Mason een atelier voor Annie bouwen in de schuur waar de vorige eigenaar koeien en paarden had gehouden, de vieze vloer, ramen en dakspanten waren doordrongen van de stank. Nadat ze de ateliervloer met dik meubelplaat hadden verhoogd, bouwden ze een werktafel van een massieve kerkdeur die Mason bij Sparky's kringloopwinkel op de kop had getikt.

Het was Annies idee om hem op acht geclusterde archiefkasten te plaatsen, zodat ze haar werk vanuit elke hoek kon benaderen. Mason deed een bod op twee rijen vlakke kasten van een opgedoekt expertisekantoor en hielp Annie haar papierverzameling in de brede, ondiepe laden op te bergen. Geel rijstpapier. Gespikkeld moerbeipapier uit de binnenste boomschors. Henneppapier, eierdopwit. Boekbindpapier. Gemarmerd papier. Poreus rijstpapier. Niet verkleurend, gecoat papier.

Hij zocht haar beestenboelstukjes uit, borstelde de zandresten af die zich als een extra huidlaag hadden genesteld op de schalen van modderslakken, pantoffelslakken en geribbelde mossels; van de scharen van spin- en wenkkrabben; van de staart van de degenkrabben. De stukjes van een blauwe klauwkrab paste hij als een puzzel in elkaar.

'Kijk eens wat ik vandaag heb meegenomen,' kondigde hij aan toen hij met het zoveelste cadeautje voor haar atelier kwam aanzetten... een jadekleurige aardewerken pot voor haar kwasten.

Hij verraste haar met vellen rijstpapier. In sommige zaten draden. In andere leken wel echte rijstkorrels te zijn verwerkt. Hij bestelde een set Chinese kwasten voor haar: zijden kwasten van sabel-, vossen- en geitenhaar; stugge kwasten van luipaard- en dassenhaar. De punten stonden stijf van de lijm en hij weekte ze in koud water tot ze zacht werden en uitgewassen konden worden.

Voor Opal kocht hij waterspeeltjes. Hij vond het heerlijk om haar te leren zwemmen, en ze was onder water sneller dan op land. Toen hij haar losliet, dook ze instinctief onder water en zwom naar de rand van het meer, met haar sterke armen bewoog ze zich kronkelend en glijdend voort.

Tijdens een van zijn bezoeken met Jake aan de ijzerwinkel zag Mason een babyfoon. 'Dat is handig voor in de sauna,' zei hij. 'Dan kunnen we Opal in haar kamer horen.'

Jake pakte hem van de plank. 'Als een housewarmingscadeautje.' Hij draaide hem om. Keek naar de prijs. Fronste zijn voorhoofd.

'Nee,' zei Mason. 'Ik geef het wel.'

'Ik ben steeds al op zoek geweest naar een cadeautje voor je.'

'Hij is duur...'

'Dat zit wel goed.'

'...als je bedenkt hoe goedkoop je zelf bent.'

Jake schonk hem zijn fletse, gekwetste blik.

'Het is zo. Jij gebruikt piepkleine penseelstompjes. Volgens mij heb je daarvoor de rommel van al je vrienden doorzocht.'

'Hou op.'

'Ik heb je nog nooit met een nieuwe kwast gezien.'

Tijdens schoolreisjes had Mason altijd medelijden met Jake omdat zijn vader alles wat hij van zijn reisgeld overhield verdubbelde. Daardoor genoot Jake niet erg van zijn uitstapjes, gaf hij zijn geld niet graag uit.

Toen Annie de babyfoon uitpakte – twee walkietalkies met antennes – zei Jake tegen haar: 'We kunnen de ontvanger mee naar de sauna nemen.'

Wij? Mason sloeg zijn armen over elkaar.

Jake vouwde de gebruiksaanwijzing open. 'De andere leg je naast haar bedje. Hier staat dat je de baby op een afstand van honderddertig meter kunt horen ademen.'

'Wil jij de ontvanger even testen, Mason?' vroeg Annie.

Terwijl Mason de glooiende oprijlaan af liep – absuut meer dan honderdvijftig meter – kon hij Annie en Jake nog steeds in Opals kamer horen rebbelen over hoe geweldig die babyfoon wel was. Vrouwen verwenden Jake altijd, hoewel hij alarmerend goed was in het uitkiezen van de verkeerde kleren. Keurig netjes. Hij leek er wel een ouwe vent in, en zelfs zijn gezicht veranderde met zijn outfits, werd plat, net als zijn haar, waardoor hij er heel zwaar uitzag hoewel hij dat niet was. Alleen zijn dijen. Jakes moeder verwende hem altijd, bewaarde speciaal voor hem het lekkers waarmee ze de crèchekinderen zoet hield als Jake zijn slaapje deed.

'Hoor je ons nog?' riep Annie.

Ik kan mijn mond houden en toch horen wat ze zeggen. Als ze denken dat ik ze niet kan horen.

Maar dit was voor Opal. 'Ja,' zei Mason. 'Ik hoor jullie.'

'Als hij op zo'n afstand nog werkt,' klonk Jakes stem, 'dan werkt hij zeker in jullie slaapkamer, met alleen een muur tussen Opals kamer en die van jullie.'

Blijf uit de buurt van onze slaapkamermuur.

De volgende dag kocht Mason een kasjmier sjaal voor Annie.

'Hij is schitterend.' Ze wikkelde hem om zich heen. 'Dank je wel. Waar is het voor?'

'Om je nieuwe atelier te vieren.'

'Dan houd ik hem daar.'

'Je kunt hem ook in huis dragen, hoor. Bij mij.'

Maar ze hing de sjaal over de rug van haar werkstoel. 'Zo extravagant...' zei ze.

'Neem eens iemand mee,' spoorde Mason Jake aan. 'We willen je niet als een stel egoïsten helemaal voor onszelf houden.'

Maar als Jake dat deed, werd alles anders – *niet langer met zijn viertjes*, maar met een nieuw iemand erbij. Jake droeg dan altijd zijn ouwelullenoutfit, glimlachte te veel, praatte te veel, en Mason kreeg het gevoel dat hij een ouder was die met een te hoge bloeddruk geduld oefende met zijn opgewonden kind en wachtte tot het zou bedaren.

Iedere vrouw die Jake meenam was goed opgeleid, sexy en afstandelijk. Als Mason en Annie achteraf over hen praatten, noemden ze ze IJskoningin 1, IJskoningin 2 en ga zo maar door. Zelfs een IJskoningin die vaker kwam, bleef een buitenstaander.

Tegen die tijd was Jake verhuisd van zijn studentenflat naar een klein appartement niet ver van het huis aan het meer. Hij kreeg korting op zijn huur omdat hij de trappen en gangen van het gebouwencomplex schoonhield. Als huurders modderige voetsporen of sigarettenpeuken in de hal achterlieten, was hij zo boos alsof ze zijn woonkamer vol vuilnis hadden gegooid.

Een dag voor de herfstcolleges begonnen, waren Mason en Jake klaar met Annies atelier. Het huis zou veel meer tijd vergen. De Fultons, die het huis aan hen hadden verkocht, hadden het houtwerk in plechtig grijs geschilderd. Toen Mason en Jake probeerden de verf te verwijderen zodat ze het hout konden beitsen, waren ze twee maanden bezig om de planken af te schrapen en te schuren. Ze waren het met Annie eens dat alle muren wit moesten worden geschilderd, en de contouren van de kamers lichtten helemaal op, leken ruimer.

Mason was op zijn best als ze allemaal bij elkaar waren. Hij en Annie en Opal en Jake. Op zijn allerbeste best. Verlangend en met een onderdrukt onbehagen.

's Avonds laat ontspanden ze zich in de sauna, met de babyfoon op de plank naast de deur, Opal snel en licht ademend in haar slaap. Annie en Jake gingen altijd languit op de tweede plank liggen en Mason meestal op de plank boven hen, waar het nog heter was en de lucht dik van de stoom door het water dat Jake op de kooltjes sprenkelde.

In die winter was Mason een weekend per maand vrijwilliger bij het New Hampshire Vredesinitiatief. Maar hij nam Opal nog steeds mee naar Sparky's kringloopwinkel, waar hij een krat houten latten ontdekte, precies goed om de saunabanken mee te repareren. Een keer was Opal op een stapel kachelspullen geklommen die omviel, en daaronder vond Mason een oude tegelkachel.

'Waarschijnlijk uit Duitsland,' zei tante Stormy toen ze haar de foto's lieten zien. 'In Benersiel hadden we zulke kachels met blauwe en witte tegels.'

Ze logeerden bij haar vanwege het Feest van de Hunkerende Geesten, en Opal zat gefascineerd naar het beeld te kijken. Ronddribbelend in haar luier zong en wees ze naar de brandende schim – angstaanjagend en schitterend – maar ze bleef naar Mason kijken alsof ze zich ervan wilde verzekeren dat hij nog achter haar stond.

De avond daarna peddelden ze bij volle maan in hun kleine kajaks: Pete en tante Stormy in hun tweezitter, Annie in de kleine gele kajak met de picknickmand achter haar stoel gepropt en in de paarse kajak Opal op een schuimrubber kussen tussen Masons knieën in met haar handen midden op de peddel en die van hem naast de hare. Hij werd er een beetje zweverig van. Wankel. Maar toen – in een oogwenk – kwam het allemaal bij elkaar, die sensatie van zijn voortgaande schouderbladen, alle beweging die vanuit die plek in gang werd gezet, en hij wist hoe het zou zijn als hij elke dag zou kajakken.

'Ik zou dit elke dag wel willen doen,' zei hij.

'Ik ook,' kraaide Opal.

Opeens voelde het water zwaar aan. Als gelatine. En hun peddels schepten lichte, witgroene lichtflakkeringen op. Ze slaakten een kreet van verwondering.

'Zag je dat?'

'Wat is dat?'

'Zeewalnoten,' zei tante Stormy. 'Maar ik noem ze altijd lumen omdat ze licht geven.' Ze doopte een roeispaan in de baai en tilde hem op. 'Lumen steken niet zoals andere kwallen.'

'Ik wist niet dat het kwallen waren,' zei Annie.

'Het zijn net watervallen van licht,' zei Mason tegen Opal terwijl hij haar handen zo begeleidde dat ze hun peddel niet verloren. 'Zie je wel? Nu is je peddel net een lumen-pretpark.'

's Ochtends pakte tante Stormy haar glazen kan en nam die mee naar de baai om lumen te zoeken. Ze vond er een stuk of tien op het strand waar het tij ze had achtergelaten. Niet langer waren ze de wazige schepsels die de zee 's nachts hadden doen oplichten. Toen Mason ze opraapte, voelden ze aan als klodders heldere gelatine. Tante Stormy vulde haar kan met zeewater, een beetje zand, een paar schelpen en een groene pluk zeewier met de stelen omhoog, de bladeren waaierden uit als een omgekeerde boom.

91

In de cottage zette ze de kan op de tafel bij haar openslaande deuren.

'Lumen? Waar dan?' vroeg Opal.

'Overdag zijn ze moeilijk te zien omdat hun lichaam bijna helemaal uit water bestaat.'

Maar langzaam kon Mason hun vleugelachtige ledematen onderscheiden. Elegant. Gewichtloos.

'Soms zou ik wel weer een hond willen,' zei tante Stormy.

'Zijn deze drijvende huisdiertjes niet genoeg voor je?' grapte Pete.

'Nou... morgen moeten we ze weer vrijlaten. En ik mis Agnes wel, hoor.'

Annie kneep in haar neusvleugels.

Mason keek haar dreigend aan. 'Agnes was een lieve, oude hond.'

'Die heel erg stonk.'

Die avond deed Mason alle lichten uit. In het donker zaten ze rondom de kan en wachtten tot die witgroen zou opflakkeren. Niets. Tot Pete zijn hand erin stak en door het zeewier roerde.

'Zie je wel,' riep Opal uit.

Plotseling lichtte de bodem van de kan op.

'Fotocyten,' zei Pete. 'Ze hebben fotocyten, cellen die licht maken.'

'Ikke...' Opal roerde door het zeewier tot de flakkeringen omhoogdreven en haar knuistje in de kan verlichtten. 'Ikke...'

'Agnes was zo groot als een muskusrat,' zei Annie.

'Nu ze dood is denk ik aan haar als Sint-Agnes,' vertelde tante Stormy.

'Niet alleen vanwege haar omvang. Ze leek ook op een grote muskusrat.'

Mason voelde in het donker Annies ogen op zich. 'Luister niet naar haar, Opal.'

'Mijn moeder,' zei Annie, 'noemde haar altijd het knaagdier.'

In het donker grinnikte tante Stormy zachtjes. 'Sint-Agnes – moet je weten – was half poedel, half terriër...'

'...en half knaagdier,' zei Annie.

Mason stootte haar met zijn elleboog aan. 'Opal, kijk eens wat een mooie lichtflitsen je maakt.'

'Morgen brengen we de lumen weer terug naar de baai,' zei Pete.

'Ik wil ook in de sauna.'

'Met vier ben je nog te jong,' zei Mason.

Opal spatte hem nat. 'Kan vijf jaar wel?'

'Misschien als je zeven bent,' zei Annie.

Mason knikte. 'We vragen het wel aan de kinderarts.'

'Nee!' Ze zwom naar Jake en klampte zich aan zijn nek vast. 'Ik wil dr. Pagucci!'

'Dr. Pagucci doet alleen splinters,' zei Jake.

Een paar weken eerder had Opal een splinter in haar voetzool gekregen en had Jake dr. Pagucci voor haar verzonnen. Dr. Pagucci wist hoe je splinters, tranen en ongeluk kon verhelpen. Jake had een splinterkit gemaakt, net zo een als zijn moeder in haar eerstehulpdoos had: een lege lippenstifthuls met drie naainaalden erin. Dan deed hij zijn bril af om de splinters te inspecteren, wurmde hem er met zijn naald uit en vertelde Opal hoe hij was afgestudeerd aan de splinterschool. Na afloop tekende hij op de pleister een glimlach met oren.

'Ik wil dr. Pagucci!' Opal begroef haar vingers in Jakes lichte haar.

'Dat doet pijn. Hou op.' Jake draaide haar om en duwde

haar zachtjes weg. 'Dr. Pagucci is voor vandaag klaar met werken. Bovendien opereert hij alleen op het vasteland.'

Mason stak zijn armen uit. 'Kom maar hier, Sterretje. Kom maar...'

Maar ze gooide zichzelf naar Annie. 'Vertel me het verhaaltje over hoe ik ben begonnen.'

Mason dook met open ogen... dook naar de bodem van het meer, door het groenbruine water. *Bij Opal sta ik altijd op de laatste plaats.* Pas als ze Jake of Annie niet kon krijgen, ging ze naar hem. Maar eerder niet. Ze wilde hem niet kwetsen. Maar waarom vond hij het dan zo akelig? *Ze hebben me niet nodig. Kunnen zich als een gezinnetje om Opal scharen. Mij erbuiten laten. Al helemaal omdat Opal niet van mij is. Gratis bij Annie meegeleverd gekregen.*

Onder water trappelden Opals benen tegen Annie aan. *Als ik zou willen, kan ik haar omlaag trekken... als een grote schildpad die op een pulletje jaagt.* Elke lente opnieuw kregen de schildpadden en visarenden in de kreek van tante Stormy talloze van die pluizige baby-eendjes te pakken die als tennisballen over het wateroppervlak schoven.

Hij dook achter Jake op en begon hem ruw te kietelen.

Jake duwde hem met een elleboog weg. 'Wanneer ga je je eens als een grote vent gedragen?'

'Jij bent in dezelfde ruimte begonnen als ik,' was Annie aan Opal aan het vertellen.

Mason zwom op zijn rug, trappelde zacht met zijn voeten zodat hij hen kon horen.

'Binnen in onze mam...' zei Opal. 'Héél veel jaren voor mij.'

'Negentien jaar. Omdat ik al negentien was toen jij daar woonde...'

'Alles vanbinnen was blauw... blauw licht.'

94

'Zo stelde onze moeder zich dat voor... en de baby zweefde in dat licht rond.'

'Je kon me voelen bewegen.'

'Van buitenaf, ja... als ik mams buik aanraakte.'

'Vertel over mijn voet.' Dat was Opals lievelingsstukje van het verhaal, daar kon ze geen genoeg van krijgen.

'Je voet... was net een snel danspasje...'

'Vertel me over mijn vuist.'

'Je vuist kon zomaar ineens uitschieten, dat knuistje van je...'

'Ik stompte je.'

Annie lachte. 'Ja, dat deed je.'

'En toen hield je al van me.'

'O ja... je was heel echt voor me.'

'Omdat je van mam haar buik mocht aanraken... en we samen hebben gedanst.'

'Ja, op mijn trouwdag.'

Mason zwom dichterbij.

'Nu moet je me het verhaal van de ring vertellen.'

Annie tilde haar rechterhand uit het water, liet Opal de ring zien die van haar moeder was geweest. 'Onze pap gaf mam een opaal in plaats van een diamant.'

Opals vingers sloten zich om de ring. 'Als mijn hand groot is, ga ik hem dragen.'

'Ja, we dragen hem om de beurt.'

Opal legde haar gespreide hand tegen die van Annie. 'Mijn hand is te klein.'

'Hij groeit elke dag een beetje,' zei Mason.

'Echt waar?'

'Echt waar,' zei hij. 'Nou, wie heeft er zin in gemene koekjes?'

'Ikke,' riep Opal uit en ze gooide zich zijn kant op.

Mason ving haar op.

'Ik heb een date,' zei Jake.

'Neem haar mee.' Mason lachte toen hij Opal rondzwierde. 'Kijk kijk, je tenen tekenen een hele spettercirkel.'

In het gemenekoekjesrestaurant was IJskoningin 5 ontsteld door haar koekje. 'Moet je horen: "Je deugt van geen kant en je zult het nooit ver schoppen."'

'Dat betekent dat je goeie beslissingen neemt,' legde Jake uit.

'Hij is beter dan de mijne.' Annie las haar koekje hardop voor: 'Je bent een verachtelijk persoon en er zullen akelige dingen op je pad komen.'

'Moet je het mijne horen,' zei Mason. 'Je bent gemeen en je ziel is voor altijd verloren.'

IJskoningin 5 schudde haar hoofd. 'Dat is verschrikkelijk.'

Opal hield haar koekje omhoog. 'Mijne. Lees het mijne voor.'

'Ik lees hem je wel voor.' Mason trok haar op zijn schoot. Kuste de kruin van haar rode haar. 'Hmm...' Hij bedekte het stukje papier.

'Lees voor, Mason!'

IJskoningin 5 leunde over zijn arm en las Opals papiertje. 'Laat mij maar,' zei ze snel. 'Dit staat er, Opal: "Je bent intelligent en vrijgevig en dapper."'

Opal slaakte een gilletje. 'Helemaal niet gemeen.'

'Misschien is er per ongeluk een gelukskoekje tussengekomen. Is dat niet leuk?'

Annie keek haar stuurs aan. 'Is dat niet verschrikkelijk?'

'Omdat we hier absoluut niet voor het eten komen,' zei Jake.

'Ik wil gemenigheid...' Opal schopte en sloeg tegen de tafel.

'Ik heb haar.' Mason greep haar armen en benen vast. 'Sst...' Hij vormde met zijn lichaam een buffer zodat ze zich niet bezeerde toen ze zich uit alle macht tegen hem aan gooide. 'Sst...' Hij wachtte tot ze klaar was, zoals hij zo vaak deed.

IJskoningin 5 legde haar hand op haar lippen. 'Heeft ze een aanval, of zo?'

'Natuurlijk niet,' snauwde Annie.

'Moet je horen,' fluisterde Mason tegen Opal. 'Als jij ophoudt met die poppenkast, leest Annie je je echte toekomst voor.'

Annie knikte. 'Ik wacht tot jij klaar bent, Opal.'

Opal jammerde. Snufte. 'Gemenigheid...'

'O, deze is heel gemeen. Klaar?'

'Klaar...'

'Ik moet zeker weten dat ik het goed lees, hoor. "Je hersens smelten en je neus zit verstopt."'

'Geweldig.' Opal klapte in haar handen.

'Wie schrijft die... dingen?' vroeg IJskoningin 5. 'Iemand met heel veel talent,' zei Annie.

'Een sadist. Ik geloof niet dat dat gezond is voor kinderen.'

'Gezonder dan die toekomst-ellende waarin ze de hemel in worden geprezen voor dingen die ze niet hebben gedaan,' zei Jake.

'Die zijn tenminste nog leuk.'

'O, maar deze zijn veel leuker,' zei Jake.

'Ik zie de humor er niet van in.'

'Wat jammer.' Jake trok zijn wenkbrauwen op. Gaapte. 'Opal is moe.'

Mason begreep de hint. Jake wilde van deze date af en later naar hem en Annie toe komen. 'Je hebt gelijk,' zei hij. 'Opal ziet er moe uit.'

'Ik ben ook aan m'n end,' zei Jake tegen IJskoningin 5. 'Zal ik je naar huis brengen?'

Terwijl Mason Opal naar bed bracht, zei Annie: 'Het zijn allemaal klonen van de originele IJskoningin. Denk je dat we maar moeten ophouden met ze een nummer te geven?'

'Jij vindt zijn afspraakjes nooit leuk,' zei Mason.

'Ik gun Jake iets... fascinerenders.'

'Zo iemand als jij?'

'Beginnen we weer?'

'Ja, we beginnen weer.' Hij zette de babyfoon naast Opals bed aan.

'Ik ben geen baby,' stribbelde ze tegen.

'Daar gebruiken we hem ook niet voor,' zei Annie. 'Alleen maar voor als we in het meertje gaan zwemmen of een sauna nemen.'

Ze waren al aan het naaktzwemmen toen Jake arriveerde.

In de sauna schepte hij met een gietlepel water over de kooltjes en de stoom dwarrelde om hen heen. Eerst ging hij op de bovenste bank bij Mason liggen, maar hij zei dat het hem daar te heet was en verhuisde naar de bank waarop Annie languit lag.

Ze hielden het algauw voor gezien. Om te bewijzen dat hij de sauna langer kon volhouden dan zij, bleef Mason op de bovenste bank liggen, waar de hitte zich verzamelde, en luisterde naar hun kreten toen ze in het meertje sprongen. Hij wachtte een paar tellen langer dan hij kon verdragen. Pas toen schoot hij de kou in, onmiddellijk alert, zijn huid prikte. *Een koud huis houdt je bij de les.*

Toen Jake en Mason de linoleumvloeren uit het huis aan het meer trokken, ontdekten ze brede eiken, esdoornsiroopkleurige planken. Ze schuurden ze en lakten ze met zijdeglanslak.

Tijdens een landgoedveiling in Dover kocht Annie een oosters tapijt, nog steeds helder van kleur maar met twee slijtgaten in het midden. Ze stopte de gaten en weefde wollen draden door haar stopsel heen, in bijna dezelfde kleur als de rest van het tapijt.

In de lente begon Opal over de Hunkerende Geest en wat ze aan hem wilde meegeven.

'Sinaasappelpitten.'

'Oorpijn.'

'Slaapjes. Alle slaapjes.'

Tante Stormy moedigde haar aan om tekeningen te maken. 'We maken een geestendoos. En daarin stoppen we papiertjes met berichtjes voor de Hunkerende Geest.'

'Hoort die doos ook bij het Chinese ritueel?' vroeg Mason.

'Nee, ik pas het ritueel een beetje aan.'

Op roze stukjes papier schreef tante Stormy wat haar boos maakte – bumperkleven, hebzucht en denken dat je ergens recht op hebt, alle dictators van de wereld, torenhoge garagerekeningen, advertenties die hebzucht aanwakkeren – en stopte ze in de doos.

Haar buren bewaarden hun afgedankte bamboestokken voor de geesthanden en toen het in augustus tijd was voor de verbranding, verzamelde Opal twijgjes voor het vuur.

's Winters wreef hij na de sauna graag sneeuw over zijn wangen. Een kou die niet prikte maar waarvan hij opfriste en zich *weird* ging voelen. Weird werd hun woord die winter. Opal ging het ook al gebruiken. Alles was weird.

Met name de eco-weirdo's op de privéschool waar Jake milieukunde doceerde. De eco-weirdo's waren zijn meest toegewijde leerlingen, die met net zoveel passie de aarde wilden redden als pubers met seks bezig waren. Een middag per week nam Jake ze in de schoolbus mee om de omgeving te bestuderen en de rommel op te ruimen.

Mason was nu een fondswerver. Voor het New Hampshire

Vredesinitiatief, de enige organisatie waarvoor hij sinds zijn stage wilde werken. De twee vrouwen die het NHVI hadden opgericht waren zo onder de indruk geweest van zijn enthousiasme dat ze een baan voor hem hadden gecreëerd.

Maar Annie moest nog een jaar studeren. Vier van haar collages, allemaal uit de Meerserie, werden in een groepsexpositie in Boston tentoongesteld. Vanaf dag één dat ze hiernaartoe waren verhuisd had ze daaraan gewerkt. Mason vond die met de schuur het mooist, die boog zich naar het meertje voorover alsof hij zo in zijn eigen spiegelbeeld kon vallen.

Op de avond van de opening stond hij met Annie voor een collage die ze een week geleden had voltooid nadat ze tijdens de rit naar huis de lucht in het meertje had gezien, de wolken en blauwtinten in de pure, parelwitte ochtend.

'Er zit iets ongrijpbaars in je collages,' zei een academisch type tegen haar. Waarschijnlijk een assistent. Of de eeuwige student.

'Dank je wel.' Annie glimlachte.

'Wat bedoel je met ongrijpbaar?' informeerde Mason.

'Dat je dat ene moment helemaal kunt vangen,' hij gaf antwoord aan Annie, 'terwijl je al kunt zien hoe dat aan het veranderen is.'

'Dat is nou precies mijn bedoeling.' Ze streek haar haar achter een oor. Eerder koperkleurig dan rood vanavond. Alsof ze het van de koperen jurk die ze droeg had geleend.

'Nou, dat is gelukt.'

'Ik ben zo blij dat je dat erin ziet.'

'Het is kenmerkend voor het werk van mijn vrouw,' zei Mason tegen hem. 'Ik heb dat zich door de jaren heen zien ontwikkelen.' Hij wilde met haar vrijen met die collage als achtergrond. Wilde het licht zijn dat de transformatie bewerkstelligde die zij zag. Wilde de bewondering die zij kreeg. Wilde haar inspiratiebron zijn. Wilde dat alles via hem kwam, zonder dat hij er iets toe deed behalve hun liefde. Wat uit die liefde voortkwam, zou haar werk verbeteren. Maar daar mocht niets anders op vooruitlopen.

Opal aanbad BigC, die haar in haar binnenbad liet zwemmen dat omgeven was door een eindeloze wandschildering van een mediterraans landschap. Grieks ogende gebouwen. Veel zuilen en tuinen. Alles had de verkeerde afmeting. Gebouwen kleiner dan rotsen. Kruiken groter dan mensen. Zwart mos glitterde op stenen, waardoor ze er mottig, vreemd uitzagen.

'Afschuwelijk,' zei Annie de eerste keer dat ze de wandschildering zag. 'Zoals Lucian Freud huid schildert.'

Makelaars waarschuwden BigC's toekomstige huurders dat ze hen bespioneerde. Maar zelfs de huurder die haar absoluut niet binnen wilde laten, wist niet hoe hij van haar af moest komen als ze een set reservesleutels kwam brengen, de steaks op kwam halen die ze zogenaamd was vergeten uit de vriezer te halen of om voor te doen hoe ze de parasols op de juiste manier moesten inklappen. Op de patio stonden zoveel stoelen, tafels, parasols en bloempotten dat Jake hem wel op een tuincentrum vond lijken.

Tante Stormy hoorde bij het huurpakket, zij onderhield het huis en moest BigC bellen als huurders er een puinhoop van maakten. Maar ze zei dat er prima voor BigC te werken viel. Ze was respectvol en gul. Elke lente organiseerde ze een benefiet voor het vrouwenopvanghuis.

Op een middag was BigC windzakken langs het hek van haar plankenpad aan het bevestigen en tante Stormy zei: 'Ze is alleen met eenden een beetje raar. Ze vindt het leuk om in het water naar ze te kijken, maar wordt woest als ze op haar pad rond stiefelen.'

'Wellicht begrijpen de eenden niet helemaal waarom,' merkte Mason op.

'Ze heeft me ooit verteld dat mensen die een stronthoop huur betalen er alle recht op hebben om niet door de eendenschijt te hoeven baggeren.'

'Merkwaardig,' zei Annie, 'en hoeveel is een stronthoop?'

'Dat wil je niet weten.' Tante Stormy schudde haar hoofd. 'Vijftigduizend.'

'Per jaar?'

'O nee. Van Memorial Day tot Labor Day, van eind mei tot begin september dus. Daar betaalt ze haar hele jaarhypotheek van.'

'Dat is krankzinnig.'

'Het wordt nog krankzinniger. Huizen worden verkocht voor vele malen de prijs die er een paar jaar geleden voor is betaald. Hier opgegroeide, volwassen kinderen kunnen een woning hier niet meer betalen. Daar worden de mensen rancuneus van. Vorig jaar waren een hoop mensen uit de buurt woedend toen zomergasten voorstelden of wij onze boodschappen niet door de weeks wilden doen, zodat het in de weekenden niet zo druk was. Je had de ingezonden brieven eens moeten zien.'

'Het is ook zo'n gedoe hoe we met onze ruimte omgaan...' zei Annie. 'Allemaal zo ingewikkeld.'

Mason klopte op haar atelierdeur. 'Kun je me even helpen?'

'Hangt ervan af,' riep Annie.

'De Chinese Muur verplaatsen.'

'Wat?' Ze deed haar deur open. Keek hem met gefronste wenkbrauwen aan alsof hij had ingebroken bij iets veel belangrijkers.

'Je moet leren dat je soms kunt worden gestoord.'

'Ik kan niet werken met jou in de buurt.'

'Je werkt hier wel als Opal er is.'

'Niet voluit.'

'Ik laat altijd alles uit mijn handen vallen als jij...'

'Als jij er bent, reken ik erop dat jij voor haar zorgt, zodat ik de tijd aan mezelf heb.'

'Ik wou dat ik dat atelier nooit voor je had gebouwd.'

Om Jakes dr. Pagucci naar de kroon te steken had Mason ook een verhaal verzonnen. Over een meisje met vlechtjes, Melissandra, die toevallig altijd een dag jonger was dan Opal. Melissandra had een avondbaantje in een lollyfabriek, waar ze de mislukte lolly's opat zodat die niet in de winkel terecht zouden komen.

Opal aanbad Melissandra en zij werd haar vaste bedverhaaltje.

'Wat is je lievelingssmaak, Melissandra?' vroeg Opal hem op een avond.

'Wat ik het lekkerst vind? Wat denk je?' zei Mason met zijn Melissandrastemmetje.

'Rode lolly's.'

'Ik wist wel dat je het zou raden.'

'Waar houd je nog meer van?' vroeg Opal.

Mason grimaste. 'Verder niks. Alleen lolly's. En ik zeg nooit alsjeblieft of dankjewel, omdat ik dat altijd van grote mensen moet zeggen.'

'Kom je dan niet vreselijk in de problemen?'

Hij vond het heerlijk als hij haar zo aan het giechelen kon krijgen. 'Allerlei leuke problemen.'

'Zoals wat?'

Hij dempte zijn stem. 'Zoals het vastbinden van de schoenveters van mijn schooljuf.'

Opal deed haar ogen dicht. En weer open. 'En wat nog meer, Melissandra?'

'Soms smeer ik tandpasta op het schoolkrijt, en als de juf het dan vastpakt, zitten haar handen helemaal onder.' Met zijn normale stem voegde Mason eraan toe: 'Nu moet je gaan slapen, Sterretje.'

Het was zondagochtend en Mason sliep uit. Toen hij opstond zat Annie in de schommelstoel bij het raam te lezen.

'Waar is Opal?' Hij schonk een kop koffie in.

'In haar speelhuis.'

'Kijk eens hoe ze danst, Annie.'

Opal draaide pirouetjes rond het speelhuis dat Masons ouders haar voor haar verjaardag hadden gegeven, ze zwaaide met haar armen door de lucht. Toen ze bij de tulpenboom kwam, rukte ze met haar vingers aan de rozewitte bloesems.

'Opal,' riep Annie, 'kom binnen.'

'Ze hoort je niet.'

'Ze molt die boom nog.'

Maar hij trok partij voor Opal, die de bloemblaadjes rondstrooide en door een douche van roze en wit tolde. 'Zo wil ik me haar vandaag herinneren... met allemaal bloemen om haar heen...'

'Jij geeft haar altijd haar zin.' Annie liep naar de deur. 'Opal. Nu.'

'Niet doen...' Hij greep haar bij haar middel. 'Haar plezier doet er veel meer toe dan een boom.'

'Ik vind het best dat ze plezier heeft. Maar ik wil ook dat die boom het overleeft.'

'Ik neem haar wel mee naar Sparky's.' Hij kuste Annie op de lippen en rende naar buiten, waar hij met Opal om de boom danste.

Haar knuistjes klemden zich om zijn vingers en nu lachten ze allebei terwijl ze bij de tulpenboom vandaan dansten.

Het was lente en Opal was zeven, de overstromingen waren er weer, en met de wateroverlast kwam een brief van een makelaar die aanbood om hun huis te koop aan te bieden: 'Momenteel neem ik met een paar mensen als u contact op om te kijken of men belangstelling heeft voor een mogelijke verkoop...'

'Wat bedoelt hij verdomme met "mensen als u"?' vroeg Annie.

Het ging nog verder: '...geschikte cliënten zijn bereid een aantrekkelijk bod te doen... zouden het zeer op prijs stellen als u tijd kon vrijmaken om... bij u bekende gebouwen of stukken grond...'

'Hij bedoelt dat we onze buren moeten aangeven,' zei Mason.

Een week later kwam er opnieuw een brief waarin werd aangeraden om te verkopen voordat de overstromingen schade hadden kunnen aanrichten, omdat anders het huis minder waard zou kunnen worden. Hoewel zijzelf geen last hadden van de overstromingen moesten Ellen en Fred zandzakken neerleggen om hun huis tegen de watervloed te beschermen. Toen Annie en Mason gingen helpen, ontdekten ze dat Ellen en Fred dezelfde brieven hadden gekregen.

'Mijn clientèle vindt dat uw huis mooi gelegen is. Het is een schitterende locatie... ik hoop niet dat ik met deze brief uw privacy heb geschonden. Het is niet mijn bedoeling om...'

'Het is een grap,' zei Fred.

'En ik dacht nog wel dat ons huis het allerspeciaalst was.' Ellen gooide een zandzak naar Mason.

Hij ving hem met beide armen op en legde hem op de andere zakken. 'Voor je het weet staat hij op de stoep.'

Toen het water zakte, stond de man van de brieven inderdaad op de stoep. Het was een zaterdagochtend en Opal speelde naast de voordeur, beklom de ladder van haar speelhuis en sprong weer naar beneden.

'Ik heb een verrassing voor je,' zei de man.

Mason wist onmiddellijk wie hij was. Hij was die doordrammer die iemands privacy compleet aan zijn laars lapte.

'Een foto van uw kleine meid boven in haar speelhuis.' Hij liet Annie zijn digitale camera zien.

'Dat mag u niet doen,' zei ze.

'Hij is voor u. Een cadeautje. Zo'n lief klein...'

Mason stapte op hem af. 'Hoe durft u...'

'Ik kom informeren of u er wellicht oren naar hebt om uw huis te verkopen. Ik heb u twee brieven geschreven. Ik heb van tevoren aanbevelingen gedaan...'

'Hoe durft u een foto van ons kind te maken?'

'Maar de foto is niet voor mezelf. Ik dacht dat u er wel een afdruk van wilde hebben. Ik kom hem morgen langsbrengen.'

Mason duwde met zijn hand tegen de borst van de makelaar.

'Ik kan de foto ook e-mailen, als u dat liever hebt...'

Mason duwde nogmaals, hard, en toen de man viel, rukte Mason de camera uit zijn handen.

'Laat hem gaan.' Annie pakte Masons arm vast.

Mason wrong zich los. 'Hij heeft het recht niet om...'

'Jullie zijn geschift,' riep de makelaar.

'Kijk maar eens.' Mason gooide de camera tegen de voortuintrap. Vertrapte hem. 'Jij bent de volgende.'

Annie gebaarde dat de man weg moest gaan. 'Sodemieter op.'

'Je naam staat in de brief,' schreeuwde Mason hem achterna.

Behoedzaam deinsde de man achteruit.

'Oké, Mason?' vroeg Annie. 'Oké?'

'Kan het je dan niet schelen dat een of andere snuiter foto's van ons kind maakt?'

De man draaide zich om, rende naar zijn auto en schoot

weg nog voor hij goed en wel achter het stuur zat.

'Natuurlijk kan dat me wat schelen,' zei Annie, 'maar daarom hoeven we hem nog niet verrot te slaan.'

'Voor je het weet verkoopt hij haar foto op internet.'

'Dat is van de gekke. Hou op. Alsjeblieft,' zei ze. 'We dienen wel een klacht in bij zijn bedrijf.'

Mason

...*ging trillen, had ik medelijden met hem.*

'Jake?' *vroeg je.* 'Geloof je dat Mason enig idee heeft van wat vertrouwen betekent?'

'Nee.' *Trillen... Jake trilde. Zweet op zijn borst, op zijn buik.*

En ik wist zeker dat wat een van jullie ook zou doen, me dat nooit zo zou kunnen raken als wat ik me in mijn hoofd haalde. Het is net alsof... alsof je ergens niet naar probeert te kijken, Annie. Dat de inspanning om niet te kijken er alleen maar toe leidt dat ik het in volle omvang ga zien. Zoals die foto in het filmboek van de universiteit dat ik heb bewaard... een scheermes dat de oogbal van een vrouw doorklieft.

Je weet welke foto ik bedoel, Annie, uit Buñuels Un Chien Andalou, *en hoe bang ik altijd ben om die bladzijde om te slaan als ik erbij in de buurt kom. Maar omdat ik zo hard mijn best doe om niet te kijken, zie ik al voor me hoe dat scheermes half-begraven in die oogbal zit – duidelijker dan in het boek zelf – en dan moet ik de bladzijde omslaan om het beeld in mijn hoofd bij te stellen.*

Je hebt voorgesteld om die bladzijde eruit te scheuren, Annie. Of het boek weg te gooien. Maar dat kan ik niet. En ik kan het ook niet aan een antiquariaat geven omdat iemand het dan misschien oppakt en ook last krijgt van dat beeld. Omdat het boek altijd precies daar openvalt.

Zo was het ook met jou en Jake op de bank onder me, Annie.

'In hemelsnaam,' zei ik, 'sla die bladzijde toch om.'

'Welke bladzijde?' vroeg Jake.

'Sla die bladzijde om zodat we er niet meer aan hoeven denken.'

'Jij bent de enige die eraan denkt,' zei je tegen me.

Eén collage is niet genoeg. Moet je kijken, aan je werktafel. Duizend rondjes. Rond... jouw lichaam en dat van Opal... binnen die ronding rond en één. Ik mag dit niet laten mislukken – dan zou ik onze kans samen bederven. Er zijn meer collages die ik nog niet heb gezien... nóg twee van ons meertje terwijl er eerst maar een paar van waren. En de rest van het vlot.

Waarom verstop je ze voor me, Annie?

Ik wed dat na onze dood, Annie, ze in een museum komen te hangen.

Je raakte Jakes dij aan. 'Jake?'

Het hout naast zijn dij is lichter van kleur dan de rest van de saunabank. Daar heb ik de vorige lente de gebroken latten vervangen. Voordat ze gaan rotten neem ik ze graag onderhanden. Na een paar maanden zie je er niks meer van, zo gaat dat altijd.

Jouw hand was donkerder dan Jakes dij met die kleine blonde haartjes waardoor de huid nog bleker lijkt dan hij al is. Toen hij in de stoom naar je toeschoof, zo aarzelend – Jake en Annie – leek het net of ik weer op die ferry naar Shelter Island zat en naar een man met een zwangere vrouw keek, die haar met zijn gespreide hand achter op haar middel begeleidde.

Trots.

Van mij.

Jij zou lachen, Annie, als ik je zo zou begeleiden. Jake is makkelijker te porren, te plezieren, te bezitten. Maar met zijn handen op jou, had ik jullie allebei.

Je gooide jezelf boven op Jake en...

[4] Jake

– The Graduate –

'Masons vader zei dat je in de keuken was,' zegt Jake tegen Annie.

Maar ze geeft geen antwoord. Blijft met haar rug naar hem toe staan terwijl ze een glas water inschenkt en er langzaam van drinkt.

In de woonkamer staat de tv aan. *'And here's to you, mrs. Robinson...'* De originele versie. Simon en Garfunkel. Niet die gewaagdere versie van Lemonheads. *'Jesus loves you more than you will know...'*

Jake wacht terwijl Annie haar glas weer vult en ook dat leegdrinkt. Ze mijdt hem. Sinds Masons begrafenis heeft Jake haar twee keer gebeld, aangeboden om naar het huis aan het meer te gaan, op te halen wat ze nodig heeft en dat naar Opal en haar toe te brengen. Maar het enige wat ze zei was: 'Ik kan het niet, Jake.'

Wat niet? Met me praten? Me zien?

'Ik wil ook wel weggaan, Annie...'

Ze draait zich naar hem toe, haar gezicht opgeblazen, haar kleren te strak.

'...als dat makkelijker voor je is.'

'Makkelijker?'

'Niet dat het daardoor minder... afschuwelijk is. Maar als je me liever niet in de buurt wilt hebben...'

'Zijn ouders willen dat we hier allebei zijn.'

Onze stemmen, onze lichamen, beschaamd.

'Dat zeiden ze net ook tegen mij. Weet jij waarom?'

'Nee. Ze hebben me alleen... gevraagd te komen. En nu zitten ze daar tv te kijken. Laat me niet met hen alleen, Jake.'

'Nee.' Hij is bang dat hij haar na vandaag nooit meer zal zien.

'Je hebt toch niets tegen ze gezegd, hè?'

'Natuurlijk niet.'

'Denk je dat ze het weten?'

'Dat kan toch niet?'

'Als Mason ze heeft gebeld voordat hij...' Ze bijt op haar lip.

'Nee,' zegt Jake. 'Nee.'

Annie kruist haar armen en wrijft met haar handpalmen over haar bovenarmen. 'Het is hier altijd zo koud. Zelfs in de zomer.'

'Vroeger dacht ik altijd dat ze ijsgrotten onder hun huis hadden.'

'Alleen in Masons huis? Niet in dat van jou of mij?'

'...*look around you...*' Simon en Garfunkel. Warme orkestklanken. '...*all you see are sympathetic eyes...*'

'Alleen in Masons huis. Blauwachtig witte grotten. En de lucht uit die grotten stijgt op waardoor het in de kamers zo koud is.'

Ze glimlacht even. 'Mijn moeder was dol op je fantasie.' Maar ze knippert haar tranen alweer weg. 'Zij is ook dood. Iedereen om me heen gaat dood, Jake.'

'Ik vind het zo erg.'

'Ik heb vandaag het huis te koop gezet.'

'Heb je hulp nodig bij...'

'Ellen en Fred hebben het meeste gedaan. Voordat ik kwam.'

'Wanneer ben je...'

'Eergisteren.'

'Slaap je niet in het huis?'

'Nee. Ik logeer bij Ellen en Fred. En zij zijn meegegaan om de spullen op te halen die Opal en ik nodig hebben. De rest gaat naar de liefdadigheid.'

'Niet je werk?'

'Fred en ik hebben dat ingepakt. Het wordt naar tante Stormy gestuurd.'

'Dus je blijft daar?'

Ze haalt haar schouders op.

'Dit weekend ben ik bij mijn ouders. Ze nodigen je te eten uit, als je daar zin in hebt.'

'Zodra ik hier weg kan, pak ik de pont terug.'

'En van mijn zuster moest ik zeggen...'

'Geef haar een knuffel van me. Hoe...'

Jake wacht.

'Hoe rouw jíj om hem, Jake?'

'Ik ben woedend op hem. En op mezelf.'

'Ik ook.'

'Niet alleen omdat hij zelfmoord heeft gepleegd, maar ook omdat...' Hij wil haar vasthouden, stelt zich door haar groene shirt de warmte van haar huid voor. Maar zijn geest slaat al dicht. *Samenzijn heeft Mason vermoord.* Bij haar voelt hij zich smerig. Mist Mason – mist hem op dat moment zo verschrikkelijk – *die intense, op jouw gerichte ogen, zo compleet op jou, spontaan en direct, expressieve ogen waarin mogelijk iets anders schuilt, zelfs kilte. En dan maak je een duikeling.*

Hij zegt: 'Ik mis Opal.' Dat kalmeert hem. En het is de waarheid.

Voor Opal bij hen kwam, voelde wij-drietjes goed, en toen was het wij-viertjes, en op een of andere manier bracht Opal het beste in hen boven – meevoelender, verantwoordelijker – zij haalde de focus op wij-drietjes weg. *Want wij-drietjes kan gevaarlijk zijn.* De laatste keer dat Jake bij hen thuis was – de keer voor die keer in de sauna – was maar een paar dagen daarvoor, toen Opal acht werd. Hij heeft al haar verjaardagen meegevierd en kan zich niet voorstellen níét deel van haar leven te zijn.

En nogmaals zegt hij: 'Ik mis Opal.'

'Ik weet dat je haar mist,' zegt Annie.

'Opal... Ze is speels, net als jij. Impulsief...'

'Net als Mason?'

'Alleen... impulsief. Wat doen Opal en jij zoal overdag... bij tante Stormy?'

'O gewoon. Naar het water kijken. Eendjes voeren. Zwemmen.'

Hij knikt.

'Ik probeer haar weer bij die kinderpsycholoog te krijgen, die tante Stormy voor haar gevonden heeft. Ze was geweldig met Opal, maar na de afspraak zei Opal: "Ik wil dat mens nooit meer zien."'

'Waarschijnlijk omdat ze goed was.'

'Ze is gekwetst. En erover praten kwetst haar nog meer. Ze wilde niet naar de volgende afspraak, ze schopte en gilde, dus ben ik het de psycholoog gaan uitleggen, niet om haar af te wimpelen maar om te vragen hoe we Opal kunnen helpen.'

'Ik wil Opal graag zien.'

Annie schudt haar hoofd.

'Volgens mij is het niet goed voor haar als ik ook niet meer in haar omgeving ben...'

'We zijn naar een paar antioorlogsdemonstraties geweest in Sag Harbor.'

'...dat ze Mason én mij kwijt is.'

'Tante Stormy en Pete gaan er elke zondagmiddag heen. We...'

'Alsjeblieft, Annie?'

'...gaan naar de kade van Sag Harbor en...'

'En ik mis jou ook,' voelt hij zich gedwongen te zeggen hoewel hij het liefste bij haar zou wegrennen.

'Eigenlijk is het een stille wake.'

'Mis je van voordat... hoe het vóór dit alles was.'

'Ik kan het niet, Jake.'

'Als je denkt dat erover praten...' Hij onderbreekt zichzelf. *Te gevaarlijk.*

'Nee.'

En hij is opgelucht. Waarom begon hij eigenlijk over praten? Binnenkort moet hij haar vertellen dat hij Mason vlak voor zijn zelfmoord heeft gezien. Als hij dat voor haar geheim zou houden, zou hij Opal en haar niet meer onder ogen kunnen komen.

'Vandaag is het zesentwintig dagen geleden,' zegt ze.

Als hij haar atelier nou maar was in gerend en was gebleven. Maar hij was nog steeds zo boos en in de war dat hij buiten voor het raam was blijven staan en zag dat Mason hem zag. *Doe het, klootzak. Dat is het enige wat je nog doen kunt.* Alsof hij plotseling gek geworden was... Als jongen had hij zich voorgesteld dat Mason dood was, had die dood steeds maar weer in zijn gedachten afgespeeld, zodat Jake – heel even maar, daar buiten dat atelier – er niet zeker van was of het werkelijk gebeurde of dat hij het zich verbeeldde, bang dat als hij eraan toegaf het door hem ook daadwerkelijk bewaarheid werd. Hij kon zich niet bewegen. Zelfs niet toen Mason op Annies werktafel klom en zijn hoofd door de lus stak. *Ik heb me wel ergere dingen voorgesteld: je van een klif afduwen, uit een open vliegtuigdeur...* Vluchten. Daarna. Rennen en verstoppen in zijn auto en de deur op slot doen en zich klein maken in de vertrouwde schaamte die hij als jongetje al had. Toen de schok, terug naar het gezonde verstand en de ochtendschemering, en moeilijk ademhalen vanwege de rook.

Terugracen naar het raam – *te laat te laat te* – en maken dat je wegkwam hoewel hij wist dat Annie degene zou zijn die Mason dood zou aantreffen.

'We missen hem zo,' zegt mevrouw Piano.

'Daarom hebben we gevraagd of jullie allebei...' begon meneer Piano, maar zijn stem breekt.

Mevrouw Piano pakt zijn handen in de hare. 'Was hij boos op ons?'

'O nee.' Annie slaat haar armen om mevrouw Piano heen.

'We hebben ons allebei afgevraagd...' Meneer Piano leunt naar voren. Kijkt intens naar de televisie, waar een hem vaag bekend voorkomende acteur in een zwembad ligt te drijven. '...of we iets hebben gezegd of gedaan waardoor zijn... in gang is gezet.'

'Als we het zouden kunnen begrijpen...' Masons moeder kijkt naar Annie alsof ze op haar verlossende woord wacht, of misschien een bewijs dat iets in Mason sterker was dan al haar liefde.

Wat moet ik nou toch zeggen...

'Heb je enig idee waarom hij het heeft gedaan, Annabelle?' vraagt Masons vader angstvallig.

'Nee.' Ze schudt haar hoofd. *Weduwe zonder het flauwste idee.*

'Nee,' zegt Jake.

Annie graaft met twee vingers in de zak van haar zwarte broek, vindt een elastiekje, schuift dat over haar pols en trekt haar haar zo strak in een knotje dat haar wenkbrauwen omhooggetrokken worden en haar voorhoofd vierkant wordt, in een oogwenk verandert ze van lieftallig in een strenge juffrouw.

Ze sluit me buiten.

Maar omdát ze er zo lelijk kan uitzien, houdt Jake des te meer van haar.

'Die Dustin...' Meneer Piano wijst naar het scherm.

'Dat is 'm!' Nu weet Jake het weer. 'Ik heb Dustin Hoffman nooit jong gezien.'

'...wil alles altijd onmiddellijk,' vervolgt Masons vader. 'En hij...'

'Het lijkt haast wel of hij... een toupet draagt.'

'...verwacht dat zijn ouders hem dat ook geven, terwijl hij ze veracht. Zie je hoe hij ze negeert, Annie?'

'Ja... dat zal wel.'

'Zo was de mode toen,' zegt mevrouw Piano. 'Ik geloof niet dat het een toupet is.'

'En de camera is ook niet eerlijk met de ouders... ze zien er roofzuchtig uit, zoals ze in dat zwembad om hem heen cirkelen.'

'Bezorgd, niet roofzuchtig,' corrigeert mevrouw Piano haar man.

In het zwembad draaien een vrouw en een man inderdaad om de jonge Dustin Hoffman heen. Jake vindt roofzuchtig een rake typering. *Als je bedenkt dat haaien of krokodillen of piranha's ook roofdieren zijn.*

'Ik dacht altijd dat zijn ouders en hun vrienden een stelletje zakken waren.' Masons vader haalt een zakdoek uit zijn colbertzakje. Dept zijn lippen. 'Nu vind ik die Dustin...'

'Hij heet Benjamin,' zegt mevrouw Piano.

'...een zak, en zijn ouders proberen alleen maar ouders te zijn. Jullie zullen hem wel mogen.'

'Ik ken hem niet,' zegt Annie.

'Wij kennen hem niet,' zegt Jake.

'Jullie zijn ook nog zo jong...' zegt mevrouw Piano.

'Toen wij zo oud waren als jullie,' zegt meneer Piano, 'was *The Graduate* ónze film.'

'Een cultfilm.'

Ze praatten verder alsof ze alleen waren.

'We mochten Benjamin graag.'

'We identificeerden ons met hem,' zegt mevrouw Piano.

'Hij was romantisch.'

'Romantisch en in de war.'

Op de bevallig ronde vleugel staat een glazen vaas met citroenen. De rest van het meubilair is één en al hoeken: stalen klapstoelen, een wankele tafel, een geschilderde kerkbank met daarop Masons ouders, beiden hoekig en lang. *Eén en al hoeken.* Jakes moeder zei altijd dat de Piano's hun thermostaat op vriesstand instelden. Als hij erheen ging, moest hij van haar altijd een jasje meenemen. Maar zijn tenen stonden evengoed krom van de kou. Zijn handen kon hij in zijn oksels stoppen... behalve als hij ze er voor zijn wekelijkse pianoles uit moest halen.

'Een koud huis houdt je bij de les,' placht meneer Piano te zeggen. Tijdens het luisteren naar zijn leerlingen keek hij altijd gekweld, behalve bij Mason, die op zijn derde jaar met pianoles begon en geestdriftig studeerde, maar alleen wanneer zijn vader naast hem zat. *Kijk naar me kijk naar me kijk...* Zonder publiek ging de knop om.

Altijd als Jake speelde verontschuldigde meneer Piano zich. 'Blijf doorspelen, Jake. Ik luister wel in de keuken.' Als hij terugkwam, bolde zijn magere gezicht op omdat hij op iets kauwde, hapjes nam van iets wat hij in zijn handpalm verstopt hield.

Meneer Piano kauwt op geroosterde amandelen terwijl hij ze uit een grootverpakking op een stalen schaal strooit en er chips en kaasreepjes bij doet. 'Geef de versnaperingen eens door, Annabelle.'

'Ik ben nog niet veel aan koken toegekomen,' zegt mevrouw Piano. 'Dat spijt me zo.'

'Niet doen... alsjeblieft.' Meneer Piano aait over haar arm. 'Je doet wat je kunt.'

Vandaag is het zesentwintig dagen geleden.

'Niets. Ik doe niets. Omdat er niets te doen is.' Ze is helemaal in het zwart: sjaal, bloes, schoenen, oorbellen. Alsof ze sinds Masons begrafenis niet uit de kleren is geweest.

Jakes moeder heeft hem verteld dat zij de meeste avonden voor de Piano's kookt, ze brengt het naar ze toe en vertrekt dan gelijk weer, want het is duidelijk dat ze niemand om zich heen willen hebben. 'Goed dat ze met jou en Annie willen praten,' zei ze tegen hem. Hij is dit weekend bij zijn ouders op bezoek. Hun woonkamer staat nog steeds vol speelgoed, schooltafeltjes en planken met kleurboeken en knutselspulletjes. Zijn moeder heeft haar crèche nog steeds, hoewel ze ooit heeft gezegd dat ze zodra Jake groot was weer voor de klas wilde, natuurkunde. Wanneer Jakes vader zei dat hij voortdurend over andermans kinderen struikelde, wees ze hem erop dat twee derde van het gezinsinkomen wel door die kinderen werd ingebracht. Jake kromp dan ineen. Ze werd immers niet betaald om op hém te passen. Daarom werden de andere kinderen voorgetrokken. *Betalende gasten.*

Annie pakt een handvol chips. Ze geeft de schaal aan Jake door, die plotseling aan Annies moeder moest denken, hoe die zijn moeder bij de deur bedankte. 'Ik ben zo blij dat Annie bij jou een thuis vindt en de gezellige kant van moederliefde. Ik ben niet zo'n keukenprinses.' Jakes moeder kromp ineen. Glimlachte naar Jake. En toen ze sprak, was dat niet tegen Annies moeder maar tegen hem. 'We hebben geluk dat ik door mijn werk de hele dag bij je kan blijven.'

Jake probeert de schaal aan mevrouw Piano door te geven.

'We zijn hem kwijt, Jake. Wij gingen weg en hebben hem verloren.' Ze wendt zich tot Annie. 'Jij mag me niet ook in de steek laten, Annie.'

'Dat doe ik niet.'

'Jij en Opal kunnen altijd bij ons komen logeren. Weken, maanden, jaren.'

'O... Dank u wel.'

'Het is niet erg als je die Dustin-vent wel mag,' zegt meneer Piano tegen Jake.

'We mogen hem niet,' haast Jake zich te zeggen. Toch voelt het als een beschuldiging. Maar hij weet niet hoe hij zich daarvan los kan maken.

Hij stond bepaald niet te trappelen om erheen te gaan. Stond in de badkamer van zijn ouders onder de douche en kon zich er maar niet toe zetten hem uit te doen, omdat hij als de dood was dat hij en Annie nooit meer zo bij elkaar konden zijn zoals ze dat als kind waren geweest. Stond onder het hete water tot hij zichzelf in een snelle beweging dwong de kraan op koud te zetten, van de schok naar adem snakte, zichzelf dwong onder het ijskoude water te blijven staan tot hij het niet meer kon verdragen. Hij zag weer voor zich hoe ze met zijn drieën door Marokko hadden gereisd... *We dansen op een van de hoge stadsmuren van Asilah. Mason knuffelt Annie, maar plotseling verandert alles want hij dringt zich tegen haar aan en zij bijt in zijn nek...*

Zachtjes? Hij krimpt ineen. Reikt achter haar en grijpt haar polsen, houdt ze daar. Ze buigt naar achteren, maar zijn lichaam buigt naar voren, tegen het hare. Voelt ze de lege ruimte achter zich? Dat moet haast wel. Maar ze is helemaal niet bang. Met haar tanden tegen Masons nek drukt ze zich tegen hem aan, worstelt met hem zoals we als kind altijd worstelden. Alleen is ze niet meer sterker dan Mason... ze zijn even sterk. Draait het bij seks daarom? Want als ze in het openbaar al zo ruw met elkaar omgaan, dan...'

'Idioten,' riep ik. 'Ga daar vandaan.'

Ze denken dat ik veilig ben. Veilig omdat ik ze beiden aanbidt. Veilig omdat zij geloven dat ik weet dat ze bij elkaar horen. Veilig tot dat moment, als Annie zich plotseling bevrijdt en naar me toekomt, zich tegen mij aan drukt, niet tegen Mason, haar borsten tegen mij aan duwt – Annie? – haar mond onder mijn kin. Maar ze bijt me niet, mij niet. De richel achter me. Ik druk mezelf dichter tegen Annie aan. Worstel ons bij de richel vandaan. Annie...

En nu is Mason degene die schreeuwt. 'Hou op! Jullie allebei!' Hij deinst voor Annie en mij terug, springt op de hachelijke richel. 'Ik wed dat ik spring als jullie niet ophouden.' Achter hem witte gebouwen en kliffen en de zee...

'Hij vond het leuk... om het uit te proberen,' zegt Jake.

'Wat uitproberen?' vraagt mevrouw Piano.

'Dat hij ergens... vanaf kon springen... of het op een andere manier te doen.'

'Maar het was niet zijn bedoeling,' zegt meneer Piano.

'Als we verstoppertje speelden,' zegt Annie, 'en Mason kon ons niet vinden, schreeuwde hij soms: "Als jullie niet tevoorschijn komen, maak ik mezelf van kant."'

'Hij zegt dat om zijn zin te krijgen,' zegt mevrouw Piano.

'Deed hij dat ook met u?' vraagt Annie.

Mevrouw Piano knikt. 'Hij begint altijd vriendelijk. Dan voert hij het op, gaat mokken en probeert me zover te krijgen dat ik medelijden met hem krijg. En als dat niet werkt, zegt hij dat hij doodgaat. De eerste keer dat hij dat zei, was hij vijf. Omdat ik geen ijsje voor hem wilde kopen.'

'En?' vraagt Jake.

'Of ik dat ijsje voor hem heb gekocht? Ja.'

'Hij zei het op kamp ook,' zegt Jake.

'In Winnipesaukee... Mason haatte het daar,' zegt meneer Piano. 'Weet je, Mason heeft het een paar keer met mij geprobeerd toen ik zei dat het bedtijd was. Maar hij hield ermee op toen ik hem te verstaan gaf dat hij elke keer dat hij het zei, een halfuur eerder naar bed moest. Ik wist dat hij het niet meende.' Hij loenst. Hij ziet er plotseling ziek uit.

'Ik dacht dat het iets te maken had met die weddenschappen met zichzelf,' zegt mevrouw Piano. 'Zoals hij het zei... min of meer speels, een gokje wagen... uittesten of ik hem geloofde. Daarom dacht ik dat het zo belangrijk was Mason te laten inzien dat ik hem níét geloofde. Zodat hij zichzelf geen... kwaad zou doen. En toen hij het nog een keer zei, herinnerde ik mezelf eraan dat hij zich de vorige keer ook niets had aangedaan... dat hij gewoon weer een van zijn buien had.'

'Vroeger wist ik alles van Mason,' zegt meneer Piano, 'en daarna kende ik hem totaal niet meer. Ik wist altijd van welke muziek hij hield. Hij en ik hadden dezelfde smaak. Een kind van vier dat van Mahler houdt. Kun je je dat voorstellen? En Schumann. Nu weet ik niet eens welke muziek hij mooi vond voor hij...'

'Sarah McLachlan,' zegt Jake. 'Dat vond hij prachtig.'

'En de Cardigans,' voegt Annie eraan toe.

'De Mrs. Robinson-song.' Jake wijst naar de tv. 'Maar van de Lemonheads. Hoewel, nu ik het in combinatie met de film hoor, begrijp ik de woorden beter. Echter dan van de Lemonheads.'

'Lemonheads... dat doet me denken aan die Lennon-song,' zegt meneer Piano. 'Heeft eigenlijk niks met elkaar te maken. Alleen Lemon en Lennon?'

Annie knikt. 'Absoluut.'

'Heb je ooit die song gehoord die John Lennon voor zijn zoon heeft geschreven?' Meneer Piano neuriet. Kucht. Zingt dan: *'The monsters gone he's on the run and your daddy's here...'*

Annies gezicht kleurt vuurrood.

Tranen stromen in meneer Piano's kraag. *'...beautiful beautiful beautiful beautiful boy...'*

Jake krijgt kippenvel. *Doe jezelf dit niet aan.*

'Hij was de mooiste baby van de buurt,' zegt mevrouw Piano.

Wat hébben de Piano's hieraan? En wij?

'Ik kan wel een cd met Masons lievelingsnummers maken,' biedt Annie aan.

'Iedereen zei dat hij de mooiste baby was. Zelfs de andere ouders. Niet dat jullie beiden geen knappe baby's waren...'

'Vreemden kwamen bij ons aan de deur om te vragen of ze Mason mochten zien. Die bos zwart haar.' Meneer Piano kijkt kritisch naar Jakes haar, dat sinds zijn twintigste al dunner aan het worden was.

Jake doet er alles aan om zichzelf ervan te weerhouden te kijken of het erger wordt. *Mijn derde oog.* Dat glimmende kale plekje achter zijn fontanel.

'Mason was altijd zo opgewonden als mensen naar hem lachten,' zegt meneer Piano.

Mevrouw Piano strijkt over haar hals. 'Hij heeft nooit die fase gehad waarin hij geen nek had. Je weet wel. Die mollige babyfase. Vanaf het allereerste begin was hij prachtig in verhouding.'

'Tante Stormy zei ook altijd dat hij zo mooi was,' zegt Annie.

'Zie je wel?' Meneer Piano kijkt zijn vrouw aan.

'Net een minimensje,' zegt ze.

'Niet mini,' werpt hij tegen. 'In elk geval niet voor lang.'

'Jij zat altijd te zeuren dat hij niet snel genoeg groeide,' brengt ze hem in herinnering.

'Niet echt.'

'Hij had zo'n fantastische huid, Annie.'

'Ik begrijp het wel,' zegt Annie zachtjes.

'O ja?' Meneer Piano keert zich naar Annie toe. 'Jij en Mason... jullie hadden altijd zo'n haast.'

Annie knippert met haar ogen. 'Wat bedoelt u daarmee?'

Jake weet wat meneer Piano ermee bedoelt. Jake was Masons getuige en voor het altaar raakte Mason zo ontroerd dat hij begon te huilen. Toen Jake hem een zakdoek aanreikte – discreet, achter hun rug om, zich niet realiserend dat de gasten het zagen – bestierf meneer Piano het bijna.

Tijdens het huwelijksdiner zei hij tegen iedereen: 'Mason huilt nooit.'

'Nou, vandaag heeft hij anders wel gehuild,' zei Masons oom.

'Alleen maar omdat Annabelle zo nodig met hem moest trouwen.'

Maar mevrouw Piano pakte haar man bij de pols en hield die naast zijn huwelijksbord en huwelijksbestek op tafel vast. 'Jij weet als geen ander dat onze Mason alleen huilt als hij overgelukkig is.'

'Ik bedoel daarmee,' zegt meneer Piano tegen Annie, 'dat toen jullie trouwden jullie nog een stel kinderen waren.'

'Laat haar met rust, wil je,' zegt mevrouw Piano.

'Opschepper.' Meneer Piano loopt naar het scherm. 'Springt zo in die kleine rode cabriolet, doet de deur niet eens open. Een uitvreter, dat Dustin-type. Rijdt in die jazzy auto die zijn ouders hebben betaald terwijl hij niets van ze moet hebben.'

'Op onze leeftijd nu,' zegt Masons moeder, 'lijkt Benjamin onverschillig... lui.'

'Als je dat maar weet,' zegt meneer Piano.

'En hij beschuldigt Mrs. Robinson – een vriendin van zijn ouders, Annie,' zegt mevrouw Piano, '...ervan dat zij hem verleidt hoewel hij er zelf absoluut een rol in heeft gespeeld. Alleen maar omdat ze ouder is.'

Masons vader staart Annie aan.

'Hou ermee op,' zegt Masons moeder. 'Annie is nauwelijks vier maanden ouder dan Mason, daarmee kun je haar toch moeilijk de rol van Mrs. Robinson in de schoenen schuiven.'

Annie tuit haar lippen.

Zo ken ik Annie weer.

Jake wil haar voorhoofd aanraken, heel hoog waar haar huid in haar haar overgaat, haar knotje losmaken – een beetje maar – zodat haar gezicht zich kan ontspannen. Hij propt zijn handen in zijn zak. Maar haalt ze er gelijk weer uit. Hij vertrouwt ze niet. Om ze bij Annie uit de buurt te houden pakt hij een reepje kaas dat hij niet wil en trekt de korst eraf om maar wat te doen te hebben. De smaak van in melk verdronken elastiekjes.

'Zit daar een beetje met die vistank, die Dustin!' Meneer Piano klinkt geagiteerd.

'Welke vistank?' vraagt Jake.

'Dat deel hebben jullie gemist, jij en Annie. Jullie waren nog in de keuken toen dat sujet in zijn kamer bij dat aquarium zat en zijn vader zich zo liet uitsloven. Hij glimlachte niet eens naar zijn vader.'

'Dat deed Mason ook altijd,' zegt mevrouw Piano, 'niet naar me glimlachen. Hij lachte expres niet naar me en...'

'Als hij weer in een van zijn buien was,' zegt meneer Piano. 'Zwaarmoedig. Praatte niet met ons.'

'Dan kon ik Mason wel door elkaar schudden.' Mevrouw Piano sluit haar ogen. 'Dat heb ik wel eens gedaan...'

'De manier waarop hij langs zijn vader heen keek...' Meneer Piano gooide een paar amandelen in zijn mond. Opent het onderste knoopje van zijn vest. 'Alsof hij genoeg van hem had. Ik geloof niet dat hij zijn vader zag staan.'

Normaal gesproken glimmen de citroenen in de vaas op de piano, maar vandaag is het water troebel.

'Waarom zitten er geen bloemen in die vaas?' vroeg Jake eens aan Masons vader.

'Omdat citroenen niet verwelken.'

'O...'

'Citroenen staan langer dan bloemen, en als ze verkleuren of vlekken krijgen, maken we er limonade van.'

'Mogen we limonade verkopen?' vroeg Mason.

'Natuurlijk. Neem deze maar.'

Tijdens de voorbereidingen van hun limonadekraampje waren Jake, Annie en Mason zo opgewonden dat ze voortdurend door de straat heen en weer vlogen. Ze haalden een kaarttafeltje uit Annies kelder en zetten dat op de stoep. Jakes moeder gaf hun suiker en haar thermoskan met rood deksel. Ze persten de citroenen in Masons keuken en deden er suiker en water bij. Annie schreef met grote letters STOP aan beide kanten van een papieren bordje, kleurde de witte vlakken geel en knipte het in de vorm van een citroen.

'Ik wed dat de eerste auto zilverkleurig is.' Mason maakte zijn rolschaatsen vast.

'Groen,' zei Annie.

'Wedden om een stuiver...'

En toen zagen ze de auto – inderdaad zilver.

'Ik win!' gilde Mason, hij wuifde met zijn handen als waren het een stel ruitenwissers en wees naar de limonade-emmer.

Toen de auto vaart minderde, zwaaide Annie met haar STOP-bord en rende een paar passen de straat op.

'Voorzichtig...' schreeuwde Jake. *Hun lef werd nu al beloond.*

'Je moet naar het midden van de straat lopen, Annie,' riep Mason, 'je bent ook zo'n meisje.'

'Dat ben ik inderdaad. Een meisje.' Ze tikte met haar bord tegen de auto.

Die week plotseling uit. Raakte haar net niet. *Annie...*

'Idioot!' gilde Jake. 'Ga van de straat af!' Sprong de stoep op en af. Gilde. 'Idioot!'

'Doe niet zo dramatisch,' zei Annie, haar grotemensenstem opzettend.

'Limonade!' Mason racete op zijn rolschaatsen achter de auto aan. Hebzuchtig. Kwaadaardig. 'Stop! Hé! Kijk mij eens, Jake...'

En Jake was dankbaar omdat Mason hem als vriend had gekozen. Hoewel die dankbaarheid ook klef aanvoelde. Maar hij voelde de opwinding van het gevaar, *de slechtheid*, die hij bij Mason altijd ervoer.

Toen de auto weg was, liet Mason zich op de stoeprand vallen. Legde zijn voorhoofd op zijn knieën. 'Ik kan deze dag niet.' *Alle licht uit hem weg. Plotseling. Zoals hij dat soms kon hebben.*

Annie liet zich dicht naast hem vallen. Jake aan zijn andere kant. Ze keken elkaar over Masons gebogen rug aan.

'Daar komt weer een auto,' zei Jake.

Mason bewoog zich niet.

'Nog een auto...' Annie gaf hem een por.

Vier auto's reden voorbij.

'We moeten nog een hoop limonade verkopen,' zei Jake.

'Zo is 't genoeg.' Annie knielde voor Mason neer en begon zijn rolschaatsen los te maken.

Mason probeerde haar weg te schoppen.

Maar ze weerde hem af. Nog steeds sterker dan Mason. Groter.

In het uur daarop kochten slechts twee voorbijgangers limonade, hoewel Annie en Jake om de beurt bij elke auto met het stop-bord zwaaiden. Ze bleven Mason in de gaten houden. *Zo stilletjes. Eigenlijk een bult op de stoep.* En toen hij zich bewoog, *eindelijk*, lachten ze van opluchting.

Lachten toen hij zijn rolschaatsen terugeiste. Toen ze hem hielpen die vast te maken. En toen stond hij opeens weer rechtop, deed zijn oude schaatskunstjes weer en zette een filmsterrenglimlach op. *Mason.*

'We moeten bedenken wat we met het geld gaan doen,' zei Jake.

'Laten we er samen wat voor kopen,' zei Mason. 'Iets wat we állemaal willen.'

'We hebben een posterbord en markers nodig,' zei Annie, 'dan hoeven we de volgende keer geen papieren bordje te gebruiken.'

'Eerst kopen we een zaklamp,' zei Mason. 'Met verschillende kleuren.'

'Die wil je voor jezelf,' zei Jake.

'Ik wil hem voor ons. Het gele licht houdt de muggen weg en het rode licht betekent stoppen. Ik heb hem in de ijzerwinkel gezien, en twee jongens op school hebben er ook een.

'Posterbord...' begon Jake.

'Ik pas wel op het geld,' beloofde Mason.

Maar Jake wist dat Mason hem van alles kon beloven... en dat het alleen maar betekende dat Jake niets zou krijgen.

'Mijn huis is net een bank,' zei Mason.

'Je moeder werkt alleen maar bij een bank,' zei Annie

'Nee hoor. Die is van haar.'

'Echt?'

'Echt.'

'Maar de bank is niet bij je thuis.' Dat wist Jake. Want zijn ouders hadden een rekening bij de bank waar Masons moeder werkte.

Mason telde het geld.

'Waarom mag ik het niet in mijn kamer bewaren?' vroeg Jake, hij wilde dat hij het niet had gevraagd, want daardoor liet hij het aan Mason over. Hij probeerde het opnieuw. 'Ik wil het geld in míjn kamer bewaren.'

'Met al die rondrennende kinderen raak je het alleen maar kwijt... of het wordt gestolen.'

'Jij bent degene die altijd rondrent.'

'Als je dat maar weet,' zei Annie.

En zo was het ook. Jake wilde Mason en al die anderen – op Annie na – niet elke dag over de vloer. Wilde in plaats daarvan hún kamers overhoopgooien. Vooral Mason gooide zijn speelgoed en kleren overal neer, verkruimelde chips op de grond zodat ze onder zijn voetzolen bleven plakken en in zijn bed terechtkwamen waardoor alles ging kriebelen. Hij sprong op zijn matras – maar niet in Masons huis, daar ging het niet lekker omdat de matrassen op de grond lagen.

Maar Mason kreeg tenminste wel straf omdat hij de blauwe robot die Jake voor zijn vijfde verjaardag had gekregen, kapot had gemaakt. Ook al had Jake hem die avond vanwege Mason mee naar bed genomen. De volgende ochtend wist hij het gelijk, Mason wilde ermee spelen. *En kapotmaken.* Jake wist hoe: *eerst verdraait hij de armen, dan breekt hij het hoofd af.* Jakes buik voelde helemaal verhit aan, alsof hij op het punt stond over te geven. Angstig heet. Hoewel hij groter was dan Mason en zíjn hoofd af zou kunnen breken. Maar Mason was gezinsinkomen. En Jake moest zijn robot veilig zien op te bergen. Moest wel... *Niet doen... Maar ik moet wel. Voorkomen dat Mason de blauwe robotarmen verdraait.* Maar Jake deed het zelf. Verdraaide de armen. *Zomaar. Voorkomen dat hij het blauwe robothoofd afbreekt.* Maar Jake deed het zelf. *Zomaar. Voor Mason het kan doen. Mason, die me ertoe dwingt.* En toen hij Mason de schuld gaf, was dat waar omdat het anders toch wel gebeurd zou zijn. *Zomaar...*

'Waarom liggen de matrassen bij de Piano's allemaal plat op de grond, zonder ruimte eronder?' vroeg Jake zijn moeder op een ochtend toen hij haar de crèchepuinhoop van de vorige dag hielp opruimen.

'Omdat ze daar niet graag geld aan uitgeven,' zei zijn moeder. 'Dat laten ze liever op de bank groeien.'

Jake wilde dat zijn ouders ook geld op de bank konden laten groeien. Omdat zij minder hadden dan de andere ouders in de straat. Daarom hielp hij zijn moeder opruimen. Daar was hij trots op, hij maakte zich nuttig. Maar hij was ook kwaad. Omdat de behoeften van de crèchekinderen op de eerste plaats kwamen. Terwijl zijn moeder met hem opgescheept zat – dat wist hij zelfs wanneer ze hem een kus gaf – en toen zijn zuster werd geboren, had zijn moeder twee niet-betalende kinderen, zoals Mason, die Jakes moeder alle kanten op liet rennen, dat jengelende geluid van hem maakte, schril door zijn neus als een ambulance en een paard, tot ze naar hem schreeuwde: 'Doe me een lol, zeg! In dit huis rennen en schreeuwen we niet.'

We?

Zo oneerlijk.

We.

Daar bedoelt ze mij ook mee.

Iets akeligs zoeken om in Masons lunch te stoppen. Een halfdode vlieg uit het spinnenweb bij de houtstapel naast de kachel. *Halfdood betekent halflevend.* Hij bevrijdde hem voorzichtig uit het web, en drukte hem toen niemand het zag in Masons kaasburger. *Jij wilt altijd iets speciaals.* Toen Mason erin beet, sprong Jakes hart opgetogen op.

Annie en Jake stemden Mason weg. 'Posterborden en markers.'

'Maar ik heb harder gewerkt dan jullie.'

'Helemaal niet,' zei Annie tegen hem.

'En ik heb ook nog eens mijn vinger aan de koelbox bezeerd.'

'Nou en?' zei Jake, dapper nu Annie toekeek.

'Ik doe nooit meer mee als ik die zaklamp niet krijg.'

Jake gaf bijna toe. Zonder Annie had hij dat waarschijnlijk ook gedaan. Maar met Annie erbij kon hij nee zeggen tegen Mason. Hem vertellen: 'We gaan een posterbord kopen. En markers.' Hoewel het hem niet kon schelen wat ze kochten. Het ging er alleen maar om dat Annie zijn partij koos. En heel nadrukkelijk zei hij nog eens: 'Posterbord en markers.'

Mason zette een pruilmond op. 'Die citroenen komen van ons.'

'Maar de suiker komt uit mijn moeders keuken,' zei Jake tegen hem. 'Het is haar baksuiker.'

Annie rolde met haar ogen. 'En de vogelkeutels komen uit mijn voortuin. Dus nu staan we quitte.'

'Lekker puh.' Jake wilde dat hij haar lef had.

Mason giechelde. 'Ja, lekker puh.'

En het volgende ogenblik hadden ze geen ruzie meer. Annie had ze weer bij elkaar gekregen. En Jake voelde die warme gloed tussen zijn ribben die hij altijd kreeg als hij bij hen beiden was. Veilig. Hij werd er edelmoedig van.

En dus troostte hij Mason: 'Van het geld van de volgende keer kopen we een zaklamp.'

Mason schopte met zijn linkerhiel op de grond, keek hoe het stof om zijn sneakers dwarrelde. 'Oké...'

En omdat hij een zak met rits in zijn korte broek had, en omdat Jake en Annie zo tegen hem hadden samengespannen, gingen ze er niet tegenin toen Mason zei dat hij het geld voor ze zou bewaren.

Maar de volgende dag kocht Mason wat híj al die tijd al wilde hebben. De driekleurige zaklamp. 'Hij was in de uitverkoop. Dus eigenlijk hebben we geld uitgespaard.'

'Niet eerlijk.' Annie gaf hem een duw.

Toen duwde Jake, hard. Voelde zijn vuist tegen Masons botten. Hij trok hem verschrikt terug.

Maar Mason danste al bij hen vandaan. 'Met die zaklamp

kunnen we meer verdienen met limonade verkopen.'

Annie gaf hem nog een duw. 'Klootzak.'

Lelijk woord. Jake was onsteld.

'We verdienen tien keer zoveel...'

'Driedubbele klootzak.'

'...omdat de mensen onze zaklamp al van ver kunnen zien. En dan kunnen we een grotere kar kopen om met de limonade rond te trekken.'

'Jake heeft al een kar.'

'Een grotere kar dan Jakes kar,' zei Mason.

'Die is meer dan groot genoeg,' zei Jake.

'Hoe meer we ermee rondtrekken, des te meer we kunnen verdienen. Genoeg voor een nieuwe fiets.'

'Ik wed dat jij de eerste fiets wilt,' zei Annie.

'Drie nieuwe fietsen. We kopen ze allemaal tegelijk.'

'Dit flik je me niet nog een keer,' waarschuwde Jake en hij wou dat hij het lef had om *klootzak* tegen Mason te zeggen.

Maar aan het eind van de middag zei hij het toen Annie en hij in Annies kamer over Mason zaten te fluisteren. Fluisterden alsof Mason zo dichtbij was dat hij ze kon horen en kwaad werd omdat ze toch zeker altijd met z'n drietjes waren. Opgewonden fluisterden ze over wat Mason had gedaan en wat Mason had gezegd.

Met Annies linkeroor tegen zijn lippen fluisterde Jake haar een geheim in hoewel hij nooit iets mocht doorvertellen van wat zijn moeder tegen zijn vader over de crèchekinderen zei. 'Mason is een ongeleid projectiel. Dat hoorde ik zijn moeder tegen mijn moeder zeggen.'

Annie rook naar zweet en stof. Haar rode haar plakte tegen haar slapen, donkerder omdat het daar zweterig was. 'Heeft zijn eigen moeder dat gezegd?'

'Een ongeleid projectiel. Zo noemde ze hem.'

'Wat is een ongeleid projectiel, Jake?'

'Toen die film uitkwam,' zegt Masons vader, zijn adem rook naar amandelen, 'woonde een vriend van me in dezelfde flat als ik, Joey Robinson, en toen we zijn moeder zagen... de andere jongens en ik... hinnikten we en schreeuwden: "Hello, Mrs. Robinson!"'

'Onze Mason was toen vijftien,' fluistert mevrouw Piano, 'en ik greep hem bij de schouders en...' Ze trekt haar sjaal om zich heen. '...schudde hem door elkaar, niet hard, tot hij zei: "Oké, mam, jij wint."'

Annie knikt. 'Dat willen winnen... dat is typisch Mason.'

'En toen lachte hij naar me.' Mevrouw Piano vouwt haar handen op haar zwarte rok samen. 'Maar achteraf was ik er toch onpasselijk van.'

Jake werd er ook onpasselijk van. Van dit griezelige gesprek. Dat het zo normaal was om naar het televisiescherm te kijken. Toen Mason nog een kind was, hadden de Piano's geen televisie omdat ze dat maar niks vonden, hoewel de hele buurt er wel een had. En nu zaten ze eraan gekluisterd.

Wat willen jullie van mij en Annie?

'Mason was natuurlijk geen baby meer,' troost Annie mevrouw Piano. 'Als je een baby zo door elkaar zou schudden, zou je hem pijn doen. Maar een knaap van vijftien... nee.'

'Dat was de enige keer dat ik onze Mason door elkaar heb geschud.'

'Hij was langer dan u.'

'Nee, hij was nog klein. Zijn groeispurt kreeg hij daarna pas. Denk je... Stel dat dat door elkaar schudden iets te maken heeft met...'

'Absoluut niet,' zegt Jake.

'Heb je dat gehoord?' zegt meneer Piano tegen zijn vrouw.

'Ik denk,' zegt Annie, 'dat u de groeispurt in hem hebt losgeschud.'

Mevrouw Piano moet lachen.

Al die tijd was Jake langer dan Mason en hij vond het maar niks toen Mason zomaar ineens ging groeien. Net zo lang werd als Jake, terwijl hij tot dan toe als enige zo lang was geweest.

'Ik had hem eerder door elkaar moeten schudden.' Mevrouw Piano, huilend nu. 'Eens per week een stevige schudbeurt.' Lachen en huilen tegelijk.

'Eens per week,' zegt haar man, 'verzonnen we een aanleiding om bij Joey aan te kloppen en te zeggen: "Hello, Mrs. Robinson. Hello…"'

'Benjamins eerste afspraakje met Mrs. Robinsons dochter is beestachtig,' valt mevrouw Piano hem in de rede.

'Ik vind het wel romantisch,' zegt meneer Piano.

'Romantisch? Haar meesleuren naar een striptent tot ze in huilen uitbarst?'

'Dat Dustin-type is gewoon onzeker. Bovendien wordt de dochter van Mrs. Robinson verliefd op hem…'

'Verliefd? Ze kennen elkaar niet eens.'

'Wij kenden elkaar ook niet toen we verliefd op elkaar werden.'

'Het enige wat ze met elkaar gemeen hebben is dat ze tegen Mrs. Robinson rebelleren.'

'En ze zijn verliefd.'

'Die meid gelooft Benjamin zelfs eerder dan haar eigen moeder. En dan ontvoert hij haar tijdens haar huwelijk.'

Jake vraagt zich af of ze Annie en hem zijn vergeten.

Intussen zwaait Dustin Hoffman met een kruis om Mrs. en Mr. Robinson en de andere huwelijksgasten van zich af te slaan.

'Haar zo van haar ouders af te snijden.'

'Voor altijd. Want… kun je je de familiebijeenkomsten van de Robinsons voorstellen?'

Jake lacht hardop, maar niemand anders lijkt de grap ervan in te zien. 'Familie... bijeenkomsten... bij... de... Robinsons?' *Sissende gesprekken. Stiltes. Rode gezichten. 's Nachts de deuren dicht. De enige die zich door het huis beweegt is Dustin Hoffman die zich van het bed van zijn vrouw naar dat van zijn schoonmoeder sleept.*

'Al die angstgevoelens... wat zal ik doen... wat zal ik zijn...' Mevrouw Piano schudt haar hoofd. 'En dan te bedenken dat ik dol was op die film.'

Dustin Hoffman barricadeert de kerkdeur met het kruis... stapt met Mrs. Robinsons dochter in een bus, de bruid van iemand anders.

'Het is lang niet meer zo interessant om te zien hoe kinderen zich tegen hun ouders afzetten,' zegt meneer Piano. 'Onze conflicten zijn... beschaafder geworden.'

Mevrouw Piano knikt. 'Maar voor de jongeren, zoals Annie en Jake, zijn onze conflicten maar saai.'

'O nee,' zegt Annie.

Jake doet niet eens een poging om het toe te lichten.

'Er valt iets voor te zeggen om met mensen van onze eigen generatie op te trekken,' zegt meneer Piano.

'Je begrijpt elkaars conflicten tenminste...'

'Hoe kan dat meisje ooit nog naar haar ouders terugkeren?'

'Vooral naar haar moeder.'

Meneer Piano legt zijn hand over die van zijn vrouw. 'Wat dacht je van die Simon & Garfunkel-songs?'

'Die vind ik nog steeds mooi.'

'Ik zal de cd voor je kopen.'

'Koop er ook maar een voor Annie.'

Mason

...en hij schreeuwde het uit. Schreeuwde het uit als een kleine jongen.

Heb je aan mij gedacht toen je hem bij je binnen liet dringen, Annie? Toen zijn enorme dijen je dikke kont omhelsden? Je schouderbladen rezen naar me toe terwijl ik die verzengende lucht opzoog, waar ik niet genoeg van kon krijgen. Alsof je op kamp niet genoeg knapperige broodjes kreeg en heel snel kauwde zodat je niet gepakt werd. De zonde doorslikken. Woedend omdat jij de hele zomer bij tante Stormy logeert, Annie, en Jake is niet genoeg. Niet genoeg. Jou voor Jakes ogen kussen wanneer we van het vlot naar je toe zwemmen hoewel ik geen zin heb om je te kussen maar je wil opeisen... Niet genoeg. Kauwen en slikken...

Jake had in het kamp nee kunnen zeggen.

Jake had in de sauna nee kunnen zeggen.

En jij had me bij de rand van de uitdaging vandaan kunnen trekken, Annie, waar je vroeger altijd bij me was, tot Opal werd geboren en jij als een moederbeer zo beschermend werd...

Ik ben nog niet klaar met mijn zoektocht naar de collage die ik wil vernietigen. Het is duidelijk dat je in het geheim aan iets werkt. Net als die stapel vlotcollages, die naar de muur toegekeerd staan. Ik draai ze om zodat ik ze kan bekijken. Laat ze zo staan en trek er nog twee collages uit, op de achtergrond staan Duitse letters, afgescheurde kaartjes, zaden en platte stenen, fo-

to's van tante Stormy en je moeder als au pairs.

Ik open de laden onder je werktafel, Annie. Doorzoek je manden op je planken. Ik vind het nog steeds geweldig hoe we allemaal samen je atelier hebben gebouwd, die planken hebben opgehangen, de vloer geschilderd. Tot je de deur voor me dichtdeed.

Waarom, Annie? Terwijl ik van iedereen je werk het beste begrijp? Ik zie het altijd wanneer je ergens op door fantaseert, wanneer je dromerig en intens tegelijk wordt. Ik weet het. Omdat ik erbij ben geweest wanneer je inspiratie kreeg.

De rand van de uitdaging. Gisteravond, Annie, heb ik je uitgedaagd om me daar vandaan te trekken, maar je liet me toekijken hoe je Jake met je benen omklemde, oprees – de opwinding wakkerde de mijne aan, de mijne – zijn ogen stijf dicht, die van jou aan de mijne vastgeketend alsof je Jake alleen kon neuken als je je inbeeldde dat ik in je zat.

Het was alsof ik naar dat toneelstuk keek dat we met zijn drieen in Marokko hebben gezien, Annie, je begrijpt er geen woord van, verzint je eigen verhaal bij het gebeuren op het toneel en na afloop vergelijken we elkaars verhalen. Maar ik geloofde wat ík zag.

Net zoals ik als jongetje geloofde dat de bank waar mijn moeder werkte van haar was. De hoedster van alles wat mensen in de kluis opbergen, getuige van wat dood, huwelijk en geboorte betekenen. Elke keer als een van haar vaste klanten een rekening opzei, vertelde ze dat aan mij en keek ze me net zo aan als ze naar die klant moet hebben gekeken – met intens verdriet en meegevoel. Het hinderde haar dat ze er misschien nooit achter zou komen waarheen ze gingen verhuizen – tenzij haar klanten dat uit eigener beweging vertelden – en hoe de rest van hun leven eruit zou zien.

Ik wed dat je fantaseerde dat ik in je zat, Annie. Dat durf ik te wedden.

Na afloop...

Na afloop wilden jij en Jake me niet aankijken.

Het was toen al bijna ochtend. En toen sloeg je je wikkeljurk om je heen en – terwijl je hem om je heen wikkelde – schermde je met de stof je lichaam af zodat ik je naaktheid niet kon zien. Met je rug naar me toe stampte je naar het huis.

'Annie!' Ik rende achter je aan. 'Heb je gemerkt dat je jezelf altijd bedekt als je kwaad op me bent?'

'Je moet weg, Mason.'

'Waarom ben je bij Jake wel naakt en niet bij mij?'

Je ging Opals kamer binnen, stak afwerend een hand op dat ik niet achter je aan mocht komen.

Buiten de motor van Jakes auto. Stationair. Geen koplampen.

En dan jij. Loopt Opals kamer uit. Wikkelt de jurk nog strakker...

[5] Opal

– *Een lachspiegelhuis* –

Tante Stormy zegt dat we bij haar gaan wonen.

Op de avond van de ochtend waarop Mason zichzelf had weggedaan, kwam ze naar ons toe. Zei tegen Annie en mij: 'We gaan het zo doen. Jullie komen bij mij wonen. Voorlopig.'

Ik vind wegdoen beter klinken dan zelfmoord.

Omdat wegdoen niet zo definitief klinkt.

Het is net als je kleren wegdoen. Of je wegscheren. Wat ik wel mag zeggen. Of wegrotten. Wat ik niet mag zeggen.

Tante Stormy is niet mijn echte tante. Ze is namelijk niet de echte zuster van mijn moeder. Op mijn school hebben heel veel kinderen...

Maar mijn school is niet meer mijn school.

In de tweede klas van de school die vroeger mijn school was, hadden zeven kinderen ouders die niet meer bij hun echte gezin woonden. Ook met broertjes en zusjes. Maar ze werden toch familie. Stieffamilies. Halffamilies.

Toch is het voor mij anders.

Annie is namelijk twee mensen. Ze is mijn zuster en mijn moeder.

Annie zegt dat ze meer een moeder voor me is, tot ik groot ben. Daarna wordt ze meer een zuster. Of allebei. Net wat ik wil.

Mijn echte ouders zijn gestorven. Dat heeft een grote

vrachtwagen gedaan. Is op ze in gereden. Maar mijn echte moeder heeft gewacht met doodgaan tot ik buiten haar lichaam was. Veilig. Omdat ze van me hield. Dat heeft Mason me verteld.

Maar Mason heeft zichzelf weggedaan.

Dus wat zegt dat over zijn liefde voor mij?

We reden in onze eigen auto achter tante Stormy's bestelbusje aan. Toen ik wakker werd, plakte mijn gezicht tegen mijn kussen.

'We zijn er,' zegt Annie. 'Laten we naar binnen gaan.'

Ik kan mijn ogen niet openhouden.

Ze grijpt mijn benen vast.

Ik schop haar. 'Nee, Annie!'

Maar ze laat me de zilte lucht in glijden. Inktlucht. Zilte inktlucht. Wind door hoog gras. Wind over tante Stormy's pad.

Annie draagt me. Mij en mijn kussen.

'Ik ben niet drie, Annie. Ik ben acht.'

Draagt me naar tante Stormy's keuken. 'Ik weet dat je acht bent.'

'Acht is vier keer twee. Of twee keer drie plus twee.'

'Zelfs half in slaap ben je geniaal.'

Boven me haar kroonluchter. Witte kaarsen en een roos en wrakhout.

Als tante Stormy me kust, stinkt ze, naar te veel bloemen. Stinkt naar de stank die aan te veel bloemen tegelijk kleeft.

Maar ik ben dol op haar ogen. Helder en blauw. Lezen wat ik denk. Lezen dat ik wil dat Annie me neerzet.

'Ons meisje wil dat je haar neerzet.'

Ik geef haar een kus terug.

Annie zet me op de grond. Alleen. Maakt mijn sneakers los.

Tante Stormy's keuken is de enige die ik ken waar een boekenkast staat. Helemaal tot aan het plafond. Ik weet welke boeken in het Duits zijn omdat ik die titels niet kan lezen.

Tante Stormy trekt de capuchon van mijn paarse windjack naar achteren. 'Wil je liever in je kleren slapen, Opal?' Ze praat gek. Dat noemen ze een accent.

'Oké.'

Dan met Annie naar boven. Naar het kleine bed waar ik altijd slaap als we hier logeren. Waar tussen het kleine en het grote bed honderd sluiers hangen. Een wervelende doolhof als ik dans. In het grote bed slapen Annie en Mason altijd...

Mason heeft zichzelf weggedaan, sufferd.

Geen doolhof. Geen honderd sluiers. Leeg. Hier. Leeg zijn de hoge planken waar tante Stormy glazen en schalen en borden bewaart.

Mijn tenen beginnen pijn te doen.

Annie stopt me in het kleine bed in. 'Ik kom zo bij je, liefje.'

'Waar ben je dan?'

'Niet ver weg.'

Ze doet de lamp uit.

Beneden vloeit haar stem over in die van tante Stormy. Vloeit. Dan huilt ze. Tante Stormy ook.

'Melissandra?' fluister ik.

Melissandra geeft geen antwoord.

Mijn tenen doen nog meer pijn.

'Wat heb je vandaag gedaan, Melissandra?'

Geen Melissandra.

Geen grappende Mason in de buurt.

'Mason!'

Ik wed dat Melissandra zichzelf ook heeft weggedaan.

'Waarom huil je, Opal?' Annie, die naar me toe vliegt.

Huilen?

'Jíj huilt, Annie.'

En zo is het ook.

Maar het is mijn gezicht. Nat.

Ze gaat op de rand van mijn bed zitten. 'Wat is er, liefje?'

'Mijn tenen. Ze doen pijn.'

'Welke?'

'Ik kan deze dag niet.' Zoals Mason het altijd zegt. Zoals hij het altijd zegt. Het weet. Ziet dat Annie het weet. Kijkt hoe Annies vingers naar haar keel vliegen.

De groene 7 op tante Stormy's wekker springt op 8, het is 3:28.

Laat.

Zeg het nog een keer: 'Ik kan deze dag niet.' Omdat ik Annie het niet wil laten vergeten. Mason niet wil laten vergeten.

Annie vindt mijn tenen onder de deken. 'Welke tenen?'

Ik moet nadenken. Want nu doet niets meer pijn. Nu Annie aan mijn tenen wiebelt. Maar ik wil dat ze blijft. Bij mij. Bij mij in bed. Ik zeg tegen haar: 'De middeltenen. Van de voet die het dichtst bij de muur is.'

'Middeltenen... voet het dichtst bij de muur...' Ze pakt ze vast. Neemt ze tussen haar vingers. 'Deze?'

Het kietelt. 'Ja.'

'Wil je er een kusje op?'

'Oké.'

'Mason is weggegaan.' Nu huil ik wel. Tranen met tuiten.

'Ja.'

'Mason heeft zichzelf weggedaan.'

'Zichzelf weggedaan? O, liefje... waar heb je dat nou weer vandaan?'

'Met een touw. Daarmee heeft hij zichzelf weggedaan. En Jake heeft zichzelf ook weggedaan.'

'Jake niet... Jake is...' Annie friemelt met mijn deken, 'druk... heel erg druk.'

'Jake is hier niet. En Melissandra is hier ook niet.'

'Ik ben er...'

'Maar Jake...'

'En ik ga niet weg. Net zomin als jij.'

Mijn gezicht nat tegen Annie. Annie, die naar auto ruikt. Die naar zweet ruikt. En naar m&m's die ze bij het pompstation heeft gekocht. Een grote zak m&m's.

En Annie heeft sodemieter op gezegd. Tegen Mason.

Heeft hij zich daarom weggedaan?

'Schuif es op, jij.' Ze wurmt zich in bed. Naast me in dat kleine bed. Wriggelt zich naar boven zodat haar tenen niet over de rand hangen. Haar gezicht wit in het donker. Schuinweg waar het een deuk maakt in mijn kussen.

Annie, ruikt naar auto.

En naar zweet.

En naar m&m's.

Ruikt naar mij, van het dragen.

En naar tenen die geen pijn meer doen.

Ruikt naar slaap.

Zon op de deksels van de wolken. Ik klim over Annie heen. Ze rolt zich een beetje op. Bij de badkamerwastafel is de vloer net een spons. Ik poets mijn tanden. Op en neer. Mijn tandvlees kietelt ervan.

De badkuip heeft drakenpoten. Drakenklauwen.

Boomtoppen vegen langs het raam. Alsof je in een boomhut zit.

'Tante Stormy?' roep ik naar beneden.

Ze werkt in haar tuin. Zonder schoenen aan. 's Winters draagt ze wel schoenen. Maar nooit sokken. Achter haar het pad en de wetlanden. Mason zegt dat wetlanden een mooi woord is voor moeras. Achter de wetlanden hoog strandgras. Dan zand. Daarna Little Peconic Bay. Wat niet klein is maar groot, met heel veel water.

Bij mijn huis aan het meer is ook water.

Maar dat water is klein en rond en blijft op één plek.

Tante Stormy's baai heeft slangachtig water. Dat blijft niet op één plek. Glipt met het getij weg.

'Tante Stormy?'

'Opal! Goedemorgen!'

'Wat gebeurt er als ik door de badkamervloer zak?'

'Dan land je op mijn bed.'

'En verpletter ik u.'

Ze is een enorme kei aan het verplaatsen. Een roze met witte kei. Ze tilt hem op. Loopt ermee. Zwaar. Legt hem vlakbij neer. 'Als je valt, land je op de andere kant van mijn bed, Opal, de lege kant.'

'O.'

'Net een grote trampoline.'

Ik ren naar beneden. 'Bent u keien aan het kweken, tante Stormy?'

Ze knielt neer. Nu is ze kleiner dan de kei. 'Hoe wist je dat?'

'Omdat ik me deze kei niet kan herinneren.' Ik raak de kei aan. De randen zijn zacht. 'En ik kan me die grijze rots daar ook niet herinneren. Lijkt u op mijn echte moeder, tante Stormy?'

'Soms. Bij een bepaald soort licht.'

Een oude moeder. Veel ouder dan Annie. In de fotoboeken van mijn echte vader heb ik geen oude moeder gezien. Zes boeken met foto's en aantekeningen. Foto's van mijn echte ouders. En van tante Stormy. En de vrienden van mijn echte ouders. Foto's van reizen. En van Annie. Annie als baby. Annie in de eer-

143

*ste klas. Annie elk jaar. Elk jaar met mijn echte ouders. Maar ik
sta niet in die fotoboeken. Ze houden op, de foto's. Houden voor
mijn geboorte op. En ik ging nergens heen. De laatste foto is van
mijn moeder. Zwanger.* 'Van jou, Opal,' *zegt Annie. Maar hoe
weet ik dat het geen kussen is?*

'Ik praat net als je moeder,' zegt tante Stormy. 'Maar ze leek
op jou en op Annie. De vorm van jullie gezicht. Brede schouders en lange nek. Dezelfde snelle glimlach. Een hele bos rood
haar. Haar handen waren zo zacht, Opal. Niet zoals de mijne.'
Tante Stormy spreidt haar handen voor me uit. 'Ruw. Van het
tuinieren.'

'Wat was haar lievelingskleur?'

'Ze was dol op paars. En batik. Op de dag dat ik haar ontmoette – we waren nog maar achttien – droeg ze een gebatikt
shirt, paars en geel en oranje en rood. En haar rode haar, natuurlijk, met liters haarlak. En ik weet nog dat ik dacht: die
meid ziet eruit als één grote zonsondergang.'

'Eén grote zonsondergang.' Dat vind ik mooi.

'Je moeder had het weerbarstigste haar van iedereen die ik
kende.'

'Denkt u dat ze van me hield?'

'Ik weet dat ze van je hield.'

'Ook al wist ze niet hoe ik zou worden?'

'Ze hield van je vanaf het moment dat ze wist dat ze zwanger was. Ze was zo gelukkig.'

'En mijn echte vader?'

'Hij was zo opgetogen over je. Keek heel erg naar je uit.'

'Wat was zijn lievelingskleur?'

'Phillip droeg graag blauw.' Tante Stormy plukt wat onkruid weg. 'Donkerblauw, net als zijn ogen. Hij was snelwan-
delaar. Bijna elke dag liep hij voor het ontbijt negen kilometer.'

'U kende mijn echte ouders voor Annie ze kende.'

'Ja. En ik kende je moeder voordat ze je vader leerde kennen. Die zon is te heet voor je.'

'Nee hoor.'

'Ik weet hoe snel je verbrandt. Je gaat in de schaduw staan of je smeert je in met zonnebrandolie.'

Ik stap opzij tot de bladeren de zon voor mijn gezicht afschermden. 'Hoe lang is voorlopig?'

Haar ogen. Lezen mijn gedachten.

'U zei dat we voorlopig bij u moesten komen wonen.'

'Dat betekent zo lang als je wilt, Opal.'

'Uw badkamervloer kraakt.'

'Daarmee praat dit huis. Een kreun hier, een kraak daar. Het is ruim honderd jaar oud.'

Ik draai mijn hoofd naar haar huis. De blauwe deur staat open. In de verte blaft een hond, dan nog een. Ik wilde dat ik een hond had.

'Wat is er met uw hond gebeurd, tante Stormy?'

'Agnes? Ze... ze is zich tijdens het vuurwerk op een vierde juli doodgeschrokken.'

Ik wacht tot ze meer zou vertellen, maar dat doet ze niet. Zo kwam ik erachter dat Agnes dood is. Omdat mensen in mijn buurt zich ongemakkelijk voelen bij het woord *dood*. *Dood* of *moord* of opgehangen.

Na een tijdje voegt tante Stormy eraan toe: 'Agnes is onder een paar autowielen gerend.'

'Waar hebt u haar begraven?'

'Waar de pompoenen staan.'

'Jeetje. Ik eet geen Agnespompoen.'

Tante Stormy glimlacht. 'Sint-Agnespompoen, ja.'

'Annie wilde niet dat Mason een hond nam.'

'O.'

'Annie wilde niet dat Mason een kindje kreeg.'

Na de lunch nam tante Stormy Annie en mij mee op jacht. Op *catbriers*.

'Voel die dennennaalden eens.' Ze blijft bij een kleine pijnboom staan. Helemaal verstrikt in de doornige wingerd. 'Voel eens hoe fijn en lang ze zijn. Daaraan kun je zien dat het een witte den is.' Ze gaat op haar hurken zitten. Steekt haar snoeimes uit.

Ze knipt de wingerd dicht bij de grond af. Maar hun groene stelen staan nog om de boom.

'Net een kat. Ze krabben je.'

'Daarom worden ze catbriers genoemd.' Annies ogen zijn rood.

Ik vraag haar: 'Wil je soms een tukje doen, Annie?'

'Dan slaap ik vanavond niet.'

'Je kunt weer bij mij in bed slapen.'

'Dank je. Misschien doe ik dat wel.' Ze gaat op haar hielen zitten met haar rug tegen een tupelo. Trekt me dicht naar zich toe.

Ik leun tegen haar aan. Gluur door het struikgewas achter de witte den. Catbriers.

Tante Stormy sjort aan de catbriers. Ze haalt haar polsen open.

'Voorzichtig.' Annie zegt het te hard.

'Sst...' Ik druk mijn wijsvinger op haar lippen.

'Wat is er, Opal?'

'Denk om de botten,' fluister ik.

Annie krimpt ineen. Het schiet als een bliksemschicht door haar lichaam.

'Botten?' Tante Stormy's snoeimes staat nog open.

'De botten tussen de catbriers. Duh.'

Annie bijt op haar lip, heel hard.

Tante Stormy zegt: 'Ik heb hier nooit botten gevonden, Opal.'

146

'Zoiets bestaat, botten die in catbriers vastzitten.'

Tante Stormy wacht. 'Van vogels en eekhoorns?'

'Nee!'

Annie pakt mijn handen in de hare. 'Wees maar niet bang.'

Ik ruk mijn handen los. 'Prinsenbotten.'

Annies tanden. Dieper in haar lip. Rood en wit.

'Vanwege Doornroosje. In mijn sprookjesboek. Dat plaatje van haar. Weet je nog? Met overal catbriers om haar heen?'

Annie moet lachen. Een snelle, hoge lach. Alsof ze de hik heeft.

'Je bent weird, Annie.'

'Maar de prins heeft Doornroosje gered. Dus waarom zouden zijn botten in de catbriers vastzitten?'

'Duh. Niet zíjn botten. De botten van andere prinsen. Die haar hebben geprobeerd wakker te maken. Maar die vast kwamen te zitten.'

'Ah...' zegt tante Stormy. 'Dan moeten we het hier voorzichtig vrijmaken, Opal, zodat we die botten niet bedelven.'

'Als we een paar stukken prins vinden,' zegt Annie, 'dan kunnen we hem weer in elkaar zetten.'

Ik zie ons al prinsenstukken verzamelen. Misschien niet genoeg om alle prinsen weer in elkaar te zetten. Maar genoeg voor één echte schitterende prins.

'Ik zal heel voorzichtig zijn.' Tante Stormy knipt de doorns af waar ze boven de grond uitkomen. Toch klampen ze zich nog aan bomen en struiken vast. Tot ze ze in kleine stukjes heeft gehakt. *Ziezo.*

Ik loop achter haar aan, op zoek naar botten.

Tante Stormy neemt ons mee naar BigC's zwembad waar ze het chloorgehalte controleert. Op de muren kronkelt een schildering zich de hoeken om. Kliffen en zee en weides. Het schilderij heeft geen begin en geen einde.

'Jeetje.' Ik wijs naar een afgehakt hoofd dat er eerder niet was. Het ligt op de grond. In het schilderij op de grond naast een pilaar.

'BigC heeft dat hoofd erbij geschilderd,' zegt tante Stormy. 'Het lijkt sterk op haar echtgenoot.'

Een heel klein vrouwtje gluurt van achter een kruik. Een kleine BigC. Haar lichaam is nog kleiner dan het afgehakte hoofd van de man.

'Een zelfportret,' zegt tante Stormy. 'Daar, die nymfen... die zijn ook nieuw. BigC en haar drie dochters.'

'Allemaal even oud,' zegt Annie.

'Niet ouder dan zeventien... loszinnig tussen de bloemen aan het rondspringen.'

'Ik wist niet dat iemand het woord *loszinnig* nog gebruikte.' Annie haalt de handdoeken uit de droger.

'Het is het enige woord dat erbij past.' Tante Stormy helpt met het opvouwen van de handdoeken en legt ze op een gouden rek.

Ik loop langs de muurschildering, raak haar aan. 'Wat betekent loszinnig rondspringen?'

'Onbezorgd dansen en dartelen en huppelen en zwieren,' zegt Annie.

'Dartelen...' zing ik, en ik raak het mos, de bloemen en de kruik aan. Raak de piepkleine BigC aan.

Gisteren trok tante Stormy me de regen in, dartelde met me rond.

'Er zitten nog andere mensen in BigC's muurschildering verstopt,' vertelt tante Stormy me. 'Kijk maar, daar. Die marmeren beelden zijn haar ouders.'

Annie doet de waterslang aan en spoelt de vloertegels af.

'Mij niet nat maken, hoor, Annie!' gil ik, terwijl ik wil dat ze me helemaal natspuit.

Ze spuit vlak voor mijn voeten. Lacht bijna als ik opspring.

Mason spoot altijd recht voor zijn raap. *Hij spuit me altijd nat. Wikkelt me in een handdoek. Gooit me over zijn schouder. Alles nat. Wetlanden.* Mason zegt dat BigC de wetlanden heeft weggedaan. Als je de wetlanden wegdoet, doe je ook de kleine uilen weg. Mason zegt dat er vroeger heel veel kleine uilen op het land van tante Stormy waren, voordat ze het aan BigC verkocht.

Annie en ik lopen achter tante Stormy aan door het huis en we controleren elke kamer, lezen alle geeltjes die BigC op elke spiegel heeft geplakt. Elk geeltje heeft dezelfde boodschap: 'ALSJEBLIEFT GEEN ZAND HET HUIS INLOPEN.'

Annie lacht. 'Ze vraagt iets onmogelijks.'

Tante Stormy knikt. 'Toch wordt ze woedend als huurders met zand aan hun schoenen het huis in lopen.'

'Waarom heeft ze haar McMansion dan bij het strand gebouwd?'

Ik vind dat BigC de mooiste meubels van de wereld heeft. Allemaal goud en wit. Ook de vloeren. Goud en wit. Als ik groot ben...

'Mijn buur met de slechte smaak,' zegt tante Stormy.

'Ik vind het de mooiste meubels van de wereld,' zeg ik tegen haar.

'Morgen komt onze buur met goede smaak eten.'

'Pete,' zeg ik.

'Precies.' Hij doet zondag mee met onze nachtwake en daarna gaan we met hem eten. Ik had dat niet over BigC moeten zeggen. Ze is goed geweest voor Pete. Rijdt hem naar zijn counselor, fysiotherapie en spraaktherapie, en...'

'Ik kan ook helpen,' zegt Annie.

'Mooi.'

'Pete is een beetje trager dan je je kunt herinneren,' zegt Annie tegen me.

'Pete kan sneller rennen dan Mason. Pete rent marathons.'

'Nu niet meer. Hij heeft iets gehad wat mensen een beroerte noemen.'

'Wat is een beroerte?'

'Een poosje kon Petes bloed niet in zijn hersenen komen,' legt tante Stormy uit. 'Nu wel weer. Maar de rechterhelft van zijn lichaam moet opnieuw leren bewegen.'

'Kan hij nog wel bakken?'

'Nu nog niet.'

'Citroenschuimgebak... ik kan hem helpen bakken. En lopen.'

'Dat zal hij fijn vinden. Hij wordt zo snel moe. Soms moet hij huilen.'

Elke nacht, als we slapen, worden de kamers van gisteren andere kamers. Ze krimpen of rekken uit. Drie treden omhoog worden drie treden omlaag. Leiden naar kamers erachter, verder dan waar het huis ophoudt. *Een lachspiegelhuis.*

Zondag herken ik Pete niet. Ik ben boven, kijk naar een oude man op ons pad, hij loopt met stijve pasjes, beide handen aan de leuning.

Ik dartel de trap af naar de keuken, waar tante Stormy vis aan het bakken is. 'Er is een oude man buiten. Hij loopt mank en hij draagt een T-shirt in meisjeskleuren.'

'Dat moet Pete zijn.'

'Nee. Pete is lang. Pete heeft zwart haar. Pete rent marathons en...'

'Mijn god...' Annie doet de deur open. 'Zijn haar is helemaal wit.'

'Dat is na de beroerte gebeurd,' zegt tante Stormy.

'Dat is Pete niet,' leg ik zo geduldig mogelijk uit. 'Dat is iemand anders.'

'Meestal gaat hij langs zijn strandpad naar de baai en komt dan langs mijn pad weer terug.' Tante Stormy zet de gaspit lager. Schudt aan de pan. 'Elke dag wordt hij een beetje beter.'

Hoe kan ze nou denken dat die oude man Pete is?

De oude man schopt tegen een van tante Stormy's nieuwe keien.

Ik ren naar buiten.

Opnieuw schopt hij tegen de kei. Hij klinkt hol.

'Nu jij... schop ertegen... Opal.' Zijn stem draait op de verkeerde snelheid. Maar hij hoort wel bij Pete. Hij zit in die oude man met dat meisjes T-shirt en mismoedige gezicht.

Ik schop tegen de kei. Hij verschuift iets.

'Pak hem... nu op.' Pulkt in zijn oren. Maar niet in zijn neus.

'Zo sterk ben ik niet.'

'Hier...' Hij tilt de kei op als was het een wasmand. Schuifelt met zijn voeten in een trage, komische dans.

Ik til hem op, boven mijn hoofd, de kei. Hij is hol... daarom klinkt hij hol. Vanbinnen en vanbuiten grijs, met witte strepen. Als aderen.

Pete klapt in zijn handen. Zelfs dat klappen gaat in slow motion.

'Hoe kom je aan die blauwe plekken op je arm, Pete?'

'Omdat... mijn huid... dunner wordt.'

Ik ga op mijn hurken zitten en trek de kei over me heen. Helemaal donker vanbinnen. Het ruikt naar regenjas en aarde.

Pete lacht. Zijn lach heeft de normale snelheid. Nu weet ik zeker dat het Pete is. Misschien heeft hij zijn neushaartjes wel geknipt maar zijn oren vergeten.

Tante Stormy's stem. 'Ze wegen niet veel meer dan een kilo, Annie.'

De kei kruipt bij haar stem vandaan.

Tante Stormy. Dichterbij nu. 'Je kunt ze schoonspuiten.'

Mij niet. De kei kruipt sneller.

151

'Neprotsen... helemaal niets voor jou.' Annies stem. Boven me.

Wedden dat je niet weet dat ik hier zit...

'Pete heeft ze me cadeau gedaan.' Tante Stormy's stem. 'Hij maakt ze van spul dat ze in ruimtevaartcapsules gebruiken.'

Nu zit je in de problemen, Annie.

'Sorry.' Annies stem.

'Hoeft... niet... hoor. Ze... zijn... nep.'

'Waar is Opal?'

'Opal... wie?'

Tante Stormy's stem. 'Je kunt die keien omdraaien en dan kun je er gewied onkruid in doen. Pete heeft me dood laten schrikken met een bewegende kei – zie je wel, Annie? – om een pijp in de grond af te dekken. Toen heeft hij een andere voor de composthoop gemaakt.'

'En... om... onkruid in... te verstoppen.'

Annies stem. 'Net een maanlandschap.'

Tante Stormy's stem. 'Ja, van die beelden die we van de maan hebben gezien. Jij en Opal waren er toen nog niet eens.'

'Opal wie?' vraagt de kei.

Petes trage stem. 'Opal... de... zwerfkei.'

De kei giechelt.

'Daar is ze,' zegt Annie.

Ik gooi mijn kei af, spreid mijn armen en doe Petes schuifeldansje na.

Hij probeert op de verandatrap te gaan zitten, buigt zijn knieën en laat zijn achterste centimeter voor centimeter zakken.

'Niet vallen, hoor, Pete.' Ik ren naar hem toe en sla zijn arm om mijn schouders. Kijk boos naar tante Stormy en Annie, die hem niet helpen.

'Weet je zeker dat je zo lekker zit, Pete?' vraagt Annie als hij eindelijk zit.

'Als je bedenkt... dat ik... meestal slaap... op een...'

Mijn lippen bewegen mee. Ik wil dat hij een beetje opschiet.

'...bed... met... spijkers.'

'Echt waar?' vraag ik.

'Ik vraag me... af of je... op een...'

'...spijkerbed kunt slapen,' maak ik de zin voor hem af. 'Natuurlijk wel.'

Hij buigt zich naar voren tot zijn ellebogen zijn knieën raken. 'Maar... hoe dan... Opal?'

'Dat heb ik op tv gezien.'

'Dan span... je zeker... al je...'

'Spieren.'

Tante Stormy knipoogt naar me. Schudt haar hoofd.

'...spieren... zodat...'

Ik druk mijn lippen stijf op elkaar.

'...de druk... over de... spijkers wordt... verdeeld.'

'Zo werkt dat,' zeg ik tegen hem.

Tijdens de rit naar de wake zit Pete voorin. Ik zit met Annie achterin. De wake is in Sag Harbor. Hij wordt Vrouwen in het Zwart genoemd. Maar er zijn ook mannen en kinderen bij. En niet iedereen is in het zwart.

We staan op de kade bij de windmolen. Sommige mensen van Vrouwen in het Zwart hebben borden bij zich. Zelfs degenen die geen vrouw zijn. En die geen zwart dragen.

VREDE. NU.
GEEN BLOED VOOR OLIE

BigC is er ook, zij houdt ook een bord vast: PATRIOTTISME = WEIGEREN. Ze zet het neer en geeft me een knuffel. Op haar jas zitten gouden knopen.

'Als genoeg mensen hun stem laten horen,' zegt ze, 'kunnen we misschien een oorlog in Irak voorkomen.'

'Het is een stille wake,' zegt een man achter haar.

Ik sta tussen Pete en Annie in. Auto's en trucks rijden langs ons heen. Sommige bestuurders steken hun duim op. Maar een vrachtwagen met reusachtige banden en keiharde muziek aan racet op ons af. Mensen schreeuwen het uit.

BigC zwaait met haar bord naar de vrachtwagen.

Annie trekt me achter zich. 'Sodemieter op,' roept ze de truck achterna.

Ik wed dat hij zichzelf nu wegdoet.

'Sst...' Achter ons.

Ik ril. Leun tegen Annie aan. Er waait een bries vanaf de baai. Prikkelend en ziltig.

Annie wrijft over mijn gezicht. Mijn schouders.

Pete zegt: 'Punch heeft... slecht...'

'Zo noemt hij Bush,' zegt tante Stormy. 'Punch.'

'Punch,' zeg ik.

'Sst...'

'...slechte manieren... altijd haantje... de voorste... loopt of... staat voor... iemand anders... zelfs bij... staatshoofden van... andere landen...'

'Je hebt zo ontzettend gelijk,' zegt BigC, 'ik heb het ook gezien. Ik heb er gewoon nooit zo over nagedacht.'

'...een verschrikkelijke... gastheer...' Pete draait zijn hals in slow motion naar tante Stormy. 'Wat is dat... Duitse woord... ook weer... waarmee je die... punch aanduidt?'

'*Fahradfahrer.* Bedoel je dat?'

Hij knikt.

'Fah... wat?' vraag ik.

'Fah... rad... fahrer.'

'Bush is een Fahradfahrer. Dat betekent fietser,' zegt tante Stormy. 'Voeten omlaag, hoofd omhoog, trappen naar de mensen onder je, slijmen met degenen boven je.'

'God, je slaat de spijker op zijn kop.'

Pete knikt nog steeds. Omhoog omlaag omhoog omlaag... slow motion.

Tijdens het eten doet hij dat ook. Omhoog omlaag omhoog omlaag... Zijn lippen zijn rood van het tomatensap.

Niemand zegt tegen hem dat hij ze moet afvegen.

Halverwege de maaltijd is hij weggedoezeld.

We eten penne. Ik laat er twee over de tanden van mijn vork glijden. Dan zuig ik ze mijn mond in. De naakte bruid kijkt vanaf de koelkast toe. Niet de bruid naakt. Ik naakt. Zit op de heup van de bruid die niet naakt is maar een trouwjurk draagt. Annie. Die zegt dat er geen baby onder haar jurk zit, maar een kussen. *Nep.* Annie wil geen baby's. Dat heeft Mason zelf gezegd.

Als tante Stormy klaar is met eten, staat ze op. Gaat achter Pete staan. Wrijft over Petes nek. De zijkanten van Petes nek.

Voelt hij het wel? Ik denk van wel want hij wordt wakker. Hij lijkt wel honderd jaar ouder dan tante Stormy.

Dat zeg ik tegen haar. 'Pete lijkt wel honderd jaar ouder dan u.'

Ze glimlacht. 'Maar hij is twee jaar jonger.'

'Mason zegt...'

Nu kijken ze allemaal naar mij.

Annie vertrekt haar mond.

'Niets.' Ik vertel ze niet wat Mason zegt. Dat tante Stormy en Pete net man en vrouw zijn. Maar niet getrouwd. En met elk een eigen huis.

Pete staat o zo langzaam op. Met een hand tegen de muur tilt hij zijn linkervoet op. Maakt een babystapje. Zet de rechtervoet ernaast. Als hij bij de afstandsbediening is, pakt hij die op, brengt hem op ooghoogte en zet het nieuws aan. Een vrouwenhoofd. Groter dan het scherm. Omdat je maar een stukje van haar haar ziet. Ik weet wie ze is. Laura Bush. Praat over vrouwen in Afghanistan. En over stemmen in Afghanistan. Ik kan Afghanistan op de kaart aanwijzen.

Tante Stormy wordt woedend. 'Stemrecht is niet genoeg, banaal vrouwmens. Ze moeten ervoor zorgen dat hun stemmen ook gelden. Niet zoals in dit land.'

'Banaal... glimlach...'

'Die vrouw zegt altijd "kain-dren",' zegt Annie.

Ik probeer het. 'Kain-dren.'

En zo klinkt het precies als Laura Bush even later zegt: 'Kain-dren.'

'Ze... ziet er... moe uit.'

Tante Stormy knikt. 'Omdat ze altijd die hond met zich meezeult. Houdt hem waarschijnlijk vast zodat ze die George niet hoeft aan te raken.'

'Een schoolpleinpotentaat,' zegt Annie. 'Je bent voor of tegen ons. Als je met de vijand speelt, haat ik je en neem ik wraak.'

'Is niet... op zoek naar... consensus.'

'Pakken wat ie pakken kan,' zegt tante Stormy. 'Ik win ik win. Geen recht op het presidentschap. En de schapen staan achter de dief in de rij.'

Pete slaapt in tante Stormy's slaapkamer. 's Ochtends is hij een beetje sterker en niet zo oud.

Er gebeuren rare dingen in tante Stormy's huis.

Een lachspiegelhuis.

Waarom ziet niemand anders dat?

Gisteravond vouwde het dak zich open zodat ik de sterren kon tellen.

Aan het ontbijt plakt Pete een stukje plakband op zijn pols.

'Waar is dat voor?' vraag ik hem.

'Boodschappen... winkelen.'

In de winkel vouwt hij zijn boodschappenlijstje open. Trekt het plakband van zijn pols. Maakt zijn lijstje aan de winkelwagen vast. Hij duwt en ik stop de spullen erin. Alleen wat hij me zegt. Ik stop er niks stiekems in, zoals ik bij Annie altijd doe.

Bij de kassa duurt het wel tien uur voordat Pete zijn portemonnee open heeft.

Nou ja, tien minuten misschien.

Of maar vijf.

Zo lang dat ik het voor hem wil doen. Net zoals je bij een stotteraar het woord wil afmaken. Maar ik doe het niet.

Tante Stormy zet me naast zich in haar paarse kajak. Maakt een fles zonnebrandolie open.

Ik ken die stank. Tuttifrutti. 'Nee!'

'Smeren, Opal.'

'Het stinkt.'

De gele kajak is helemaal voor mij alleen. Beter dan tussen Annies benen ingeklemd te zitten.

Mason heeft magerder benen dan Annie.

Annie is in het huis aan het meer.

Wat spullen ophalen.

Tante Stormy steekt haar hand naar me uit. 'Ik had je moeten insmeren voordat we met de boot weggingen.'

Ik peddel bij haar vandaan. Maar het is te laat. De geur heeft me al aangeraakt. Klampt zich aan me vast. Stinkie stankie, dat ben ik.

Plakkerig. Stinkie. En ik ben weer klein. Worstel met Mason...

'Hé...' Mason. Op het strand. Zand over zijn voeten. Trekt me dicht tegen zich aan. 'Ik ga je met tante Stormy's zonnebrandolie insmeren.'

Ik kronkel. 'Geen olie.'

'De zon is heet. Ik wil niet dat je verbrandt.'

'Stinkie!' Ik gil.

'O... zit stil, Ragebol. Alsjeblieft?' Mason. Smeert me in met zonnebrand.

Stompend en jankend ruk ik me los. 'Nee, Mason...' Ik ren weg voor de stank. En voor Mason. Die de stank op me smeert.

'Doe je vingers weg, Opal. Ik ben bijna klaar.'

Ruk me van hem los, onder die stank uit. Ren weg over het strand. Kom nooit meer terug. Maar als ik kijk, rent Mason achter me aan. Kleine stappen. Geen Mason-stappen. Blijft steeds een beetje achter me. Steeds hetzelfde beetje. Blijft achter me en achter die stinkende stank. Ik ren. Heel hard. Weg. Voor hard rennen heb ik mijn giladem nodig. Dus gil ik niet meer. Ren hard onder de hete zon. Hard met Mason achter me aan. Maar niet te dichtbij en hij zingt: 'Mijn Sterretje... mijn Ragebol...' Tot ik moet lachen. Mason zwaait me in zijn armen. Omhoog omhoog... Zwaait me. Rond en rond tot we allebei giechelen. Zet me op zijn schouders. Alles in één beweging. Ik rijd. Rijd hoog op Masons schouders. Vingers glijden over zijn voorhoofd. Glijden. Grijpen zijn haar vast. Hotsend... paardje... mijn voeten graven zich in Mason. Hop paardje hop...

Tante Stormy. Haar kajak pal achter me. 'Doe dan tenminste iets op je hoofd, Opal.'

Mason...

O...

Peddel weg van tante Stormy. Peddelen.

Door het hoge riet van Sammy's Beach.

Zeewier onder mijn kajak. Wuivend.

Zilverreigers. Een reigersnest.

Peddel weg.

Weg en plotseling... *Mason in de paarse kajak weer pal achter me. Achter me zolang ik niet kijk. Zijn peddel snijdt door het water. Schept water op. Pal achter me. Mason. Altijd. Zolang ik hem er maar niet uit peddel. Altijd pal achter me. Zolang ik maar niet langzamer ga. Zolang ik maar niet kijk of hij er werkelijk is. Want dan verdwijnt Mason altijd.*

'Ssss....' sist tante Stormy.

Peddelen. Weg.

'Opal.' Sist: 'Ssss...'

De paarse kajak naast de mijne. Maar nu zit tante Stormy erin. Sist: 'Niet bewegen niet praten. Degenkrabben.'

In het ondiepe water onder ons. Honderd degenkrabben. Of vijftig. Minstens vijftig. In groepjes.

Onze kajakken drijven erboven.

Elk groepje heeft één grote degenkrab, graaft zichzelf in het zand in. Met een paar kleinere boven op de grote. Een paar schilden steken boven het water uit. Maar hun poten en scharen zitten onder water. Ze maken zich niet uit de voeten.

'Hun aandrang om te paren...' Tante Stormy steekt een arm in het water, '...is groter dan de aandrang om te vluchten en de veiligheid op te zoeken.'

Onze kajakken wiebelen. Wiebelen in het ondiepe water.

Ze keert haar boot zodat die naast de mijne komt te liggen. Ze pakt mijn peddel en legt die dwars over onze kajakken. Haar peddel ook. Dan maakt ze met een oranje touw de voorpunt van mijn kajak aan de hare vast. 'Nu liggen we stabiel. Net een catamaran.'

Ze steekt haar hand in het water en tilt een kleine degenkrab van de rug van de grote. Kijkt eronder. 'Een mannetje.'

'Hoe weet u dat?'

'De voorklauwen zijn net bokshandschoenen.' Ze steekt een degenkrab naar me uit.

Ik kijk onder het mannetje. Bokshandschoenen.

'Daarmee houdt het mannetje het vrouwtje vast. De rest van de klauw eindigt in een schaar.' Ze raakt de bek van de degenkrab aan. 'De bek voelt helemaal borstelig. Wil jij eens voelen?'

'Dat vindt de krab niet leuk.' Ik griezel van de borstelige bek. Van die scharen en bokshandschoenen. Van die scherpe, lange staart.

Tante Stormy glimlacht en doet de krab in het water terug. 'De vrouwtjes hebben alleen maar scharen. Zij liggen op de bodem. Zijn veel groter dan de mannetjes. De bevruchting vindt buiten het lijf plaats.'

'Hoe dan?'

'Het vrouwtje graaft een kuiltje in het zand. Vlak bij de oever. Daar legt ze haar eieren in. Ze heeft wel duizenden en duizenden eitjes, Opal. En ze trekt het mannetje over de eitjes tot hij ze heeft bevrucht.'

'Cool.'

'Kijk eens naar hun schilden.'

Ik buig me over de zijkant van mijn gele kajak. 'Net een harnas.'

'Precies. En overal zit wat anders op. Wat zie je?'

'Stapelschelpjes...'

'Pantoffelschelpen.'

'...en korstachtig spul.'

'Eendenmosselen, inderdaad. Algen... dat dragen ze allemaal met zich mee, zoals wij onze geschiedenis met ons meedragen. Wat heb je verloren? Wat neem je met je mee?'

'Wat ík heb verloren?'

'Ik bedoel dat in zijn algemeenheid, Opal.'

'O... Mijn echte moeder. Mijn echte vader.'

'Sorry. Ik had niet...'

'Mason. Jake. Mijn juf uit de tweede klas, mevrouw Mills. Die trouwens in de derde toch niet meer mijn juf zou zijn geweest. Sally, die altijd Ice Capades met me op de keukenvloer speelde...'

'Je bent zoveel kwijtgeraakt, Opal.' Haar stem klonk lief.

Zand in mijn ogen? Ze prikken. 'Ik wil Jake weer zien.'

'Ik zal het er met Annie over hebben.'

'Zij zegt vast dat hij het druk heeft.'

'Ik zal met haar praten.' Ze drukt een kus op haar hand. Plant die op mijn lippen. 'Zo. Pak je peddel. Mooi zo.' Ze maakt het oranje touw los. Schuift haar kajak bij de mijne vandaan. 'Jij gaat voorop.'

Ik blijf voor haar uit varen. Peddel. Ga op haar aanwijzingen dan weer die kant, dan weer deze kant op. Peddel naar een donzige maan.

'Weird.'

'Wat is weird, Opal?'

'De maan. En het is nog wel middag en de lucht is blauw.

'O, dat is de kindjesmaan. Zo noemde je vader de maan altijd als die overdag te zien was. Want dan konden de kinderen die nog wakker waren hem zien.'

Het is nog vroeg in de ochtend. Annie is weer thuis en slaapt in het grote bed.

Het dak is dicht. Het is benauwd. De lucht. De dekens. Ik schop ze af. Stap uit bed.

Haar over Annies gezicht. Haar haar ruikt naar chocola.

'Zo rotten je tanden weg, Annie.'

Maar ze slaapt door.

In de keuken overal dozen. Op tafel. Om de tafel. Voor de boekenkast.

Geur van thuis.

Mijn buik verstrakt.

Kleren van thuis.

Speelgoed van thuis.

Tante Stormy's deur is dicht. Maar ik hoor Pete slapen. Hij is een luidruchtig slaper. Haalt schrapend adem.

Iemand heeft de fruitschaal boven op twee dozen gezet. Ik neem een appel. Loop naar het pad. De lucht is zo zwaar dat hij glinstert. Alsof ik dwars door rijzend deeg loop. Maar ik zweet in mijn pyjama. Weet echter dat ik – *als ik wil* – in iets nats kan duiken, niet halfnat zoals de lucht.

Dageraad besmeurt tante Stormy's huis. Trekt er allemaal strepen over. Geen randen. *Hoe doet een huis dat? Zichzelf vervormen?*

Ik wed dat Mason het weet.

Soms gaat de voorkant als een schuur open en trekt me naar binnen.

Binnen is het veel groter dan buiten. Kamers lopen over in kamers en in nieuwe kamers. Nog lang nadat er volgens mij geen kamers meer kunnen zijn.

Hoog gras kietelt mijn enkels. De kajaks liggen ondersteboven op hun houten bok naast de kreek, er zitten krassen op de onderkant.

'Ontworpen door een vrouw. Zo licht dat een vrouw ze kan dragen,' zei tante Stormy altijd.

Pete lachte dan. 'Waar heb je nog hulp voor nodig?' Maar hij zwaaide de kajak op zijn schouder en droeg hem voor me naar...

Maar Pete is nu traag.

Alles kan zomaar anders zijn.

Van snel naar traag.

Van leven naar dood.

Van veel haar naar kaal... Maar Jake heeft nog steeds haar. Om zijn derde oog.

De kajak is voor mij te zwaar om te dragen. Maar wel zo licht dat ik hem aan het aan de voorkant gebonden oranje touw van de steiger kan trekken. Het touw is vochtig. De kajak ook. Als ik erin ga zitten, is de bodem koud.

Ik strijk mijn haar uit mijn ogen. Strek mijn armen als een peddel. Mijn vingers zijn de uiteinden van de peddel. Net als bij vliegen.

Mason kan vliegen. Vliegen door het water zodat het water hoog tegen de auto opspat. In zilveren kringen vanaf de wielen. Het komt tegen de bumpers, klinkt net als een harde waterstraal waarmee je de kruiwagen afspuit. Mason liet mij de kruiwagen altijd afspuiten toen ik hem hielp bij het bouwen van Annies atelier.

Ik doe droogsurfen. Wriggel de kajak op het droge naar voren.

De zon breekt door de dageraad.

De zon brandt een gat door de dageraad.

Laat de wereld binnen.

Een waterval van licht.

Wanneer komen de lumen terug, Mason?

Achter de stoel ligt een reddingsvest. Ik weet hoe ik die vast moet maken.

Ik klim uit de kajak. Haal een echte peddel. Sleur de kajak – *zo licht dat een meisje hem kan dragen* – naar het water. Ik herinner mezelf eraan dat ik het tante Stormy moet vertellen.

Dan ben ik erin.

Niet langer droogsurfen maar snijdend door het water.

Vliegen. Mason.

Op zoek naar lumen.

Aan de overkant van de kreek fladdert een wit laken hoog in een boom. Hoger dan wie ook een laken kan gooien. Net een kaarsenspook, versmolten met de boom. Als de dag na

Halloween. *Kaarsenspook.* Hangt er verstild. Plotseling verheft iets zich. Een snavel. Een hals. Lang en wit. *Geen laken.*

Ik peddel naar links. Waar de kreek in de baai uitmondt.

Achter me, kloppen. Een specht – zwart en wit en een beetje rood – op een boomstam achter me.

Hoe kan zo'n kleine snavel zoveel lawaai maken, Mason?

Mijn haar kietelt. Ik trek het omhoog, draai het net zolang tot het in een eenhoorn is veranderd. Mijn kajak wiebelt. *Woesj...*

Onder BigC's pad plonzen eenden weg naar ondiep water, bij de zwanen vandaan. Een ervan is helemaal opgeblazen en jaagt de eenden achterna.

Ik zeg tegen de eenden: 'Een en al bluf.'

Als ik langs het plankenpad van de volgende buren peddel, dobberen de knopkopjes van schildpadden op het water.

Kijk kijk, Mason. Kijk...

Maar de knopkopjes trekken zich onder het oppervlak terug.

Ik zie een aalscholver.

En daar is een muskusrat. Mus-kus-rat.

Water spettert om me heen. *Woesj...* Ik ben maar een beetje nat.

Kijk, Mason... een mus-kus-rat.

Veel mensen zijn bang voor ratten.

Maar Mason niet.

Mus-kus-rat. Ik wed dat muskusratten carnivoren zijn. *Carne* is vlees in het Spaans, zegt mevrouw Mills. Car-ni-voren. Ik wed dat als planten carnivoren kunnen zijn, ratten en muskusratten ook carnivoren kunnen zijn. Toen tante Stormy Annie en mij meenam naar de Walking Dunes, hebben we car-ni-voorplanten gezien. Ik geloof dat ze dauwdruppels worden genoemd. Het waren géén venusvliegenvangers omdat mevrouw Mills die op haar bureau had staan.

Op car-ni-voorplanten in de Walking Dunes groeiden kleine haartjes. Haren zoals dieren met een vacht en mensen op hun lichaam hebben. Haren die aan mijn vingers bleven plakken toen ik ze aanraakte. *Nutty.* Ze waren lang en dun, die planten. En ze hebben mijn vingers niet opgegeten. Omdat ik ze niet zo lang heb aangeraakt. Zelfs niet een beetje lang. Een milliseconde maar. Tante Stormy zegt dat de car-ni-voorplanten zich oprollen. Net als varens die een insect aantrekken. Dat is evolutie, daarom.

'Ze kunnen niet alles wat ze nodig hebben uit de grond halen,' zei tante Stormy tegen Annie en mij, 'dus halen ze voedsel uit de lucht.'

Ik wou dat Mason de car-ni-voorplanten in de Walking Dunes kon zien.

Ik wed dat Mason alles van car-ni-vo-ren weet.

Omdat hij weet hoe het huis zichzelf vervormt. Het is absoluut een magisch huis.

Woesj... Kijk kijk, Mason... weer een schildpad. Ik wed dat je je alleen maar verstopt voor Annies gezeur. Jezelf verstopt en je weg vermomt.

Onder het strandpad – vier paden bij tante Stormy vandaan – houdt zich een krab schuil. Hij heeft zichzelf onder water tegen een van de houten palen verankerd. Een grote krab. Groot en blauw.

Misschien kunnen we de krab wel eten, Mason.

Mason? Kijk...

Woesj... Ik probeer de krab met het uiteinde van mijn peddel op te scheppen.

Maar hij verroert zich niet.

De kajak wiebelt.

Mason

...om je heen.

'Slaapt Opal?' vraag ik je.

'Ja.' Je sluit haar deur, zachtjes.

'Ik had niet gedacht dat je het zou doen, Annie, dat je het echt zou doen.'

'Je hebt er alles aan gedaan om ons zover te krijgen.'

'Ik moest het weten. Hoe het voor jullie beiden zou zijn...'

'Waarom?'

'Te begrijpen... en als jullie het allebei zouden begrijpen, zouden we in staat zijn om... erbovenuit te komen. Met zijn allen.'

'Je bent geschift.'

'We hoeven het er nooit meer over te hebben.'

'Bedoel je dat je het... me vergeeft?'

'En Jake.' Hetzelfde moment dat ik het zei, wist ik dat je me in de val had laten lopen.'

En jij veegde de vloer met me aan. 'Je bent zo arrogant.'

Jake reed weg en de lichten van zijn koplampen dansten over het plafond.

'Eindelijk,' zei ik.

'Ik wil dat je weggaat.'

'Dat meen je niet.'

'Voorgoed weggaat, bedoel ik.'

Ik zei, nee – smeekte je, Annie: 'Je moet niet het gezin van Opal vernielen.'

'Ik zou niet meer weten hoe een gezin met jou eruitziet.'

'Luister niet naar de draai die Jake eraan geeft.'

'Ik was er ook bij.'

'Maar hij maakt er wat anders van. Hij is zo'n leugenaar. Altijd al geweest. Liegbeest, liegbeest spuwt een vuurgeest. Maakt zelf zijn speelgoed stuk en zegt dan dat ik het heb gedaan. Maar niemand geloofde me...'

'Ja, dat zal wel...'

'Loog dat zijn ouders een heel groot huis gingen kopen. Elke maandag pochte hij over een ander huis. "Heel ver bij jou vandaan, Mason," zei hij dan. "Een huis met dienstmeisjes. Niet met crèchekinderen als jij. En als je komt, mag je alleen maar op bezoek komen. Je mag niet de hele dag blijven. En geen puinhoop maken van mijn kamer." Weet je dat nog, Annie?'

Je haalde je schouders op.

'Ik zei nog tegen hem: je dienstmeisjes kunnen toch je speelgoed opruimen! Ha. Mijn moeder zei altijd: "Ze zijn kijkers, geen kopers. Dat doen ze altijd op hun zondagse uitjes. Kijken en dromen." Luister...' *Plotseling kreeg ik een idee.*

Ik wist dat ik geen slechter moment had kunnen kiezen. Maar als ik het je niet zou vertellen, zouden de woorden in me blijven steken, zou ik me blijven afvragen – nog dagen of jaren later, los van jou en ontroostbaar – of je me van alle woorden ter wereld met deze woorden zou willen houden.

Dus moest ik ze natuurlijk hardop uitspreken: 'We zouden nog meer een gezin zijn als we samen een kind kregen.'

En dat was de waarheid, Annie.

Zo waar dat ik dat kind kon voelen dat ons gezinnetje kon bestendigen.

'Je timing is zo... beroerd, Mason.'

'Ik weet het. Maar ik vind het heerlijk om vader te zijn. Als ik naar mezelf kijk, zie ik mezelf in de eerste plaats als Opals ouder.'

167

'Ik kan niet geloven dat je...'

'Elke keer dat ik er eerder met je over begon, kon je het ook niet geloven. En was mijn timing zogenaamd ook beroerd. Misschien is dit wel de laatste kans om het je te vertellen.'

'Nu wil ik dat je vertrekt...'

'Op dit moment dénk je misschien dat je wilt dat ik vertrek, en ik begrijp...'

'Het wil er maar niet bij je in, hè, Mason?' Je greep je voorhoofd vast. 'Je kunt mij niet vertellen wat ik moet denken.'

'Behalve dat we allebei weten dat we hetzelfde denken...'

'Dat is niet zo.'

'Hoe zit het dan met die keer dat we over de Washington-berg trokken? Alleen met zijn tweetjes in de mist... vertrouwden elkaar zo volkomen toen we samen van cairn naar cairn liepen.'

'Dat wist niet uit wat er is gebeurd.'

'Nee, dat is zo. Maar daar, op die berg...'

[6] Annie

– Het vlot –

'Je had wel kunnen verdrinken!' Annie schreeuwt. Leunt schreeuwend over de leuning van het strandpad van de buren, klaar om te springen mocht Opals kajak omslaan.

'Hoi, Annie.'

'Toen ik wakker werd was je nergens te vinden!'

'Ik heb een zwemvest aan. Zie je wel?'

'Zonder een volwassene mag je het water niet in!'

'Ik ben niet ín het water!'

'Ik heb je overal gezocht!' Ze schreeuwt. Laat Opal niet merken hoe opgelucht ze is dat ze haar had gevonden. Omdat Opal dan de volgende keer dat ze verdrietig is er weer alleen opuit gaat.

'Je staat weer te zeuren, Annie!'

De lucht druppelt, is zo vochtig dat Annie het gevoel heeft dat ze doorweekt is. 'Waar ben je geweest?'

'En je hebt een rode neus van het zeuren.'

'Ik ben de hele kreek af gerend...'

'Ik was hier'

'...en over het strandpad naar de baai en ben de hele buurt door gereden naar Towd Point en toen heb ik de politie gebeld en...'

'Dat is stom!'

'Zo mag ze niet tegen je praten, dat mag je niet toestaan,' snauwt dr. Virginia.

'Ik dacht dat je verdwaald was.'

'Ik was niet verdwaald.'

'Waag het niet zo tegen me...'

'Stom!'

'Niet zo stom als jij, jij bent bijna verdronken!'

'Ik ben niet verdronken!'

'Snauw niet zo tegen me!' Absoluut het zusterlijke deel van hun relatie. Als Opals moeder probeert Annie geduldig en consequent te zijn, maar als Opals zuster wil ze verhaal halen en snauwt ze regelrecht terug.

'Snauw jíj niet zo, Annie!'

'Je moet naar de gevoelens achter haar boze woorden luisteren,' adviseert dr. Francine.

De mensen van de radio trokken steeds al aan Annie. Zeverden, leek wel. Zodra ze haar auto opendoet zitten ze nog voordat ze de radio aanzet boven op haar. Zelfs als ze niet in de auto zit en de radio helemaal niet in de buurt is, vallen ze haar lastig, of proberen ze haar op haar gemak te stellen met...

'Woesj...' De kajak zwiept. Opal zwaait heen en weer waardoor de kajak dreigt te kapseizen.

'Zit stil, jij!'

'Nu wordt de politie boos op je, Annie.'

'Tante Stormy wacht ze op. Ik ben je met de auto gaan zoeken...'

'Je rijdt altijd in de auto rond, Annie.'

'...en ik zag iets in de kreek drijven.' *Geel.* 'De kajak en jij in de kajak.'

'Ik was niet verdwaald. Ik wist waar ik was.'

'Nou, ik niet.'

'Ik deed onderzoek.'

'Waarnaar?'

'Gewoon, onderzoek.'

Onderzoek. Annie kan Mason wel een oplawaai verkopen. *Val hem aan. Dood hem. Vermorzel hem.* Want door hem is Opal niet meer zo veilig in de wereld als voorheen, toen ze nog twee ouders had. Annie schrikt ervan, die agressie. *Is opgetogen.* Ze wil dat iemand haar hier en nu komt lastigvallen – misschien de eigenaar van dat ingepakte gebouw over wiens terrein ze zonder toestemming met gierende banden was gereden – dan kan ze tenminste eens goed uithalen. Woedend als ze is voelt ze zich sterker dan welke mogelijke aanvaller ook. Binnen die woede voelt ze zich veilig. Koppig, stuurs en een beetje onzeker. 'Je bent niet meer dezelfde, Annie.'

'Wat bedoel je daar nu weer...'

'Je maakt geen plaatjes meer.'

'Dat heeft niets met verdwalen te maken.'

'Ik was niet verdwaald! Toen...'

'Ik moet weten waar je bent, Opal! Altijd!'

'Wanneer komen de lumen terug, Annie?'

'Beloof me dat je altijd vertelt waar je bent.'

'Ik ben hier nu toch?'

'Dat bedoel ik niet.'

'Oké.'

'Omdat ik niet wist waar je was.'

'Oké.' Opal wil haar krullen in een knotje draaien.

'Hou je handen aan de peddel.'

'Oké...'

'Niet oké! Ik dacht dat je... Heeft iemand je aangesproken?' *Is dit te vaag?*

'O nee,' verzekert dr. Francine Annie. 'Je moet iemand altijd vriendelijk ondervragen.'

'Nee,' zegt Opal. 'En ik ben niet met een vreemde meegegaan die me heeft aangeraakt op plekken waar ik niet aangeraakt wil worden. Zo.'

'Dat weet ze tenminste nog,' zegt dr. Virginia.

'Dat weet je tenminste nog,' zegt Annie.

'Te confronterend,' waarschuwt dr. Francine.

'Ben jij nooit op onderzoek uitgegaan?' Opal is zo kleintjes in haar kajak, helemaal omgeven door water.

Hier zijn we altijd door water omgeven. Kreek oceaan meer baai rivier...

Een voorgevoel?

Annie huivert. 'Je had erin kunnen vallen en...'

'Maar dat is niet gebeurd.'

'...je hoofd kunnen stoten en niet meer boven kunnen komen...'

'Maar dat is niet gebeurd.'

'Ik weet niet hoe ik zonder jou verder zou moeten.'

'Je gaat ook verder zonder Mason.' Opals ogen stonden hard... zo staan ze altijd als ze boos en verdrietig tegelijk is, en de boosheid wint het.

Beter boos dan dat ik me door mijn ongeluksgevoel laat leiden, waardoor ik voortdurend toegeef. Haar voor Masons dood afscherm.

'Als ik wil, Annie, kan ik zo bij je wegpeddelen. Snel...'

'Als je 't waagt...'

'Zomaar. Heel snel.'

'Waag het niet ooit nog in je eentje weg te gaan!'

'Maar ik kan je niet zo over de leuning laten hangen...'

– mij en een stuk of zes mensen van de radio –

'...met je gezeur.'

'Zo mag ze niet tegen je praten.'

'Beloof me dat je nooit meer zomaar in je eentje weggaat!'

Ze steekt dat puntkinnetje van haar in de lucht, zo vastberaden, en de koppigheid die hen tweeën bindt – *dochters van onze moeder* – wordt kleverig, smelt ineen, tot ze elkaar niet meer kunnen loslaten. Alles heeft dezelfde textuur – lucht huid haar kleren land water – zodat ze onderdeel worden van hun omgeving, alleen huid scheidt hun innerlijk van de wate-rige lucht.

Mason liet het met Opal nooit op een impasse aankomen. Met mij ja. Maar niet met Opal. Hij lokte haar uit haar tent. Gaf haar een uitweg. Zou Opal vertellen over de tijd dat hij ook op z'n kop kreeg toen hij op onderzoek uitging.

Annie neemt het van hem over. Zegt tegen Opal: 'Ik kreeg ook een keer op mijn kop omdat... ik op onderzoek uitging... toen was ik net zo oud als jij. Pap, mam en ik logeerden bij een meer in Italië...'

'Ze hebben mij nooit meegenomen naar Italië.'

'Dat hadden ze vast gedaan. Als...'

'Ik heb niet één dag met ze gehad.'

'Dat weet ik. Dat vind ik ook zo erg.'

'Kijk kijk...' Opal wijst naar een grote witte reiger die laag boven de eenden naar het strandpad scheert en dan opveert naar BigC's rode kersenboom, waarin hij elegant en parelwit gaat zitten.

'Annie?'

'Ja?'

'Weet je dat er nesten onder het plankenpad zitten?'

'Van modder?'

'Vooral nestspullen... twijgjes en gras. En er zit hier ook een hoop blauwe krab. Hoe heette dat meer?'

'Lago di Garda. We gingen elke dag zwemmen. Op een ochtend na het ontbijt was de zon achter de mist, waardoor het water, de lucht en het meer allemaal dezelfde kleur hadden... de kleur van mist...'

'Hoe ziet de kleur van mist eruit?'

'Soort wit en grijs en goud... zoals mama's ring maar dan halfdoorzichtig zodat je door de kleuren heen kunt kijken... vormen kunt zien.'

'Spookachtig?'

'Een beetje spookachtig... maar vooral prachtig. Ik zwom in de mist en kon niet zien waar de lucht of het water begon of waar het water begon, en het was...'

'Ik wil mams ring zien.'

Annie draait haar hand om zodat Opal de steen kan zien.

'Waarom hebben ze jou geen Opal genoemd? Jij was er het eerst.'

'Ze hebben mij naar onze oma, paps moeder, genoemd... Annabelle.'

'Haar ken ik niet.'

'Zij... is gestorven toen ik twee was.'

'Iedereen is altijd dood.'

De tranen schoten Annie in de ogen. 'Dat gevoel heb ik soms ook.'

'Als mijn handen groter zijn, dragen jij en ik om de beurt haar ring.'

'Dat doen we.'

'De ene dag ik, de andere dag jij. Om de dag, Annie?'

'Wat dacht je van om de maand?'

'Oké. Ik twee maanden, jij één.'

Annie glimlacht. 'Niet onredelijk.'

'Omdat jij hem al zo lang hebt gedragen.'

'We komen elke keer dat we mams ring wisselen bij elkaar op bezoek.'

'Het licht speelt in je haar, Annie. Helemaal rood, net als je neus.'

'Ah. Je laat mijn neus met rust, hoor je.'

'Wat gebeurde er toen jij op onderzoek uitging?'

'Elke keer dat ik moe werd, ging ik op mijn rug drijven, bedacht dat als ik maar in beweging bleef, ik vanzelf aan de andere kant van het meer zou komen. Maar ik bleef er steeds even ver vandaan...'

'Vanwege de mist.'

'Vanwege de mist, ja, en net toen ik dacht dat ik dichterbij moest zien te komen, was ik weer terug waar ik was begonnen, en daar waren mijn ouders...'

'Onze ouders!'

'...onze ouders, die met hun armen stonden te zwaaien, schreeuwden...'

'En zij zeurden ook, net als jij.'

'...en vier politieboten waren naar me aan het zoeken. Reddingsoperatie. Geloof je zoiets, Opal? Ik bedoel, dát was pas een overdreven reactie van onze ouders. Ik was zo... boos. Ik bedoel, al die tijd wist ik waar ik was.'

'Maar dat wisten zíj niet.'

Annie glimlacht. *Dit moet ik Mason vertellen.*

'Je hebt me erin geluisd.' Opal lepelt water met haar peddelbladen. Gooit het naar Annie. 'Ik zwom tenminste niet.'

'Dat had gekund. Als je kajak was omgeslagen...'

'Doen wie het eerst bij de cottage is, Annie? Jij in de auto? Ik in de kajak?'

'Als je belooft dat je voorzichtig bent.'

Maar Opal was al met rondzwaaiende bladen aan het peddelen en riep: 'Wedden dat ik er het eerst ben?'

Die nacht, diezelfde nacht, werd Annie plotseling badend in het zweet wakker. Ze rolde naar de kant waar Mason altijd sliep. *Ik ben alleen.* Zonder hem voelde het bed kaal, zijn afwezigheid onherstelbaar.

'*Klootzak.*' Moest steeds opnieuw ontdekken dat hij er niet meer was. Ze voelde een blinde, verscheurende woede in zich opkomen. '*Klootzak, dat ik niet meer terugkan naar wat me vertrouwd is. Dat al die vertrouwdheid weg is.*'

'*We hadden hier samen doorheen kunnen komen,*' zegt Mason.

'*Nee.*'

'We hadden een maand apart kunnen leven...'
'Nee.'
'Een halfjaar.'
'Nee.'
'Ik wed dat we dan weer samen waren geweest. Uiteinde-
lijk...'
'Nee.'
'Ik wed dat...'
'Ik kon niet langer bij je blijven.'
'Zelfs niet om me in leven te houden?'
'Veel te veel werk om je in leven te houden!'

Klootzak. Door hem was ze voor altijd de vrouw wier man
zelfmoord heeft gepleegd. Annie ziet het in de ogen van de
mensen die het weten. Die speculerende blik. Ze praat niet
met hen, maar haar ogen jagen ze weg. '*Houd je gedeisd,*'
*straalt ze uit wanneer ze aan vreemden vertelt wat haar is over-
komen. 'Je hebt geen idee waartoe ik in staat ben. De persoon
die voor je staat – huid haar ogen – blijkt heel iemand anders te
zijn. Medusa. Madonna. Vleesetende helleveeg...*

Dan komt uiteindelijk de slaap. Slapen en dromen...

*...dromen en lopen met Opal op een mulzanderig pad. De
kronen van Amerikaanse dennenbomen en eiken en kersen steken uit het zand, hun stronken zijn allang begraven. Vanuit dit
boomtoppenbos komen we aan de brede rand van een rij hoge
duinen. En nu weet ik waar we zijn. In de Walking Dunes. Opal
rent de gele zandheuvel op, haar paarse windjack wappert om
haar heen. Ze glijdt op haar billen omlaag, lacht. Dan de heuvel weer op... paars op geel... maar niet naar beneden, niet op
haar billen omlaag, niet langer hier maar weg... de rand over
naar de andere kant. Ik schreeuw haar naam... Opal Opal... ren
langs de cirkels strandheide en berendruif... Opal Opal Opal...
en plotseling moet ik aan Napegue Harbor denken, achter het*

176

hoogste duin. Ik ren de gele zandheuvel op, langs de rand, zoe-
kend, zoek overal, en stop met rennen want het is een droom...
Annie weet dat ze droomt.

Ze wil wakker worden. Probeert wakker te worden...

...maar zit in de droom gevangen, moet verder rennen, zoe-
ken. Opal Opal... Iets paars in Napeague Harbor, bolt van het
glinsterende oppervlak op. Ik ren. Naar het paars... zwaaiend,
opbollend... naar Opal...

huilend...

Huilend?

Opal huilt... ze verdrinkt niet in de haven, ze huilt.

Annie rent naar haar toe. 'Hé... liefje?' Ze fluistert, strijkt
de krullen naar achteren die zo vaak haar gezichtje verstoppen. Als ze voelt hoe Opal zich aan haar vastklampt – verblind
door tranen zoals ze dat als kind zo vaak had – verdwijnt de
tijd: Opal is in haar armen, nu, niet nat omdat ze aan het verdrinken was; maar het kind dat eindeloos tegen Annie op
klautert alsof ze naar een veiliger duisternis wil terugkeren;
en het verdriet tussen hen omvat alle smart... de dood van
hun ouders die op datzelfde moment voor altijd uitmondt in
Masons dood.

Het slingert Annie heen en weer, dat verdriet. Slingert Opal
in haar armen heen en weer. 'Liefje? Ik ben er.' Ze nestelt zich
tegen Opal aan, houdt haar heel lang vast terwijl Opals tranen Annies eigen verdriet openen, weer een laag... zoveel...
Ze kan die lagen ontvouwen, in de plooien stappen of zich
terugtrekken wanneer de lagen oplichten en meer pijn willen binnenlaten dan mogelijkerwijs door één opening past.
Terwijl de pijn haar aanvliegt, weet Annie niet of de stof het
houdt. Maar ze blijft haar dochter vasthouden, houdt haar
stevig, stevig, vast, tot ze beiden van de tranen in de slaap
wegdrijven.

Als ze wakker wordt – als een lepeltje om Opal heen – is haar eerste gedachte dat ze haar moet helpen vrienden te maken. Omdat Opal steeds heeft geweigerd de kinderen uit de buurt te leren kennen. Ze zei dan iets als: 'Ze zijn gemeen.'

Geen vrienden hebben is omgeslagen in geen vrienden willen hebben.

Die zaterdag neemt Annie Opal mee op een wandeling langs de baai, blijft staan om met gezinnen met kinderen te praten, hoewel Opal achterblijft. Vier meisjes bouwen een schildpad van zand. Ze hebben het kleinste meisje omgepraat om op haar buik op het strand te gaan liggen en ook al ligt ze te klagen, ze scheppen toch hopen zand op haar.

'Blijf stil liggen, Mandy!'

Met haar handen op de rug kijkt Opal toe hoe ze de schildpad met zeeschelpen en kiezelsteentjes versieren.

'Waarom vraag je niet of je mag helpen?' fluistert Annie.

'Ik begraaf geen mensen,' zegt Opal.

'Ik heb zand op mijn neus,' gilt Mandy. Haarspeldjes glinsteren in haar haar.

'Je moet je hoofd omhooghouden,' zegt een meisje.

Een ander meisje lacht. 'Net als een schildpadnek.'

Mandy kreunt: 'Dit vergeet ik nooit meer!'

Opal draait zich om en loopt bij de meisjes weg.

Annie blijft naast haar, loopt snel. 'Ze zijn alleen maar aan het spelen.'

'Mensen begraven is niet spelen.'

Opeens wil Annie haar roze afghaan terug, die om Opal heen wikkelen en haar wiegen en troosten zoals ze dat altijd deed. Ze ziet zichzelf die afghaan nog breien, tijdens die lange dagen nadat Opal bij haar kwam. Had ze hem maar gehouden. Maar toen ze die twee dagen het huis aan het meer aan het leeghalen was, wilde ze van alles af, te beginnen met Masons spullen; toen die van haar; en toen ze haar denim jasje – verschoten, met delicaat getekende bladeren erop – op de stapel voor het Leger des Heils had gegooid, was het alsof ze de stop eruit had getrokken, alles door het afvoerputje liet wegvloeien, inclusief kleren, schoenen, speelgoed en de afghaan, alles uit haar atelier – behalve haar werk.

Ze moest de hele dag aan die felgekleurde afghaan denken, alsof ze elke minuut had weggegooid die ze al breiend met Opal had doorgebracht.

Ze belt de winkel van het Leger des Heils, vraagt of hij er nog is. 'Omdat ik hem terug wil kopen.'

'Soms krijgen we handwerk binnen,' zegt de verkoper, 'maar dat is altijd zo weg.'

'Hij is eigenlijk nogal lelijk. Ongelijk, in verschillende rozetinten.'

'Onze klanten houden van zelfgemaakte spullen. Ook al zijn ze lelijk.'

'Het is de enige afghaan die ik ooit...'

'Maar ik kan me er wel een herinneren. Die was alleen niet roze. Is hij gebreid of gehaakt?'

'Gebreid. Mag ik mijn nummer achterlaten?'

'Uiteraard. Wat voor patroon heeft hij?'

'Rechthoeken. Aan elkaar genaaid.'

'Niks in roze,' zegt de verkoper.

De afghaan blijft haar bij, terwijl ze met tante Stormy de Zeckhauser-cottage in orde maakt voor het bar-mitswafeestje van de kleindochter. De schilders zijn klaar met de binnenkant, rustig grijsgroen en wit, maar Annie hunkert naar het schrille roze-roze van haar afghaan. Hij blijft haar bezighouden als ze met Opal gaat zwemmen. Als ze 's avonds eten. Zelfs nadat ze Opal naar bed heeft gebracht.

'Heb je mijn autosleutels gezien?' vraagt ze aan tante Stormy die op de fluwelen bank zit te lezen, languit met haar benen op de armlening, zoals ze altijd zo graag leest.

'Ik weet iets beters.'

'O?' Het enige wat Annie wil is in haar auto naar de mensen op de radio luisteren.

Tante Stormy wijst naar een peddel die ze tegen de openslaande deuren heeft neergezet.

'En?'

'Ga in plaats daarvan maar kajakken.'

''s Avonds?'

'Juist 's avonds.'

'Dat is volgens mij niet veilig.'

'Veiliger dan jouw nachtelijke wegen.'

Annie rommelt in haar rugzak. 'Ik moet een tijdje rondrijden.'

'Ik heb ze gepakt.'

'Waarom? Jij hebt gezegd dat ik het nodig had.'

'Dat was ook zo. Maar dat is al meer dan een maand geleden.'

'Ik moet echt...'

'We moeten praten.' Tante Stormy vouwt het hoekje van haar bladzijde om en doet haar boek dicht. 'Ik denk dat je dit mooi vindt. Een bloemlezing van korte verhalen van Chile. Nou... zou je me met een paar dingen kunnen helpen?'

'Ik... Ja, natuurlijk.'

Tante Stormy vult de gootsteen met een sopje. Dompelt er een handvol zilverwerk in onder. 'Uit de voorraad van mijn klanten. Daarna geef ik je de sleutels. Als je ze dan nog wilt.'

Annie grijpt een theedoek. 'Dit moet wel belangrijk voor je zijn.'

'Opal... je moet vaker bij haar zijn.'

'Ze slaapt.'

'Je vindt wel een oplossing.'

'Dat probeer ik ook. Je weet dat ik mijn best doe.'

'Julie komen er heus wel doorheen.'

'Hoe weet je dat nou?'

'Omdat jullie allebei heel veel op je moeder lijken. Vastbesloten... enthousiast... Slechts een handvol mensen krijgen te maken met ongeluk dat ze niet aankunnen.'

'Bedoel je Mason?'

'Ik dacht niet aan Mason.'

'Nou, ons drietjes heeft hij niet overleefd. Ik...'

Dageraad in het huis aan het meer. Jake weg. Zij in haar badjas, met haar rug naar Mason, misselijk door wat ervan geworden was, wat van hen samen geworden was. Mason die opschepte, zelfs in de dood, reeds wachtte tot ze hem van het touw zou snijden, haar terugdringend naar dat moment dat ze het had kunnen voorkomen.

Tante Stormy raakt Annies arm aan.

Ze staart naar de plek op haar arm waar tante Stormy een natte plek en een sopvlek achterlaat. Ze probeert het eraf te plukken, het sop, zonder het stuk te maken. Vorken afdrogen. Afdrogen. Te beschaamd om over de sauna te vertellen.

'Annie?'

'Ik kan nu nog niet... over Mason praten.'

'Dan doe je het niet.'

'Alleen voor Opal... geloof ik dat ik bereid moet zijn over Mason te praten. Voor haar?'

Tante Stormy knikt.

...om hem deel van mijn herinneringen te laten uitmaken... mijn paniek de eerste keer dat hij dreigde zichzelf om te brengen... de tweede en derde keer. Mijn woede toen hij bleef dreigen, manipuleerde. Dacht: ga je gang dan maar, en dan zeg ik het een keer en gáát hij ook zijn gang, bewijst dat ik het bij het verkeerde eind heb en hij bij het goede, toch geen leugenaar maar iemand die zijn bedoelingen had aangekondigd.

Is hij zelf verrast dat hij het uiteindelijk doet? Waarschijnlijk stelt hij zich mijn reactie voor, doet hij het om te zien hoe ik reageer.

Vorken afdrogen. Je concentreren op het bladpatroon op het heft. 'Toen ik klein was, hadden wij dat patroon ook.'

'Je moeder en ik hebben het in dezelfde winkel gekocht.'

Annie stelt zich haar moeder en tante Stormy voor *in een warenhuis, hoe ze hetzelfde patroon kiezen. Zelfverkozen zusters. Ook hier. Ze kopen elk een achtdelige set in de uitverkoop, zodat als de één een feestje geeft, de ander haar zilverwerk kan uitlenen.*

'We deden cursussen aan de universiteit en werkten vijf avonden per week als serveerster. Genoeg voor de huur en lesgeld.'

Annie heeft foto's gezien van de woning die haar moeder en tante Stormy samen huurden nadat hun au-pairperiode afgelopen was, een tweekamerappartement boven een antiekwinkel in Southampton. Tweepersoonsbed. Een ronde tafel met vier stoelen. Een blauwe bank. Kanten vitrages die tante Stormy's moeder in Duitsland voor ze had gemaakt.

'We hoefden niet veel geld aan eten uit te geven, want we aten in het restaurant en konden restjes mee naar huis nemen. Een chic restaurant, te duur, heette Kaminstube – De Open Haard – hoewel het geen open haard had. Je moeder en ik kregen dat baantje omdat we Duits spraken – het enige authentieke aan die tent. De eigenaar was een Griek van de derde generatie, die van Zuid-Duitse hoempapamuziek hield. Ken je dat?'

Annie grimast.

'Precies. We hoorden daar dagelijks meer van dan in al die jaren tijdens onze jeugd aan de Waddenzee. We moesten *Dirndl* dragen. We zagen eruit als omgekeerde kopjes met onze benen in de lucht.'

Annie moet lachen. 'En maar bedienen op die hoempa-pa...'

'Op sommige dagen rondde de eigenaar onze uren naar beneden af en dan namen we zilver bestek mee en...'

'Meenemen? Bedoel je dat jullie stalen...'

'Daar waren we heel schappelijk in.'

'Ik kan me niet voorstellen dat jij en mijn moeder stalen.'

'We hielden precies bij voor hoeveel hij ons oplichtte. En precies die waarde namen we aan zilver bestek mee.'

Toch vindt Annie het maar vreemd, als ze bedenkt hoe haar moeder en tante Stormy over zulke dingen dachten. Misschien klopt het toch wel met hoe tante Stormy cadeautjes weet te bemachtigen... iets bewonderen wat niet van haar is; die geelbruine handschoenen die Annie in Marokko voor zichzelf had gekocht; dat zijden zwarte sweatshirt dat ooit van Annies moeder was geweest; de blauwglazen bal die nog steeds aan haar kroonluchter boven haar keukentafel bungelt en zich door de jaren heen heeft vermenigvuldigd, tot nu toe negen blauwe bollen – dun geblazen glas – alsof het afgedwongen geschenk nog steeds andere voortbrengt.

'Opal vroeg naar Jake,' zegt tante Stormy

Als ik mijn moeder was geweest, had ik het teruggestolen.

'Heb je eraan gedacht om Opal wat tijd met hem te laten doorbrengen?'

'Ik weet niet of... ik Jake ooit nog onder ogen kan komen.'

Jake heeft twee keer gebeld. Dat heeft tante Stormy haar verteld. Maar Annie heeft niet teruggebeld. Ondenkbaar om nog dicht bij hem in de buurt te komen. Ze heeft hem in de steek gelaten, zichzelf in de steek gelaten toen ze Mason niet tegenhield. En toch is Jake de enige met wie ze ooit kan praten over wat er is gebeurd.

'Mag ik alsjeblieft wat zeggen?' vraagt tante Stormy.

Annie knikt.

'Jake is vanaf het begin in Opals leven geweest...'

'Ik kan het niet.'

'...en is als een tweede vader voor haar.'

'Mason vond het helemaal niks als ik zei dat Opal twee vaders had.'

'Dit gaat niet meer over Mason. Hoe sta je tegenover...' Tante Stormy veegt haar handpalmen aan haar jeans af. '...een bezoekregeling, Annie? Dat Opal op bepaalde, vaste tijden bij Jake is?'

'Gek om maar aan een bezoekregeling te dénken.'

'Nog gekker is het om er niet aan te denken. Denk er maar over na.'

Annie weet niet wat ze moet zeggen.

'Voorlopig moet ik iemand inhuren die me bij mijn bedrijf helpt. Dat doe ik 's zomers altijd. Als jij dat wilt...'

'Ja.'

'Ik kan je twintig dollar per uur betalen...'

'Dat is meer dan...'

'...en flexibele werktijden, zodat we er beiden voor Opal kunnen zijn tot ze naar de derde klas gaat.'

'Dank je wel.'

'Bij sommige klussen... kunnen we Opal meenemen. Als we bijvoorbeeld de huizen gaan controleren wanneer de eigenaars weg zijn. En als je meer tijd voor haar of je collages nodig hebt, kun je van hieruit een hoop zaken per telefoon regelen.' Ze gebaart naar een lijst telefoonnummers op de koelkast. 'Mijn paarse gids.' Gereedschap, kettingzaag, schoorsteen, elektra, openhaardhout, klusjesman, tuinman, slotenmaker, schoonmaakservice, olie, loodgieter, dakbedekker, sneeuwruimer, ramen. Bij elke categorie staan een paar namen. Sterretjes bij haar voorkeuren, degene die hadden afgedaan doorgestreept. Zoals Marcy. Categorie openhaardhout.

'Die eerlijke Marcy heeft me twee keer laten zitten. Belde

184

pas later terug. Loog over een sterfgeval in haar familie.'

'Hoe wist je dat ze loog?'

'Omdat ze na elk woord *eerlijk waar* zei.'

Annie staat onmiddellijk klaar om Marcy te verdedigen, haar bij te staan. 'Mensen gaan dood.'

'Maar bij Marcy is het steeds dezelfde neef. Stanley. Voor ik Pete ontmoette, ging ik met Stanley uit. De eerste keer dat Marcy het me vertelde, schrok ik me een ongeluk. Ik belde zijn vrouw om haar te condoleren en Stanley nam op.'

'Lijkt me duidelijk.' Annie glimlacht.

'Hoe staat het met je collages?' vraagt tante Stormy.

'Ik... stel het steeds uit.' Annie voelt zich slecht op haar gemak als het op haar werk aankomt. 'Maar ik begin er wel weer aan.'

'Mooi.'

'Op sommige dagen denk ik dat Mason me mijn werk heeft afgenomen.'

'Alleen als je dat laat gebeuren.'

'Hij heeft op mijn werkplek zelfmoord gepleegd. Oké? Hij was jaloers op mijn werk...'

'*...maar ik steunde je ook,*' brengt Mason haar in herinnering.

'...en dat werd erger toen ik mijn atelier eenmaal had.'

'*Je sloeg de deur voor me dicht, Annie. Het was anders toen je alles nog in de woonkamer had. Dan konden we praten...*'

'Je kunt op andere plekken werken,' zegt tante Stormy.

'Maar hij is overal. En zo makkelijk kom je niet aan een ander atelier.'

'Natuurlijk is dat niet makkelijk.'

'Bedankt dat je me dat tenminste nageeft.'

'Ik sta aan jouw kant, Annie. Het is verdomde moeilijk om opnieuw te beginnen.'

'*Je komt in musea te hangen,*' zegt Mason.
'*Ik wil dat werk alleen voor mezelf doen.*'

Tante Stormy gebaart naar een hoek in de woonkamer. 'Wat vind je ervan als we daar ruimte maken? Daar zit je tussen twee ramen in.'

'Je zit al zo krap met ons erbij.'

'Ten eerste: dat is niet zo. En ten tweede: ik zou het nooit voorstellen als ik het niet meende. Ik ben niet van het martelaarschap.'

Annie moest lachen. 'Dan word je ook niet heilig verklaard.'

'De pot op met die heiligen.'

'O... ké.'

'Laten we het maar gelijk doen. Tenzij je wilt gaan kajakken.'

'Niet echt.'

Samen zetten ze de kratten met Annies collages langs de muur tussen de ramen en dekken die met dekens en kussens af.

'Nu heb je een *Eckbank*.'

'Eck... wat?'

'Een hoekbank. Die hadden we toen ik klein was.'

Nadat tante Stormy naar bed is gegaan, gaat Annie op de Eckbank zitten, naast wat ze nodig heeft om aan haar collages te beginnen, en doet helemaal niets. Ze zit en staart alleen maar naar alles om haar heen. Als meisje stond ze heel dicht bij Mason. Meisje-jongen. Jongen-meisje. Bijna één. Nu komt ze langzaam tot de overtuiging dat de ruimte tussen twee mensen breder, smaller en weer breder moet zijn. Maar met Mason werd die bij het opgroeien alleen maar smaller.

'*Stel dat je er te veel ruimte tussen laat komen?*' vraagt Mason.

'Dan raken we elkaar kwijt.'

'En als je de ruimte met jou overbrugt, Annabelle?'

'Dan vermorzel je elkaar. Of een van ons trekt zich voor altijd terug.'

'Hoe stel je je dat bij drie mensen voor?' zegt Mason.

De volgende dag zit en staart Annie, en doet niets.

En de dag daarna.

Maar ze blijft zitten. Met het gevoel dat ze nergens toe in staat is. Met een gevoel van mislukking en frustratie dat uit dat nietsdoen voortkomt.

Ze blijft zitten. Staart naar wat ze voor zich ziet.

'Gun jezelf een uur,' stelt tante Stormy voor.

Annie moet bijna overgeven.

'Sta jezelf niet langer toe dan een uur om te werken.'

'Vijf minuten voelt al als te veel. Ik denk dat ik gewoon een heuse baan moet gaan zoeken.'

'Je hebt al een heuse baan. Je kunt voor mij werken.'

Annie geniet van het harde lichamelijke werk bij tante Stormy, tillen en dragen, stapels gordijnen en dekens van de klanten optillen, de huizen, wassen wat er maar te wassen valt en de rest naar de stomerij brengen. Met Opal maakt ze het plankenpad vrij voordat het helemaal dichtgroeit.

Ze voelt zich van haar eigen werk afgescheiden. Van elk verlangen. Toch... ze gunt zich dat ene uur. Dag na dag.

De nachten waarin niets de pijn kan stillen gaat ze kajakken in plaats van rondrijden. Geen afsluiting van de pijn maar een opening naar haar omgeving. Het water houdt het licht langer vast dan de aarde. En de mensen van de radio vinden het niet erg, varen met haar mee, zorgen dat ze piekert over wat er met hen gebeurt als ze niet in de uitzending zijn. Zoals de garnalenvrouw uit Walla Walla, Washington. Linda. *Zou Linda zich nog steeds in haar huis verstoppen?* En dat stel met het tweede huwelijk in Hartford. *Zouden Elise en Ben nog steeds*

*ruziemaken en lijstjes bijhouden zodat zijn volwassen kinderen
geen duurdere cadeautjes krijgen dan een van haar volwassen
kinderen?* En Mel en Hubert? *Zou Mel zijn bullebak van een
huisgenoot er al hebben uitgegooid, of zitten ze op een cruise
naar...*

Annie blijft dicht bij de kust. Voor de veiligheid en om
naar beestenboel te zoeken: botten en vleugels en van die rin-
kelschelpjes die ze als kind zeemeerminteennagels noemde,
pantoffelschelpen die ze vroeger duivelsteennagels noemde.
Binnen in een duivelsteennagel zit het skelet van een krabbe-
tje.

Tante Stormy heeft twee kaarttafels voor haar neergezet.
'Niet zo stevig als die je vroeger had.'

'Ik wil niet wat ik vroeger had.'

Naast elkaar zijn de tafels elkaar tot steun, niet zo wankel
als elk apart. Annie legt er vetvrij papier overheen, gaat met
tante Stormy naar de kelder en komt terug met lege potten,
schaar, lapjes stof, oude fotonegatieven, gereedschap.

Pete komt zandpapier en winkelbonnetjes brengen, het
binnenwerk van enveloppen en versleten zeemleren lappen.
Het mooiste van alles is een schoenendoos met oude tand-
artsinstrumenten en röntgenfoto's, honderden kleine röntgenfoto's.

Opal verzamelt verdord gras voor haar, dennenappels en
bladeren, kromme twijgjes en ijslollystokjes, kralen en laven-
del, te klein geworden kleren.

En Annie zit te midden van alles wat ze heeft verzameld en
wat ze voor haar hebben meegenomen, hoewel ze niet weet of
ze ooit nog een collage zou kunnen maken. Blijft met onbe-
weeglijke handen zitten.

Een uur. Dat heeft ze zichzelf beloofd. Meer als ze dat wil.
Maar niet minder.

Op een avond komt ze terug van het kajakken met een glanzende en geribbelde eierdop die ratelt als een harnas... als een ziel. Het canvas op haar ezel is leeg, blanco, en als ze er waterverf op gooit, zodat die leegte haar niet langer schrik aanjaagt, moet ze aan Pete denken. Die gaat elke dag naar de baai, doet daar zijn strekoefeningen en zijn uur waterwandelen, oefent elke spier, eist zijn lichaam weer op. Ze begrijpt waarom tante Stormy van deze man houdt... zoals hij een steunpunt in het zand zoekt om rechtop te kunnen blijven staan, er elke dag aan werkt om alle kracht die zijn lichaam in het afgelopen uur heeft opgedaan te consolideren en te versterken.

Ze smeert met klodders verf, zoekt een weg naar binnen, en plotseling kan ze niet meer stoppen omdat het canvas zich voor haar verbeeldingskracht opent. Ze weet hoe het is, weet hoe het is als je daarvoor leeft... opwindend en angstig, mysterieus en vertrouwd. Het is alsof het beeld zich als vanzelf binnen in haar vormt, maanden van onaangeroerde reserves breken nu los in een nieuwe versie van het vlot, sleuren haar naar een gebied waarvan ze niet had gedacht dat het bestond.

Opnieuw neemt ze twijndraad voor het vlot, hoewel ze zich daarbij slecht op haar gemak voelt. Maar het beeld roept erom... ook als twijndraad haar aan touw doet denken.

'Ben je daarom op het idee gekomen om jezelf op te hangen?'

Dit draad is dunner dan bij de eerdere versies, en ze legt het in een open weefsel boven op Italiaans marmerpapier, allemaal blauw- en wittinten, splijt het in dunne draden die elkaar overlappen, rijzen op en dringen aan als korte golfjes, waardoor het vlot instabiel wordt. En op het vlot een kortstondige sculptuur van ledematen, donkere silhouetten tegen de lage middagzon. In beweging.

Daar werkt ze naartoe.

In beweging.

Of vlak voor de beweging.

Of daarna.

Wanneer de indruk van beweging nog steeds nagalmt.

Dat kan binnen één beeld gebeuren, maar meestal heeft ze er meer nodig; en in de overgang van de ene naar de volgende gebeurt er van alles achter de coulissen – essentieel om te kunnen begrijpen wat er óp het toneel aan de hand is. Het lijkt wel op wat ze ooit op een fototentoonstelling heeft gezien, over plekken nádat een geweldsmisdrijf had plaatsgevonden – geen lichamen, geen bloed of ingewanden – gewone plaatsen waar mensen liepen of zaten of langskwamen; en toch galmde de schok van dat geweld nog na. Niets concreets. Niets waar je de vinger op kon leggen en zeggen: dat is nu anders. En toch is die plek ingrijpend veranderd, voor altijd, in de ziel van die plekken, elk stukje lucht en partikeltje.

Annie steekt haar handen uit naar de collage, bouwt haar op. Lavendeltakjes. Gebitsröntgenfoto's. Een laag dunne stof, een schaduw lichter dan koperkleur. Op het vlot versmelten de voeten van de gele figuur met de planken. De ledematen van de bruine figuur zijn licht gekleurd, kwikzilver. Als Annie met een scherpe punt van een tandheelkundig instrument – een excavateur, zoals Pete het noemde – door de lagen scheurt, rimpelt en scheurt het oppervlak... die schitterende lijnen... prachtige donkere strepen... al die wonderlijke onverwachte verrassingen... heeft ze het gevoel dat ze in het beeld terechtkomt, dat iets binnen in haar zich opent. Pijn? Vreugde?

Nu al lost het sculptuur van ledematen op terwijl de koperen zon op het water blijft glinsteren. En daar is het rode meisje, nu duidelijker te zien. Kijkt nog steeds toe. Of wordt bekeken. *Wat heb ik gezien?* Annie legt haar vingertoppen tegen de rode vorm van het meisje, sluit haar ogen. Te glad. Te verstild. Al het andere voelt verscheurd en gerimpeld.

Die zomer wordt tante Stormy Annies ogen, haar beweegreden, de wijze stem die door Annies verwarring heen snijdt als ze samenwerken. Soms is het enige wat Annie overeind houdt de routine van alledag. Ontbijt maken voor Opal. Elke ochtend naar het postkantoor. De eendjes voeren.

's Nachts werkt ze.

Bij de post een Simon & Garfunkel-cd van Masons ouders.

'Ik heb beloofd dat ik een cd van Masons lievelingsmuziek zou branden,' vertelt Annie aan Opal. 'De volgende keer dat we bij ze op bezoek gaan...'

'We hebben zijn muziek helemaal niet,' zegt Opal beschuldigend. 'Je hebt alles van Mason weggedaan!'

'Als je wilt, kunnen we zijn favoriete nummers downloaden.'

'Je hebt al mijn spullen weggedaan! Je hebt ons huis weggedaan!'

'Omdat Mason het huis voor ons heeft bedorven. Met alles erop en eraan.'

Toen Annie Masons ouders belde om te bedanken, vertelde zijn moeder dat ze zich zorgen maakte over een van haar vaste klanten.

'De oude mevrouw Belding. Ze kwam bij me voor haar spaarcentjes. Haar zoon stond me helemaal niet aan, Annie.'

'Waarom niet?'

'Hij was zo ongeduldig met haar. Hield haar de hele tijd bij de elleboog vast. Toen ik de kluis van mevrouw Belding openmaakte, schudde hij de inhoud zo in zijn aktetas. Met ons drieën erbij in de kluisruimte, hoewel hij dat ook in een aparte cel had kunnen doen. En mevrouw Belding keek geen moment op. Sindsdien heb ik haar niet meer gezien. En toen ik er tegen mijn bankmanager over begon, dat ik mevrouw Beldings zoon ervan verdacht dat hij haar beroofde, kreeg ik weer zo'n preek dat ik te veel bij mijn klanten betrokken was.'

'Al haar huurders erven BigC's jaarlijkse veldslag met de eenden,' zegt tante Stormy tegen Opal en Annie terwijl ze toekeken hoe BigC de eendenstront van het plankenpad aan het schrobben was.

Maar veel witte plekken zitten erin geëtst alsof de planken met bleekwater waren bespat. Elk jaar bindt BigC dezelfde strijd aan met de eenden. Ze koopt spulletjes om ze op afstand te houden. Draaimolens en vogelverschrikkers. Toen ze Opal uitnodigde om mee naar Sag Harbor te gaan, liet Annie haar gaan; ze kwam terug met een draadloze boor en een paar plastic dingen, allemaal lelijk: drie reusachtige uilen, een set verandaschalen die bij BigC's paraplu's passen en een jongenspop uit één stuk met opgeschilderde kleren.

De uilen waren net zo hol als tante Stormy's keien en zagen er nep uit met hun gelijkmatig gegroefde veren en glazen ogen. Opal houdt ze vast terwijl BigC ze op de leuning van het strandpad timmert, en bijna een week lang worden de eenden erdoor afgeschrikt.

Dan regent het, zoveel regen dat het lijkt alsof Petes trompetwingerds op zonnige dagen verdubbelen. Ze kruipen tegen de bamboestokken naast zijn garage op, rond de poten van zijn tuintafel, grazen aan je enkels als je gaat zitten, maken je aan het schrikken.

Op een avond gaat Annies peddel zwaar door het water, en nog voordat ze de flakkering ziet, weet ze dat de lumen er zijn. Snel peddelt ze naar de cottage terug, wekt Opal en peddelt met haar de baai op. Het voelt alsof het water overal om hen heen is en ver daar voorbij verzadigd is van die witgroene flakkering, vol van dat licht – fosforescerend, fluorescerend –

dat hen omgeeft zodra ze erin springen, net zoals het hun kajakken omgeeft.

Opal lacht hardop. Beweegt haar peddel. Een werveling van schitteringen. 'Mason zegt dat het net watervallen van licht zijn.'

'Waar en poëtisch.'

Plotseling vliegt een zwarte eend met een beetje wit op zijn veren vlak bij hen op, vleugels fladderen dicht boven het water.

'Waar is hij naartoe gegaan?' vraagt Opal.

'Ik zie hem niet meer.'

'Kunnen we niet de hele nacht kajakken, Annie?'

'Een tijdje wel.'

Misschien gaat ze voortaan wel met Opal kajakken, in plaats van 's nachts rondrijden.

Misschien lanceren ze de kajakken wel op een ochtend naast de kade in Sag Harbor, peddelen ze onder de brug door naar de branding.

'Morgen ga ik lumen vangen,' zegt Opal.

'Mooi. Ik ga met je mee.'

's Middags pakt Opal tante Stormy's kan en Annie loopt achter haar aan naar de baai, waar ze Pete aantreffen, tot zijn knieën in de schuimkoppen.

'Heb je het niet koud, Pete?' vraagt Opal.

'Warmer... dan de lucht.'

Annie staat versteld dat hij ondanks zijn toestand uit elk moment zoveel vreugde haalt.

Opal plukt een lumen van het strand. 'Voelt als snot...'

'Jak...'

'...met vastgeplakt zand. Schiet op, Annie. Doe wat water in de kan.'

Annie gaat water uit de baai scheppen waar vier wenkkrabben iets aan het wegsleuren zijn, ze vechten. Een wint en schiet er met de buit vandoor.

Opal laat de lumen in de kan glijden. 'Kijk kijk, Pete.' Ze neemt de kan van Annie over en schudt ermee.

Hij strompelt naar haar toe, eerst het linkerbeen, dan het rechterbeen erachteraan.

Opal doet een paar stappen het water in zodat ze er beiden tot hun enkels in staan.

'Zo... delicaat,' zegt Pete.

Een golf spat tegen Opals knieën. 'Mason tilde me vroeger altijd hoog boven de golven op.'

'Nee, nee,' wijst Annie haar terecht, 'mijn vader... ik bedoel onze vader, deed dat altijd bij mij... en later deed ik het met jou.'

'Niet waar.' Die koppige, koppige ogen.

'Ik ving je op voordat je bij de golven was, en tilde je hoog op zodat je erboven vloog...'

'Nietes.'

'Welles.'

'Nietes.'

'Jij verdraait altijd alles in je hoofd,' zegt Annie. Daar maakte ze zich zorgen over. Net als Opals verhalen over dat de cottage 's nachts altijd vervormt. Verbeeldt ze zich dat alleen maar? Dat ze zo dramatisch doet? Of zit er meer achter? Waanideeën? Nee...

'Weet je het dan niet meer, Opal?' zegt ze volhardend. 'Ik vertelde je altijd dat ik je in een mensengolf veranderde om de watergolf tegen te houden...' *Hoe kan ik dat nou nog weten, pap? Door de verhalen die je me hebt verteld? Door wat ik nog steeds in mijn lijf voel: het vliegen... de lichtheid... de zekerheid dat er een weg bestaat.* 'Zo heb ik er nog niet over nagedacht...'

'Nietes.'

'Dan hield ik je handen vast, en dan liet ik je vliegen.'

'Dat deed Mason altijd.'

'Nee, nee. Mason was erbij. Maar hij keek naar ons. Jij lachte en kirde, en ik tilde je op...'

'Mason liet me boven de golven vliegen.'

'Doet het... er wat... toe, Annie?' vraagt Pete.

'Ja. Natuurlijk. Ik was erbij!'

'Dit is... wat haar... lichaam... zich herinnert...'

'Dat is wat ze zich wíl herinneren.'

'Voor haar... is het een... prachtige... herinnering.'

Plotseling schaamt Annie zich. 'Het is gewoon omdat ze alle goede herinneringen wegkaapt, ze aan Mason toedicht... en mij er helemaal buiten laat. Maar van de rest geeft ze mij de schuld.'

Pete knikt. 'Niet... eerlijk.'

Verdomd niet eerlijk.

Opal stopt een pluk zeewier in de kan.

Een paar handjes zand.

Kiezels en schelpen.

Nog meer lumen.

'Stel dat ze het zich nooit meer herinnert zoals het echt was?' vraagt Annie aan Pete.

'Dan kun je... er niets... aan doen.'

HIZHI. Dat woord had haar vader ooit op het tafelblad geschreven en toen hardop gezegd. 'HIZHI.' Als het hinniken van een paard. Toen Annie hem vroeg wat het betekende, raakte haar vader elke letter aan. 'Het... is... zoals... het... is.' Annie probeerde het geluid uit en hinnikte, en haar vader moest lachen. De onderste helft van zijn gezicht verbreedde zich terwijl zijn dikke wenkbrauwen omlaag bogen, waardoor zijn gezichtsvorm veranderde. De letters op tafel waren opgedroogd. Annie doopte haar wijsvinger in zijn wijnglas en streek net zolang over de letters tot ze weer glansden.

Geknield in het zand woelde Opal door haar kiezels. 'Ik wil alleen rode.'

'Ik haal... meer... lumen... voor je.' Pete bukt onhandig, wankelt als hij zijn handen naar het water in de baai uitsteekt.

Annie weerhoudt zich ervan om hem bij zijn arm te ondersteunen. In het ergste geval valt hij om. Een zachte landing. Tante Stormy is meestal druk bezig als hij zijn evenwicht hervindt. Haar tact en vriendelijkheid. Maar ze is in de buurt, dicht genoeg, voor het geval hij haar nodig heeft. Toen Annie nog maar net bij haar was ingetrokken, was ze verbijsterd dat tante Stormy Pete niet uit de auto hielp, dat ze voor hem uit de winkel of het postkantoor binnenging terwijl hij nog met haar autoportier aan het worstelen was. Maar na de tweede poging haalde hij hen meestal in. Hoeveel werd hier niet van uitgesproken? Heeft ze hem dat vanaf het begin alleen laten doen? Of was er een gebaar, ooit, van Pete, of een paar woorden: *Laat me maar...*'

Pete steekt zijn vuist uit het water omhoog.

'Je hebt er een!' Opal lacht.

Hij laat hem in de kan glijden.

'Goed gedaan, Pete.'

'Daar... leef ik... voor.'

Die avond, met de lumen glinsterend in de kan, de lijven transparant en luchtig, vraagt Opal: 'Mag ik ze houden?'

'Niet goed... voor ze,' zegt Pete.

'Waarom niet?'

'Ze worden... kleiner en... verdwijnen dan.'

Ze leunt dicht naar hem toe. 'Hoe kan dat nou?'

'Een keer... heb ik ze... te lang gehouden... en kon ze toen... niet meer vinden.'

'Misschien zijn ze eruit gesprongen?'

'Ik denk...' Pete schudt langzaam zijn hoofd. '...dat hun lichaam... één werd... met het water.'

Ze grijpt de kan. 'Dan wil ik ze nu vrijlaten.'

'Morgen is vroeg genoeg,' zeg ik tegen haar.

'Nu...' ze begint hartstochtelijk te huilen.

'Maar het is donker.'

Tante Stormy legt een hand tussen Annies schouderbladen, wrijft er zacht over.

Maar daar kuste Mason me altijd... Annie draait weg.

'We nemen zaklantaarns mee,' zegt tante Stormy. 'Wat vind je daarvan?'

Annie knielt naast Opal. 'Dan wordt het een avontuur.'

'Je geeft weer aan haar luimen toe,' zegt dr. Virginia bestraffend.

Opal snuft, slaat beide armen om de kan.

'Gaan jullie maar vast,' zegt tante Stormy.

Buiten klinkt alles veel harder dan overdag: het kraken van het strandpad, het ruisen van het riet; het zoeven van hun blote voeten op het zand. De baai is vlak, kleurloos, maar als ze erin lopen, woelen hun benen korte groene flakkeringen op, hier, daar, overal om hen heen. Annie voelt de lumen tegen haar linkerenkel, dik, en dan zijn ze verdwenen.

'Ze hebben op onze lumen gewacht,' besluit Opal.

'Wat is dat toch met jou en die lumen?' Annie probeert het luchtig te zeggen, maar het komt er ongeduldig uit.

In het donker glinsteren haar dochters tanden op, witter dan haar huid, een horizontale streep die – slechts een ogenblik – zich in twee lijnen verdeelt. Ze oogt zo klein, zo hartverscheurend dapper, beeldt zich misschien een magische band in tussen de lumen, Pete en de baai... de verdwijnende lumen als ze die te lang uit de baai houdt... Pete die de baai in loopt en zijn lichaam opeist... misschien zelfs...

Annie transpireert.

...misschien zelfs dat ze Mason ook op die manier kan terugbrengen. Als ze geen lumen meer vangt. Als ze ervoor zorgt dat Pete sterker wordt. Als...

'Hier is het te ondiep,' zegt Opal.

'Zeg het maar als we ver genoeg zijn.'

Samen lopen ze verder.

'Hier.' Opal dompelt de kan onder water en houdt hem daar tot de lumen er stuk voor stuk met het water zijn uitgespoeld.

Terwijl Annie met haar mobieltje in het zand zit, voor twee huizen een rooster opstelt voor de glazenwassers en voor drie andere voor het meubelonderhoud, is Opal met Pete aan het waterwandelen. Hij met kleine stapjes, zij dansend en springend om hem heen. Moedigt hem zelfs aan als hij struikelt. Als hij valt. Meer blauwe plekken.

'Je kunt het, Pete.'

'Elke dag... kan ik... iets meer... dan de dag... ervoor.'

Hij wordt gauw moe. Alles kost hem zo'n enorme inspanning. Maar hij blijft het proberen.

Terwijl Opal ongeduldig tegen hem aan ratelt. Hem aanspoort er nog een tandje bij te zetten.

'Jij bent mijn... coach...' Hij wankelt, laat zich zakken tot hij in het ondiepe water zit. Hij huilt. 'Dat heeft... niets met jou... te maken... Opal... zo moeilijk... om weer te worden... zoals het was.'

'Je kunt het, Pete.'

Die avond blijft ze vlak bij hem in tante Stormy's woonkamer terwijl hij *The New York Times* leest en de bladzijden langzaam omslaat. Ze blijft zelfs bij hem als hij tegen haar zegt dat ze moet ophoepelen, dat hij de hele avond over de krant zal doen.

'Je moet een pauze in je oefeningen inlassen,' dringt ze aan.

'Gauw...'

'Ik maak wel een schema.'

'Oké.'

'Net als op school. Elke keer als je een oefening af hebt, vink je die af. Het is je werk, Pete.'

'Mijn werk is... terugvinden van... verloren dingen.'

'Denk je dat ons meisje op zoek is naar een soort vaderfiguur?' fluistert tante Stormy.

'Ze stalkt hem. Volgens mij gelooft ze dat ze Mason zo kan terugbrengen.'

'Dat begrijp ik niet.'

'Het zit helemaal vervlochten met die lumen en Pete beter maken... als ze hem kan redden van bijna-doodgaan...'

'Heeft ze dat gezegd?'

'Nee, dat heb ik ervan gemaakt.' *Als ik haar echte moeder was geweest, zou ik het weten.* 'En misschien zit ik er wel helemaal naast. Ze is vast compleet over haar toeren als ze zich eenmaal realiseert dat Mason nooit meer terugkomt.'

Tante Stormy gebaart naar de openslaande deuren. 'Stel je nu eens voor dat het enige wat Opal op dit moment in dat glaspaneel kan zien, het verlies van Mason is. Maar gaandeweg...'

'Zo was het voor mij in het begin ook.'

'...mettertijd, wordt elk glaspaneel stuk voor stuk vervangen door goede herinneringen: Pete die sterker wordt... met jou lachen... verbranden van de Hunkerende Geest... nieuwe vrienden... zelfs haar eerste kus. Maar dat kleine glaspaneel met Masons dood zal altijd blijven. Alleen wordt het dan deel van het geheel, vindt het zijn plek tussen al het andere in Opals leven. En in het jouwe.'

Annie knikt.

'Jij begint nu al die andere raampanelen te zien. Dat kostte mij ook even toen Pete ziek werd. Ik was zo doodsbang, en

het enige waaraan ik kon denken was dat ik hem kon verliezen...'

'Pete?' Opal schudt aan zijn arm.

'Ja...?'

'Heb je een hoop verloren, Pete?'

'Ja, maar... ik vind alleen... dingen... waar ik niet meer...
naar zocht.'

'Vind je dingen waar je niet meer naar zocht?'

'Dat is... de mooie... verrassing...'

'Of dingen die je was vergeten?'

'Hoe is het gebeurd?' fluistert Annie tegen tante Stormy.

'Ik dacht dat hij hoofdpijn had... zijn gezicht en nek deden
pijn. Maar toen ging hij overgeven. Wilde water. Maar dat gaf
ik hem niet. Ik knielde bij hem neer, draaide zijn hoofd zo
dat hij kon overgeven. Toen ik het noodnummer belde, stopte
Pete met ademhalen...' Ze schudt haar hoofd.

Annie pakt tante Stormy's hand vast. Kust haar op het
voorhoofd.

'...dus begon ik hem te reanimeren. Tot de ambulance er
was. De linkerkant van zijn hersenweefsel is beschadigd. Je
ziet hoeveel moeite hij heeft met de bewegingen van zijn
rechter lichaamshelft.'

'Ja.'

'Heel veel mensen worden compleet immobiel als een deel
van hen het niet meer goed doet. Maar Pete wil de rest in beweging houden... hoe moeilijk het hem ook afgaat. En zijn fy-
siotherapeut is wonderbaarlijk. Ze wil dat hij met zijn rechterhand dingen probeert te doen. Hij gelooft werkelijk dat hij
kan herstellen wat nu nog niet werkt.'

'Uiteindelijk wordt het een manier van leven.'

'Maar daar gaat het bij Pete om. Je weet dat ik dol op hem
was, voordat...'

'Ja...' Annie glimlacht. 'Dat is wel doorgekomen. Als kind
al. Mijn moeder...'

'Maar nu heb ik het diepste respect voor hem.'
'...had het altijd over jullie twee. Een grote liefde, zo noemde ze dat.'

Tante Stormy sloot haar ogen. 'Wat zei ze nog meer?'

'Ze vertelde me over jullie maanafspraakjes. Hoe jullie die vieren.'

'Dat doen we nog steeds... ook al is Pete ziek. Hij is nog niet aan de kajak toe, maar we rijden naar de vuurtoren...'

'Met champagne en cake.'

'Zo is het, en elke keer komen we met allerlei avonturenverhalen thuis. Ook al zijn er geen avonturen, we verzinnen de verhalen... kleine dingen, zoals hoe het maanlicht over het water strijkt... de boog van een vogelvlucht.'

In de herfst slibt de slaapkamer boven langzaam dicht door de verschillende stoffen die de klanten komen terugbrengen. Gordijnen, tafelkleden en beddenlakens zweven vanaf het plafond. Opal vindt het leuk om door al die lagen stof achter Annie aan te zitten, sommige fragiel-warm, andere stevig, weer andere gaasachtig, tot Annie zich laat vangen.

'Wacht maar tot de volgende zomer,' zegt tante Stormy tegen ze. 'Dan zijn de muren en planken weer kaal.'

Volgende zomer... Annie kan zich niet voorstellen dat ze met Opal ergens anders is dan hier. Drie middagen per week brengt ze Pete naar spraaktherapie. Daarna pikt ze Opal op van school. Opal vindt het heerlijk als Pete in de auto zit, praat honderduit tegen hem, meer dan tegen Annie. Aan het eind van de oprijlaan stapt ze uit en plukt Montaukmargrieten. Laat Pete en daarna Annie aan haar hand ruiken. Niet naar bloemen. Maar naar aarde. Een beetje als kamille, maar sterker. Een typische geur voor het begin van de herfst, van korter wordende dagen, van de zekerheid of de belofte van verval. HIZHI.

Mason

'...voelden we ons zo dicht bij elkaar. Kijk me aan, Annie.'
Dat deed je niet. Dat wilde je niet.
'Denk aan Opal. Denk aan wat goed is voor ons.'
Maar je schudde je hoofd.
'Alsjeblieft... kijk me aan. Denk je dat ik het makkelijk vind dat ik zo jaloers ben?'
Je lachte. Dat deed je echt.
'Je begrijpt het niet,' zei ik. Net zomin je begrijpt hoe het me kwetste toen jij en Jake elkaars hand vasthielden op zijn acht-tiende verjaardag, dat hadden jij en ik nog nooit gedaan. Daar-om heb ik jouw cadeautje aan hem, een schetsboek, gepakt en de eerste bladzijde met een scherp krijtje beklad.'
'O, ik begrijp het maar al te goed,' zei je.
'We blijven altijd getrouwd.'
'Nee, Mason.'
'Als je in onvoorwaardelijke liefde gelooft...'
'Liefde heeft niets te maken met...'
'En hoe moet het met Opal?'
'Zij is mijn zusje.'
'Opal is onze dochter.'
'Wettelijk is ze mijn zuster.'
'Je hebt dit helemaal uitgedacht, hè? Is ze van jou? Is het huis van jou? Heb ik helemaal geen rechten? Niets van dat al?'
'Heb je enig idee van wat er in de sauna is gebeurd?'

'Ik hou van Opal.'

'Dat weet ik. Je verdwijnt heus niet uit haar leven, daar zorg ik wel voor.'

'Denk aan haar.'

'Dat doe ik.'

'Dan wil ik niet meer leven.'

'Zeg dat niet, Mason.'

'Als jij dit huwelijk niet wilt... dan wil ik mijn leven niet.'

'Gaan we weer op die toer? Je kunt me niet chanteren met...'

'Aan jou de keus.'

'O nee. Mijn keus is vertrekken.'

'Wat wil je dan van me? Dat ik tegen je zeg: het is al goed, Annie? Ga maar? Ga maar en leef je leven maar zonder mij? Nou, zo makkelijk gaat dat verdomme niet.'

'Ik doe dit niet om jou te kwetsen.'

'Bedenk dan maar eens hoeveel meer schade je aanricht als je er wel op uit bent om me te kwetsen.'

'Me met zelfmoord chanteren houdt me heus niet hier...'

'Ik chanteer je niet en ik speel ook geen spelletje. Ik constateer een feit.'

'Ga je gang dan maar.' Je gezicht trok zo wit weg dat je sproeten wel inktvlekjes leken.

Mijn buik was als ijs.

'Je weet dat ik dat niet meen, Mason.'

Je trok de kraag van je jurk omhoog alsof je je compleet voor me wilde verstoppen. 'Sorry. Wil je werkelijk dat ik blijf omdat je dreigt jezelf van kant te maken?'

'Het maakt me niet uit, als je maar van mij bent.'

'Nou, dat heb je verknald.'

'Sorry. Oké? Jezus, je gelooft me niet, hè?'

'Ik weet niet meer wat ik van je moet geloven.'

'Jij had ook een aandeel in wat er in de sauna is gebeurd.'

'Daarom wil ik ermee kappen.'

'Het waren alleen woorden totdat je Jake aanraakte. Je vond het fijn...'

'Ja, en dat is het ergste wat ik ooit heb gedaan,' zei je. 'Het op een na ergste is...'

[7] Stormy

– *Stam van de blotevoetenvrouwen* –

Het is november en ik loop op het vlakke, harde zand van de baai, mijn jeans tot mijn knieën opgerold. Vanbuiten ben ik vijfenvijftig, maar vanbinnen zit mijn echte leeftijd... twaalf. Als kind in Duitsland verlangde ik naar die leeftijd. De leeftijd die zich binnen in me heeft genesteld. Golven duwen tegen mijn kuiten, jagen me naar het schuim en de kiezels, die eeuwig verschuivende grens tussen nat en droog zand, tot ik – opnieuw – de baai in ren. Slechts een paar mensen op het strand, mensen met schoenen en sokken en sjaals en handschoenen. Als ze mij zien, trekken ze hun jas dichter om zich heen.

Mijn voeten verwarmen de zee. Als ik hier alleen loop, stel ik me vaak vrouwen voor die voor me uit lopen en wier blote voeten de baai zo hebben verwarmd dat, zelfs in november of januari, vissen die naar milder water zouden zijn vertrokken er nog steeds zijn en vogels aantrekken die vanuit andere gebieden zijn gemigreerd.

Ik denk aan ze als de stam van de blotevoetenvrouwen. De stam is ontstaan met de vrouwen en zusters van walvisvaarders die, eenmaal op middelbare leeftijd gekomen, elkaar op deze zandstrook ontmoetten. Ze planden zo'n bijeenkomst nooit, het was altijd bij toeval. Ze herkenden elkaar omdat ze in de winter op blote voeten langs de oceaan liepen. Terwijl sommige vrouwen als de dood waren voor die plotselinge hitte in hun lichaam, gaven de blotevoetenvrouwen die hitte aan de zee terug en absorbeerden de enorme gezondheidsbronnen uit de zee waardoor ze met het ouder worden elke dag soepeler werden, energieker. Het is het soort gezondheid dat je in een van de oude spa's in Europa kunt opdoen, zoals Karlovy Vary in Bohemen, waar ooit koningen en dichters uit de warme zwavelbronnen dronken of in het heilzame water baadden.

Annie zwaait in de verte naar me, komt naar me toe rennen, wapperende haren, één rode wimpel. Vanaf deze afstand had ze Lotte kunnen zijn. Toen Annie nog een dreumes was, zagen Lotte en ik al hoe de jongens om haar wedijverden – Mason kwikzilver, Jake onwrikbaar – en hoe Annie ze beiden verblindde.

Verdomme... wat mis ik Lotte. Des te meer nu haar dochters om me heen zijn en merk dat ik haar leer kennen uit een periode voordat ik haar ontmoette. Ik zie haar in vroegere incarnaties, zo oud als Opal. Het was anders toen Annie klein was, omdat Lotte toen nog leefde en per dag veranderde.

Ik wacht op Annie. Op mijn gezicht: de dichte en glibberige mist. Om mijn kuiten: het schuim van de baai.

Ze kijkt naar mijn voeten, schudt haar hoofd maar trekt dan haar schoenen uit.

'Hier ben je nog niet oud genoeg voor, Annie.'

Ze schenkt me die schuinse blik.

'Ik meen het.'

'Ik vind koud water niet erg.' Maar op het moment dat een golfje aan haar voeten likt, slaakt ze een gilletje. Toch loopt ze met me verder in de wind, resoluut, haar lange benen nemen grotere passen dan de mijne.

'Ik heb het je niet eens gevraagd,' zegt ze plotseling. 'Loop je misschien liever in je eentje?'

'O nee. Ik heb mijn eenzame wandelingen wel gehad.'

'Mason zit in me, hangt om me heen...'

Ik wil haar niet met mijn vragen wegjagen. Maar ik heb er zoveel. Vragen en de herinnering aan één dag waarop ik van Mason hield. Een dag in september, Annie en hij waren zestien, de oceaan was op zijn best en voor de strandwachten was het einde seizoen, en een jonge vrouw liep het water in.

Benen als boomstronken. Daarboven een badpak als een weidelandschap: rode en blauwe bloemen op groene stretch. Van achteren was ze een solide rechthoek, het enige licht kwam tussen haar kuiten en hielen door, een kleine omgekeerde V-vorm van licht. Ze schreeuwde het opgetogen uit toen de eerste golf haar raakte, ze in zee gleed als een zeeschepsel dat naar zijn habitat terugkeert, gewichtloos toen haar lichaam de golven bedwong. 'Prachtig,' zei Mason. Behendig en onverschrokken zwom ze weg, haar lichaam met de golven mee deinend, een jonge vrouw wier omvang voor drie telde. Maar toen ze terugzwom en eruit probeerde te komen, gooide de golf haar op het zand, haar omvangrijke borsten golfden half over het weidelandschap van haar stretchbadpak. Ze was niet sterk genoeg om haar eigen gewicht te torsen, werd door de oceaan opgezogen en de volgende golf schudde haar door elkaar. Op handen en knieën kroop ze aan land alsof ze ineens een oude vrouw was geworden. Zo'n angst op haar gezicht. Op dat moment sprong Mason op en rende naar haar toe, stak zijn hand uit toen een volgende golf haar wegtrok. Hij bleef bij haar, bracht haar op het droge. Met zijn beide handen in de hare hielp hij haar overeind. En toen hij met haar naar de deken liep en tegen haar praatte, voelde ik me veilig in de wereld. 'Jij bent een van de goeien, Mason,' zei ik tegen hem.

'Ik wil... van Mason af,' zegt Annie.

Ik knik. Laat haar praten.

'De wegen zijn te glad om te belopen,' zegt ze. 'Alleen op het strand is het veilig, waar het getij het ijs heeft weggespoeld.'

'Zo is het.'

In de lucht zijn wel duizenden grijstinten te zien. Het zand is net zo koud als de lucht, maar het water is milder. De mensen die we tegenkomen zijn van top tot teen ingepakt en blijven boven de vloedlijn. Ze hebben geen idee hoe zacht de baai is in november. Maar kleine kinderen voelen de adem van de golven op hun gezicht, willen erin rennen en spelen.

'Ik wil dat hij op een plek is... waar hij de vraag moet beantwoorden waarmee hij mij altijd opzadelde.' Ze kijkt naar haar schoenen die ze boven de vloedlijn heeft laten staan.

'Je kunt je schoenen nog ophalen.'

'Ik heb ze niet nodig.'

Ik pak haar hand vast. 'Je hebt koude vingers.'

'Het ergste wat ik heb gedaan, is dat ik hem niet in leven heb gehouden.'

'O Annie. Nee. Niemand van ons had hem in leven kunnen houden.'

'Je begrijpt...'

'Dat kon hij alleen zelf.'

'Je begrijpt het niet...'

Alle drie net een mand vol puppy's. Een speelse kluwen. Weten niet wanneer ze er zelf uit kunnen klimmen. Blijven er veel te lang in.

'Ik had hem moeten tegenhouden,' zegt ze.

'Misschien had je die macht helemaal niet.'

Ze kijkt me verbijsterd aan.

'Ik heb zeer zeker de macht niet om iemand voor zijn eigen leven of dood te laten kiezen. Mason heeft die keus gemaakt. Voor zichzelf. Hij was de enige die die keus kón maken, Annie. Wat er voor die tijd ook is gebeurd. Ook al hadden jullie de hevigste ruzie ooit.'

'Hoe kom ik hier dan vanaf?' vraagt ze. 'Van dat gevoel?'

'Dat doe je al.'

'Niet waar.'

'Lopen... voor Opal zorgen... werken... praten...'

'Maar het houdt niet op. Ik kan het niet stoppen.'

'Het zal nooit helemaal weggaan.'

'Hij zit nog steeds boven op me.'

'Dat wordt elke dag een beetje minder.'

'Zo voelt het niet.'

'Nog niet.'

Ze pakt een klomp zeewier en pantoffelslangen waarvan de schelpen – met grijze en roze kleurschakeringen – aan elkaar vastzitten en een halve cirkel vormen op het punt waar ze samenkomen.

'Ik ben nog nooit iemand tegengekomen die ze los kan krijgen,' zeg ik tegen haar.

Ze trekt er voorzichtig aan. 'Ik wil ze ook eigenlijk niet lostrekken.'

'Het vrouwtje zit altijd onder. Ze beginnen allemaal als een mannetje en kunnen in een vrouwtje veranderen, maar niet terugveranderen. Als er niet genoeg vrouwtjes zijn, ondergaan sommige mannetjes in het midden een geslachtsverandering.

'Verbazingwekkend. Hoe krijgen ze hun voedsel binnen?'

'Dan schuiven ze iets uit elkaar...'

'Nu niet.'

'Nee, als ze niet... zo worden bekeken, vermoed ik. Dan laten ze wat voedsel binnen en sluiten ze zich weer.'

Ik vind het fijn dat ik zo oud ben dat ik met de stam van de blotevoetenvrouwen mee mag lopen. Met vijfenvijftig geneer ik me niet meer voor de vurige getijdenstromen zoals op mijn dertiende toen mijn lichaam zijn herinneringen aan zichzelf achter zich liet – speels koppig verlegen leesgraag onschuldig – en me in de war bracht. Niet zoals de hitte van vandaag waar mijn huid vuurrood van wordt. Alleen de sensatie verschilde hemelsbreed, tegendraads en verward, iets om voor te vechten of mezelf aan over te geven, volledig.

Ik geloofde werkelijk dat ik het enige meisje was met die dodelijke hitte die me elk moment in haar greep kon krijgen. Bijvoorbeeld wanneer ik naar een jongen keek. Was die hitte een teken dat ik me tot hem aangetrokken voelde? Ook al had ik dat gevoel helemaal niet? Alleen maar vuurrood-onbeholpen. Voelde aantrekkingskracht zo aan? Tegen alle rede, alle wil in? Was mijn lichaam soms niet te vertrouwen omdat het me kon verraden?

Voor ons zien we sculpturen van gedroogd riet en kleine schelpfragmenten in het zand, delicaat, ze zouden zeker worden weggespoeld.

'Zo eentje zou ik wel voor mijn tuin willen meenemen.'

'Ze horen daar,' zei Annie resoluut.

Ik laat haar hand los. Ga voor de sculpturen op mijn knieen zitten, stuk voor stuk verschillend in de manier waarop het riet en de schelpen met elkaar harmoniëren. Ernaast ligt een gedeukt bierblikje.

'Ik pak niemand iets af.'

'Stel dat ze een teken zijn...'

'Als het weer vloed wordt, worden ze sowieso gegrepen.'

'...of een boodschap aan iemand?'

'Dan mag de ontvanger van die boodschap wel opschieten.' *Ik had haar alleen uit wandelen moeten sturen.* Ik hef het lege blikje omhoog alsof ik een toost uitbreng en vraag Annie: 'Heb je er bezwaar tegen als ik dit in de recyclebak gooi?'

'Waarschijnlijk is dat van iemand geweest die hier later is langsgelopen, niet van degene die dit heeft gemaakt.'

Zeemeeuwen vermengen zich met de grijze lucht, steken in lichtere grijstinten af wanneer ze van de ene naar de andere tint vliegen.

Terwijl het zware, bruine zand zich om mijn voeten zuigt en hun vormen aanneemt, loop ik verder langs de zee, voor eeuwig twaalf – twaalf op elke leeftijd die ik sindsdien heb doorleefd; elke leeftijd die ik zal bereiken. Beheerst. Terughoudend. Bevallig.

Alles willen wat authentiek is, verfijnd. De smaak van zout op mijn lippen. De door de nevel sijpelende lichtglinstering. De zandkorrels die ik tussen mijn tenen wegwrijf voor ik op mijn bed ga zitten en Pete over mijn wandeling vertel. Vroeger rende hij over dit strand. Maar door de beroerte is hij gekrompen, kwetsbaar, en hij eist zijn lichaam met zo'n volharding terug dat ik nu nog meer van hem houd.

Ik heb gezegd dat ik met hem wil trouwen.

'Wat... nu?'

Ik kon niet tegen hem zeggen: '*Omdat je me harder nodig hebt.*' Ik zei: 'Doe het voor mij. Maak een fatsoenlijke vrouw van me.'

'Jij... bent een... buitengewoon... fatsoenlijke vrouw.'

'Oké. Ik heb nu de juiste leeftijd om te trouwen.'

Hij glimlachte. 'Waarom?'

'Dan zou ik me minder zorgen maken. Over jou. Als we getrouwd waren.'

'Maar... het is zo... goed tussen ons... omdat we... niet getrouwd zijn.'

Annie heeft me verteld dat hij haar bij haar werk inspireert. Ze vindt het geweldig hoe hij opstaat, langzaam, bevend in zijn lichaam tevoorschijn komt, zijn vingers betasten de vloer, lopen als vanzelf naar zijn voeten, zijn gewicht op één vinger, dan op een volgende, trillend, elke beweging valt in duizend componenten uiteen als zijn lichaam als een kind de volgorde van die bewegingen ontdekt. Ontdekken. En herhalen. En onthouden. De volgende keer makkelijker omdat het geheugen de ontdekking opfrist. Takelt niet af zoals had kunnen gebeuren. Een keus. En hoe opgetogen hij is als hij ons laat zien dat hij weer iets meer kan dan de dag ervoor.

'Moet je eens luisteren,' zegt Annie.

En ik luister. Naar de golf die nu over de kiezelbank stroomt. Zoals die zich terugtrekt, en van die kiezels rijst gemurmel op.

'Hoor je dat?' Annie glimlacht.

'O ja.'

We luisteren. Wachten. Omdat het murmelen niet bij elke golf te horen is. Alleen als de volgende golf niet tegen de zich terugtrekkende golf botst. Het murmelen klinkt alleen als er een rustpauze tussen momenten zit, die rust van één zijn met alles om ons heen, voordat de kiezels zich opnieuw tegen elkaar roeren.

Terwijl Annie Pete meeneemt voor zijn bloedtest, bakken Opal en ik de platvis die ik sinds een week voor zijn beroerte in de vriezer had liggen, toen Pete en ik uit vissen waren geweest. 'Waar smaakt platvis naar?'

'Een beetje als bot, mals en vlokkig. Je moeder vond ze altijd naar boter smaken... vond dat boter onderdeel van de natuurlijke smaak was. Zij fileerde ze en ik bakte ze altijd. De man die ons de boot verhuurde, heeft ons dat geleerd. We moesten elk jaar aan hem denken, maar ik geloof niet dat hij zich ons herinnerde. Je had Lotte moeten zien roeien. Als een pijl...'

Gretig naar nog een beeld van haar moeder, buigt Opal

zich naar voren. Ik denk dat ze haar beelden aan verschillende verhalen ontleent, zodat het beeld van Lotte wordt aangevuld en herzien, misschien samenkomt in een soort kruising tussen Annie en mij, verandert wanneer Opal zich haar voor de geest haalt.

Ik zie Lotte ook, in de boot, en ik ben daar, bij haar. 'Niet alle kanten op zwalkend, zoals ik. Daarom roeide zij altijd. Toen we de *Big Bertha* een keer huurden...'

'Wie is dat?'

'Dat is de naam van een boot met buitenboordmotor. Gelukkig had hij ook roeispanen, want toen we terug wilden varen, wilde de motor niet starten en heeft Lotte ons geroeid.'

'Ik heb meer meel nodig.'

'Daarna maalden we niet meer om de motor. We waren dol op vissen. Toen we nog au pair waren...'

'Wat voor soorten peer?'

'*Au pair*. Een soort kinderjuffrouw. Zo hebben Lotte en ik elkaar leren kennen.'

'Niet in Duitsland?'

'In Duitsland kenden we elkaar niet. Pas toen we in Amerika kwamen en als kinderjuffrouw bij elkaar in de buurt werkten. In Southampton. We gingen buiten het seizoen altijd naar Montauk en huurden het kleinste huisje dat we konden vinden. Dan kochten we pijlinktvis als aas en bewaarden die in de koelkast tot Lotte hem in stukjes sneed.'

Opal grimast.

'Vond ik ook.' Ik lach. 'Ze waren inderdaad slijmerig, en ik ging altijd naar buiten als zij ze sneed en dat zwarte spul eruit spoot.'

'Als inkt?'

'Als inkt vermengd met grijs water. We gingen naar een haven aan East Lake Drive waar we per halve dag vishengels en een boot konden huren. We moesten in de haven blijven en

213

Lotte roeide ons dan zo'n driehonderd meter uit de kust en gooide het anker uit. We visten altijd op bot.'

'Hoe zien botten eruit voordat ze...' Ze steekt een met bloem bestoven filet omhoog, '...zo?'

'Plat en bijna rond. Bruingrijs met de ogen bovenop.'

'Bovenop?'

'Bovenop. Hun buik is wit en zacht omdat ze in het zand liggen. Het zijn bodemvissen. Je moeder... raakte altijd zo opgewonden als ze er een gevangen had.' *Ik zie ons in de boot met shorts en een sweatshirt aan. Lotte stopt haar vingers in het slijm, doet twee stukjes aas aan de haak. Een voor mijn hengel en een voor de hare. Dan buigt ze zich over de zijkant van de boot en roert met haar handen in het zoute water.*

'Soms vingen we andere vissen,' vertel ik Opal. 'Eentje noemden we leeuwenvis – ik weet niet of ze echt zo heetten, alleen dat ze lelijk waren. We gooiden ze altijd weer terug.'

Ik vertel haar niet dat het me zo speet van de vis omdat de haken door hun bekhoeken staken. Of hoe Lotte de haken eruit trok en de vis op de bodem van de boot gooide, waar ze bleven rondspartelen. Ik hield mijn voeten altijd bij ze weg. Probeerde niet naar hun lippen te kijken die helemaal opengesneden waren. Een vis had de haak helemaal tot ergens in zijn maag doorgeslikt en toen Lotte eraan trok, kwamen de ingewanden van de vis uit zijn bek zetten, nog steeds aan de haak vast.

Maar dit kan ik Opal wel vertellen: 'Je moeder deed altijd het smerige werk, niet alleen het aas maar ze haalde ook de vis van de haak en maakte ze schoon. Ik was gauw misselijk. Ik dacht dat je moeder een keiharde was, maar toen ik dat tegen haar zei, werd ze boos op me en zei dat ik geen idee had hoeveel moeite ze ermee had.'

'Ik heb bot gebakken op de dag dat jouw ouders verliefd op elkaar werden,' zeg ik tegen Opal. 'Zo is je moeder aan je vader gekomen, door mijn kookkunsten. Lotte nodigde Phillip te eten uit en we deden alsof zij had gekookt.'

'Waarom?'

'Ze kon niet zo goed koken terwijl ik het heerlijk vond. We lieten Phillip in de zitkamer en wij renden naar de keuken heen en weer.

Opal lacht.

'Ik zei tegen hem dat ik Lotte hielp. Toen ik klaar was met koken, ging ik naar de film en zij diende het eten op tafel op.'

Ik vertel Opal alleen het dinergedeelte, natuurlijk. Niet hoe Phillip en Lotte op de bank de liefde bedreven en een vlek maakten die Lotte er niet meer uit kon krijgen. Toen ze me bekende hoe ze mijn bank had verruïneerd, wilde ik veel liever weten hoe het was om met elkaar naar bed te gaan, omdat geen van ons dat tot dan toe had gedaan. Toch accepteerde ik haar ruil: haar tafel voor mijn bank.

It's Make Love, Not War, Stupid
We Need a Regime Change
Listen to the world, George

Overal om ons heen zijn de tekenen in de wind zichtbaar. Het vriest en we dragen drie stel kleren over elkaar heen. Maar het is opwindend om in New York te protesteren, ook al heeft de stad de zijstraten gebarricadeerd zodat, wilde je het podium op First – waar de toespraken werden gehouden – bereiken, je naar het noorden de Sixtieth in moest lopen en hopen dat je een kans kreeg om First vanuit het noorden te benaderen.

Politie met grimmige gezichten. Overal.

De menigte beweegt zich zo langzaam als de rij voor het damestoilet op een matinee.

'Dit zou Pete wel kunnen bijhouden,' zeg ik tegen Annie.

'Hij zou door de menigte worden gemangeld.'

'Dat is waar. Beter voor hem en Opal dat ze vandaag op elkaar passen.'

'De politie ziet er doodsbenauwd uit.' Annie zwaait naar een paar agenten. 'Kunnen demonstranten hier koffie krijgen?'

Er kan zowaar een lachje af. Ze zien ons nu wellicht als individuen, niet als een massa gezichtsloze vijanden.

Annie en ik dragen elk een poster aan een touwtje om onze nek, die de hele voorkant van onze jas bedekt. Annies: 'Oorlog Is Terrorisme'. De mijne: 'TIJDIG weigeren is wezenlijk voor democratie'. Toen ik mijn poster gisteren aan het maken was, kostte het me uren om die tekst te bedenken en nog drukt het niet uit wat ik de mensen onder de aandacht wil brengen: als de generatie van mijn ouders zich van meet af aan tegen Hitlers bewind had uitgesproken, hadden ze de Holocaust kunnen voorkomen, daar ben ik van overtuigd. En op dit moment zijn er een hoop vergelijkingen te trekken tussen het Amerikaanse regime en de jaren waarin Hitler aan de macht was.

Veel te lang. Te formeel. Hier zijn voetnoten bij nodig. Beter een oneliner in chocoladeletters die mensen in één oogopslag zien. Ik dacht nog op te schrijven: TIJDIG weigeren is patriottisme. Maar sinds 9/11 neigt patriottisme naar nationalisme, en zijn er momenten waarop ik mijn mening niet hardop durf te zeggen, momenten waarop ik wilde dat ik met Lotte kon praten over hoe riskant weigeren was geworden; hoe twee van mijn vrienden van de wake in de gaten worden gehouden; hoe sommige demonstranten op vliegvelden zo lang worden vastgehouden dat ze hun vlucht missen. Ik wilde dat ik het met Lotte kon hebben over de vlaggen die ongeveer net zo snel de lucht in gingen als het WTC werd neergehaald; over het alom gevoelde verdriet in de dagen vlak na 9/11, in een groot deel van de wereld zelfs, tot Bush ons verdriet voor zijn eigen doeleinden aanwendde.

Maar ik wilde met Lotte vooral over haar dochters praten, die in hun verlangen naar hun moeder naar mij waren gekomen. Na Lottes dood was Annie degene met de vragen, wilde dat ik aanvulde wat zij niet van haar moeder wist. En nu de kleine. Ik ben niet genoeg voor ze. Kan niet genoeg voor ze zijn. Want ik ben Lotte niet.

Op sommige dagen zoek ik in hun gezicht naar Lotte. Stralend, gulzig en mooi. Voel Lottes huid tegen mijn vingers als ik Annies haar uit haar ogen strijk, of als ik Opal op teken controleer nadat ze buiten heeft gespeeld. Annie maakt zich zorgen dat ze zo plotseling van verrukking in woede kan omslaan, maar ik heb Lotte ook zo meegemaakt, gezien hoe ze van dat kwikzilver van haar gebruik kon maken. Zoals tijdens dat concert bij een vrijmetselaarsloge. We waren nieuwsgierig, hadden onze plaatsen gelaten voor wat ze waren en gingen fluisterend en giechelend op onderzoek uit. In de schemerige hal boven versperde een wachtpost ons de weg. Voor hij iets kon zeggen, vroeg Lotte dwingend: 'Waar is het damestoilet? We missen het concert nog omdat we ons rot zoeken naar het toilet.' *Lotte. Bluf.* Net als Opal. Die geen evenwicht vindt in haar woede en verrukking, zoals Lotte dat kon.

Annie was vroeger net zo gulzig als Lotte, maar vertrouwt zichzelf niet meer, durft dat niet meer aan. Ik zie die verandering in hoe ze met Opal omgaat, uit angst dat ze haar ook kwijtraakt.

'Hoeveel zijn het er, denk je, in dit blok?' vraagt Annie.

'Zeker vijftigduizend...'

'Nee, eerder honderdduizend.'

'En alle andere blokken staan ook vol mensen.'

'Moet je kijken...' Ze gebaart naar een spandoek voor ons: 'Ergens in Texas zijn ze van hun dorpsgek af'.

'Mason had met zoiets kunnen komen aanzetten. Vergeleken daarmee zijn de onze maar een slap aftreksel.' *Verdomme.* Ik had er steeds zo zorgvuldig op gelet dat ik het niet over hem zou hebben, tenzij Annie dat zou doen.

Ze probeert te glimlachen maar ziet er verslagen uit. Alsof ze zijn dood weer helemaal opnieuw beleeft.

'Sorry, Annie.'

'Je hebt gelijk. In vergelijking daarmee zijn de onze inderdaad een slap aftreksel.'

'Er is niets slaps aan vrede.'

Ze kijkt om zich heen alsof ze iemand verwacht. Of iemand vermijdt? Misschien een van de mensen die met ons in de vredestrein meereden, meer dan dertig mensen van de vredeswake die al vroeg in Southampton was begonnen, en onderweg kwamen er bij elk station meer bij. Toen we op Penn Station aankwamen, waren we met een groep van ruim tweehonderd man, en we probeerden bij elkaar te blijven toen we richting oosten gingen, ons onderweg aansluitend bij andere groepen tot we op Sixth Avenue tot één grote protestgolf waren samengesmolten. Daar marcheerden we naar het noorden op, dan opnieuw naar het oosten, in deze stad die toestemming had gegeven voor onze mars.

Inmiddels waren we iedereen van de begingroep kwijt, behalve Bill van Amnesty International, wiens poster JE MOEST JE SCHAMEN, GEORGE ver voor ons uit te zien is. De energie van de demonstranten is ongelooflijk. We gaan er zo in op dat we niet per se bij bekenden hoeven te zijn. Hier zijn geen vreemden.

Annie trekt haar kraag op. 'Wedden om twintig dollar dat Mason iets schandelijks op zijn bord had gezet?'

Ik speel het spelletje mee. 'Dertig dollar.'

'Wees maar voorzichtig als je tegen mij wedt. Ik ben een dure klant. Mason heeft duizenden aan me verloren.'

'Dat is niet het enige dat hij heeft verloren.' *Verdomme.* 'Idioot om zoiets te zeggen. Ik geloof het niet eens. Heeft je moeder je ooit verteld dat ik behoorlijk tactloos kan zijn?'

'Ja,' zegt Annie en ze legt haar hand op haar mond.

'Heel erg tactloos?'

'Bruusk. Zo noemde zij het.'

'Ik dacht dat ik het uiteindelijk wel zou afleren... bruusk, maar dat is tot dusverre niet gelukt.'

'Maar dat vond ze nou juist zo leuk aan je.'

'Echt waar?' Ik glimlach. 'Bruusk, hè?'

'Moet je kijken.' Annie wijst naar een bord: BOMBARDEER TEXAS – DAAR ZIT OOK OLIE.

'Tot nu toe stond mijn favoriete slogan op het T-shirt van een rondborstige vrouw: MASSAVERLEIDINGSWAPENS.'

'Die vond ik ook mooi.'

'Wat heeft Lotte nog meer over me gezegd?'

'Dat je direct bent... genadeloos eerlijk.'

'Dat noemen ze ook wel tactloos. Dat doe ik niet met opzet.'

'Ik wil eraan wennen dat ik zonder onmiddellijk in te storten... Masons naam kan horen noemen.' Er klinkt iets anders in die woorden door, wat zich naar buiten wil duwen.

Ik zeg tegen haar: 'Wat je ooit ook hebt gedacht of gedaan, ik schrik er heus niet van.'

Ze knippert met haar ogen, legt een hand tegen haar keel en een ogenblik lijkt het alsof ze wel-vertellen afweegt tegen niet-vertellen, en dat wel-vertellen betekent dat ze eruit kan komen. Maar plotseling rukken demonstranten van tegengestelde richting op, tegen de stroom van de menigte in. Komen ze nu al terug?

'Wat is er gebeurd?' Stemmen. Van alle kanten.

'Ze hebben Second afgezet.'

Een stem. Schril. 'Van wie zijn die straten eigenlijk?'

'Van ons!'

Op haar tenen zoekt Annie de menigte af.

'Wacht je op iemand, Annie?'

'Niet echt... behalve op Jake... Misschien.'

Mijn belangstelling is gewekt, uiteraard.

Achter haar zijn drie mensen in afzetlint gekleed, en ze hebben afzetlint over hun mond geplakt. ZEG NEE TEGEN AFZETLINT.

'Van wie zijn die straten?'

'Van ons!'

'Wat is er gebeurd?' vraag ik aan een jonge man die tegen ons aan duwt.

'Het is afgesloten. Verderop. Die klootzakken... Oeps, neem me niet kwalijk, mevrouw.'

'Nou, ik schrik me verdomme dood dat je dat soort fucking taal tegen me uitslaat.'

Hij schatert het uit. Tilt zijn poster omhoog. BUSH IS EEN VERDOMDE IDIOOT.

'Niet teruggaan,' roept een vrouw.

'Ik weet niet eens zeker of Jake er wel is,' zegt Annie. 'En zo ja, of hij ons kan vinden.'

Dat is me nogal een obstakel. Honderdduizend mensen tussen Jake en haar in.

Maar ik zeg alleen maar: 'Waar heb je met hem afgesproken?'

'Dat hebben we opengelaten.'

Plotseling word ik van haar gescheiden.

De massa lijven sluit me in.

Koning George regeert door angst.
Hij mag niet namens mij spreken.

'Annie!'

'Wiens straten?'

Brullend: 'Onze straten!'

'Nu niet meer teruggaan!'

'We stoten door!'

Een hand grijpt de mijne. 'Hou je vast.'

Ik hou vast.

'Wiens straten?'

'Onze straten!' Harder nu, breekt door de spreekkoren heen.

Al die verschillende groepen met elkaar verbonden, jong en oud, radicalen en religieuzen...

'Laten we naar het noorden teruggaan, naar Third,' stelt Annie voor. 'En dan kijken we daar of we op First kunnen komen.'

Maar ik trek haar mee naar voren. 'Wiens straten?' schreeuw ik.

'Onze straten!' Eén schreeuw nu.

'Wiens straten?'

'Onze straten!' Annie en ik vallen in de brul in als we in de buurt van de wegversperring komen.

Een vrouw komt langs het kordon uniforms door een ID te laten zien. Dan twee mannen. Een jong stel.

'Die wonen vast in de buurt,' zegt Annie.

Ik zwaai mijn protestbord op mijn rug. 'Doe precies wat ik doe. Ik leg het later wel uit.' Langzaam loop ik naar een jonge politieman met een grote, zwarte snor.

Annie grijpt mijn elleboog. 'Niet...'

Ik stop haar hand onder mijn elleboog alsof ze me ondersteunt. 'Meneer?'

Met zijn vingers streelt hij zijn snor. 'U kunt hier niet doorheen.' Lange wimpers. Knokige slapen, ik beeld me in dat hij goed is in bed, een bescheiden man die zichzelf en anderen nog zal verbazen.

'Mijn moeder... ik moet naar mijn moeder.'

'Ik kan u niet doorlaten, mevrouw, tenzij u een bewijs hebt dat u hier woont.'

Wat is dat voor mevrouw-onzin?

'Mijn moeder zit in een rolstoel.' Komt dat uit mijn mond? Ik ben nooit dol geweest op liegen en geloof nog steeds dat een leugen zo dicht mogelijk bij de waarheid moet liggen. 'Mijn moeder woont daar...'

'Waar woont uw moeder?'

Ik scan de straatbordjes achter hem. Op het water heb ik een ingebouwd kompas, maar in de stad raak ik mijn oriëntatie volkomen kwijt. 'Op de hoek van Second en fifty-seventh, agent. We moeten naar haar toe.'

Hij bestudeert me. Zijn gezichtstrekken zijn zo beweeglijk, een spiegel van zijn geest, en zijn vingers zitten weer op de snor. Die schitterende wimpers. Een golf van wellust slaat door me heen, zo heftig dat ik hem zo in een deuropening zou willen nemen. Maar ik breng mezelf in herinnering dat ik ontsteld moet lijken en zo kwetsbaar dat hij zich mijn moeder voorstelt als een heel oude vrouw in een heel oude rolstoel. Als je zag hoe ik Annies arm nodig had om überhaupt overeind te blijven, dan zou mijn moeder zo'n beetje honderd jaar moeten zijn.

Als hij ons door een gat in de wegafzetting naar voren gebaart, aarzelt Annie, maar dan rent ze achter me aan. 'Door jou worden we nog gearresteerd,' sist ze.

'Ik heb er alles voor over om mijn moeder in een rolstoel te zien.'

'Je hebt me verteld dat je moeder doodging toen je in de twintig was.'

'Dan heb ik haar laten herrijzen.'

222

'Jezus christus.'

'Een rolstoel is beter dan het graf, Annabelle.'

We steken Second Avenue over en ontwijken een berg paardenstront met middenin een poster: BUSHIT.

'Waar neem je me nu mee naartoe?' zegt Annie.

'Ik wil bij dat podium zien te komen.'

Bij het podium zouden we BigC ontmoeten, waar ze contact zou leggen met zes vrouwen uit Ohio die de nacht in haar appartement zouden doorbrengen. Tijdens de laatste wake in Sag Harbor had ze mij en Annie uitgenodigd om na de demonstratie bij haar te overnachten. Toen we tegen haar zeiden dat we naar Opal en Pete terug moesten, e-mailde BigC een vredesgroep die slaapplaatsen voor demonstranten van buiten de stad coördineert. Ik ben benieuwd hoe ze die ooit moet vinden.

'We komen er nooit doorheen,' zegt Annie.

'Maak je geen zorgen. Mijn moeder sleurt ons er wel doorheen.'

'Je hebt me verteld dat ze nooit een voet buiten Duitsland heeft gezet.'

'Vandaag heb ik het gevoel dat ze heel dichtbij is.' We naderen een volgende afzetting en ik ga langzamer lopen, onzekerder.

'Alsjeblieft, niet doen.'

'Jouw moeder zou geen moment hebben geaarzeld. Wist je dat ze in haar hele leven nog nooit een snelheidsboete heeft betaald? We werden een keer in Southampton aangehouden en ze zei tegen de agent dat ze zo blij was dat hij langskwam. Vroeg hem: "Hoe kom ik op de snelweg aan de andere kant van de stad? Ik heb het nu al vijf keer geprobeerd en ben compleet verdwaald, ik kom steeds hier weer uit." Hij wees haar de weg, dolblij dat hij haar kon helpen.

Toen Lotte en ik onze crosscountryrit deden...'

'Dames...' Een agent steekt haar hand op. Grote neus, expressieve ogen. 'Rechtsomkeert, dames.'

'Dat begrijp ik, agent. Maar mijn moeder woont hier twee blokken vandaan. Ze zit in een rolstoel, en...'

'Ik kan u niet doorlaten.'

'...en de zuster gaat om halftwee weg...' Ik dik mijn accent een beetje aan. Meestal hoor je het bijna niet, maar ik haal het zo weer uit de kast... 'en we moeten daar zijn voor ze...'

'Schiet op, dan maar.' De agent gebaart me door te lopen. 'Jij niet,' zegt ze tegen Annie.

'O!' zeg ik met een gemaakt bibberstemmetje. 'Maar dat is mijn dochter. Annie? Annie, je moet me helpen oma uit haar stoel te tillen...'

'Ga maar.' De agent maakt de opening vrij voor Annie. Twijfel in haar ogen. Twijfel en de angst voor een rechtszaak.

Als we ver genoeg uit de buurt zijn, zegt Annie: 'Hoe zit het met die cross-countryrit?'

'Lotte reed veel te hard en we werden achtervolgd door een politieauto. Toen ze stopte en de agent naar onze auto toe liep, zei ze dat ze alleen maar zo hard reed omdat ze ongesteld was geworden...'

'O nee...'

'...en geen maandverband bij zich had en dat ze een drogist wilde halen voordat alles op haar stoel zou doorlekken, en...'

Annie lacht. 'Arme man.'

'Ik zie hem nog van onze auto terugdeinzen.'

'Waarschijnlijk heeft hij die op het prikbord van het politiebureau gehangen onder: "Nog niet eerder gehoorde smoezen".' Annie steekt haar arm door de mijne. 'Mason had het geweldig gevonden om zich langs de politie te wurmen.'

Voor ons lopen een man en een vrouw met hun voeten naar buiten, zodat de voeten in het midden – haar linker, zijn rechter – voortdurend elkaars tenen bedreigen, of van degene die hen wil passeren. Maar we weten ons langs hen te werken en draaien ons om om hun borden te lezen.

SNAP HET DAN – GEEN OORLOG!

Groet aan de Chief. Maar de Gr en t van Groet waren doorgestreept en in Bl respectievelijk d veranderd. En de Ch in Chief in een D, zodat er op het bord stond: Bloed aan de Dief.

'Schitterend,' zeg ik tegen ze.

'Al die maanden met jou...' Annie aarzelt.

'Ja?'

'...zijn zo ongelooflijk... vredig geweest na al dat gedoe met Mason. Ik vind het alledaagse leven bij jou heerlijk.'

'Voor Pete en mij is het heel goed dat jij en Opal er zijn.'

'Zelfs tijdens deze demonstratie voel ik me op een merkwaardige manier vredig.'

De volgende afzetting wordt verdedigd door een agent die er niet al te snugger uitziet, maar wel heel snel is.

Ik knijp in Annies arm. Buig me naar haar toe. Wijs naar een punt achter de afzetting. Maar de agent schudt zijn hoofd al.

Ik vraag vriendelijk met mijn net-in-het-landaccent: 'Wilt u me alstublieft aanhoren voordat u uw hoofd schudt?'

De agent haalt zijn schouders op.

'Mijn *Mutter*... moeder zit in een rolstoel. Mijn Mutter... heeft vierentwintig uur per dag zorg nodig. De ochtendzuster is weg. Een halfuur geleden al. Als we niet heel snel bij mijn Mutter zijn...' Dat bibberstemmetje... Precies goed. Ook die dichtgeknepen keel.

'Moeder, alsjeblieft.' Annie grijpt me bij de arm. 'Agent...'

Ze haalt diep adem. 'Haar moeder, mijn grootmoeder, is heel oud, zevenennegentig, en ze heeft ernstige gezondheidsproblemen. Ze spreekt geen Engels... dus zelfs met de telefoon... is ze hulpeloos. We hadden er al een uur geleden moeten zijn, maar we konden er onmogelijk doorkomen, zoals u wel zult begrijpen.'

'Waar woont uw grootmoeder?'

'Sutton Place,' flap ik eruit.

'Sutton Place en Fifty-third,' voegt Annie eraan toe.

'Ik ben zo trots op je,' zeg ik tegen haar als we langs de afzetting zijn. 'Tot nu toe de moeilijkste.'

'Ik begin de slag te pakken te krijgen.'

'Ik mag het wel als je pit hebt.'

Annie schuift mijn protestbord weer naar voren. En trekt de hare ook recht. 'Hij komt vast achter ons aan en arresteert ons nog als hij ziet dat we demonstranten zijn.'

'Dat bijt elkaar toch niet? We demonstreerden een poosje mee en nu moeten we voor mijn moeder zorgen. Die agent wil heus niet verantwoordelijk zijn voor de dood van een oude vrouw in een rolstoel.'

'Jij was altijd degene die me vertelde dat als je ziekte, een kapotte auto of wat ook als excuus gebruikte, je dat daadwerkelijk over je afriep.'

'Dat geloof ik nog steeds.'

'Wat is dit dan... hè?'

'Zou het niet heerlijk zijn dat door mijn leugen mijn moeder uit de dood zou opstaan?' Plotseling stroomt een ongelooflijk geluksgevoel door me heen.

'Ik zie alleen maar jou en een oudere versie van jou... in dat appartement dat altijd twee blokken verderop blijft.'

Op de vredestrein terug naar Southampton verlang ik er plotseling naar om Petes stem te horen. Het is een bijna fysiek verlangen. Ik stel me voor hoe hij de trap van mijn cottage op loopt – langzaam langzaam, maar niet meer met een stok, zijn lichaam zo rechtop als hij maar kan – en op mijn deur klopt. Maar hoewel de deur opengaat, kan ik zijn gezicht niet zien. Ik kan het me zelfs niet voor de geest halen.

Als we in North Sea zijn, branden de lichten en zit hij aan tafel de *Times* te lezen. Opal slaapt op de stapel kleden met haar plastic jongenspop in haar vuist.

Ik ga achter hem staan. Houd hem stevig vast. 'Ik heb je gemist.'

Hij heft zijn gezicht op. Zijn lieve, vertrouwde gezicht. Kust me.

'Hoe ging het met Opal?' vraagt Annie.

'Geraffineerd... en... heerlijk...'

'Heel erg bedankt dat je op haar hebt gepast.'

'Heb... ik dat... gedaan? We... dachten allebei... dat Opal... op mij... paste...'

Pete staat op, één broekspijp is wat hoger dan de andere en op dat hartverscheurende moment herinnert die naakte, dooraderde enkel me er opnieuw aan hoe kwetsbaar hij is. En wat we voor elkaar betekenen – minnaars, beste vrienden – is zo zoet en intrigerend. Algauw liggen we weer een nacht bij elkaar, verwarmen we elkaar, en misschien zegt hij dan opnieuw tegen me dat ik te zorgzaam voor hem ben. *Zoveel manieren om elkaar te beminnen.*

Ik vlecht mijn vingers door die van Pete. Annie vraagt: 'Wil je Opal daar laten slapen?'

'Als ik haar nu naar boven draag, maak ik haar alleen maar wakker. Ik wil haar niet aan het schrikken maken... dat ze ergens anders wakker wordt dan ze gewend is.'

Pete drukt zijn duim tegen mijn handpalm. 'We kunnen... Opal in... onze slaapkamer... horen.'

Mason

'...is dat ik er nog meer van had genoten als jij er niet bij was geweest.'

Ik wilde wel in huilen uitbarsten – idioot – en deed wat ik altijd deed, ik drukte het met geweld weg. Ik zei: 'Dat was je aan te zien.'

'Dat durf ik te wedden.'

'Je hebt hem altijd leuker gevonden. Als kind al. Sorry. Dat bedoelde ik niet zo.'

'We zeggen allebei dingen die we niet...'

'Ik moest gewoon weten hoe jullie het zouden ervaren... en ik dacht dat als ik het eenmaal wist, we daar bovenuit konden stijgen, en...'

Je schudde je hoofd.

'Ik wil dat je me weer net zo ziet zoals die keer dat we met al onze kleren aan de golven in renden. Weet je nog hoe geschrokken Opal was? Zei tegen ons dat ze niet wilde dat we weirdo's waren. Maar toen rende ze er zelf in en spatte ons nat. O, Annie, we hebben allebei het ergste gedaan waartoe we in staat waren. In de wetenschap dat dat ons samen beter maakte.'

'Nee.'

'Ik meen het Annie. Ik ga er... een eind aan maken.'

'Hoe ga je dat dan doen? Hoe?'

'Ik weet dat precies. En als jij het eenmaal weet, is het al gebeurd.'

'Ik wil hier niet naar luisteren.'

'Probeer je me op stang te jagen, Annie?'

'Dit is krankzinnig.'

'Probeer je het me vanavond al te laten doen? Want als ik het eenmaal heb gedaan, kunnen jij en Jake nooit meer samen zijn.'

'Krankzinnig gewoon.'

'Ik ben anders nog nooit zo bij zinnen geweest.'

'Dat zegt een hoop over je geestelijke gezondheid.'

'Zo slim. Wat ben je toch slim, slim, slim.'

'Mason... Je moet hulp zoeken, een psychiater... een arts...'

'Hé, maak je maar niet ongerust.'

'Je kunt niet met zoiets dreigen en dan zeggen dat ik me geen zorgen hoef te maken.'

'Doe je dat werkelijk voor me, Annie? Je zorgen maken?'

'Dit is weer een van die akelige spelletjes van je... en ik speel het niet mee.'

'O, maar dat doe je wel. En ik zal je vertellen wat me meer...

[8] Opal

– Reddinkje –

's Ochtends begint het te sneeuwen. Steeds meer en steeds grotere vlokken, en tegen de middag woedt er een sneeuwstorm.

Tante Stormy laat haar blote voeten in haar moonboots glijden en gaat de zondagse *Times* halen. Maar haar rode bestelbus blijft op de oprijlaan steken.

Annie en ik helpen haar hem uit te graven.

'Doen jouw benen ook zo'n pijn?' vraagt tante Stormy aan Annie.

'Als je dat maar weet. Ik heb het gevoel dat ik gister de hele dag in de heupgewrichten van iemand anders heb gelopen.'

'Zullen mijn heupen wel zijn geweest.'

Ik leg ze uit: 'Mensen kunnen niet in de heupgewrichten van iemand anders lopen.'

'Nou, ik denk dat Annie de mijne tijdens de demonstratie heeft uitgewoond.'

Ik rol met mijn ogen.

Als tante Stormy terugkomt met de krant, hebben Annie en ik het vuur aangemaakt. Pete is zenuwachtig. Loopt rond. Stoot tegen dingen aan.

'Kom bij me zitten,' zegt tante Stormy tegen hem terwijl ze de dekens en kleden voor ons vuur sleept.

Pete loopt naar de openslaande deuren. Zijn elleboog stoot tegen Annies ezel.

Snel zet ik hem weg zodat hij hem niet omgooit. 'Wat ben je aan het doen, Pete?'

'Niets.' Hij ziet er zo verdrietig uit.

Ik probeer hem op te beuren. 'Hé, Pete, moet je naar de eenden op het ijs kijken.'

Hij brengt zijn gezicht naar een van de kleine raampjes, vier rijen hoger dan waar ik doorheen kijk.

'Stel je voor dat hun kontveren aan het ijs blijven plakken, Pete?'

Hij glimlacht. 'Jezus' eenden... lopen... op bevroren... water.'

'Gods eenden.' Annie zegt het alsof ze wilde zeggen: 'Godver...'

'Waarom verbaast dit me niet?' Tante Stormy klinkt boos. 'Hebben ze zich weer verteld. De *Times* heeft het over maar honderdduizend demonstranten.'

'We waren wel met een miljoen,' zegt Annie.

'Minstens een miljoen.'

Annie port in het vuur, het laait op. 'Nu is het net New Hampshire, Opal.'

'Nee.'

'Zelfs niet met die sneeuwstorm?'

'Het is níét als New Hampshire.'

'Maar je vindt het leuk als we ingesneeuwd raken.'

'Zo niet.' Ik sla mijn armen over elkaar. Doe mijn kin omlaag zodat Annie mijn gezicht niet kan zien.

'Wacht maar... tot de lente... Opal.'

'Waarom, Pete?'

'Dan... zijn... er tientallen... baby-eendjes.'

'Ik weet niet of ik er dan nog ben.'

'De eenden... zijn er wel.'

'Oké.'

'Je kunt... op bezoek... komen.'

Mijn tenen gaan weer pijn doen. 'Mason is er niet, hij kan de baby-eendjes niet zien...'

Mason. Als hij boos wordt op Annie, praat hij niet tegen haar. Nooit. Alleen tegen mij. Praat meer met me dan ooit, en pal voor Annies neus. Zodat Annie hoort en weet wat ze allemaal mist. *Lekker puh.*

Zoals toen ik vijf of misschien wel zes was en Mason tegen me zei: 'Vandaag heeft je zuster me buiten de auto gesloten.'

'Je mocht best de auto in,' zei Annie snel. 'Uiteindelijk.'

'Hij heeft het niet tegen jou, Annie,' zei ik.

'Daar laat zíj zich heus niet door weerhouden, hoor,' zei Mason.

'Hebben jullie soms ruzie?' vraag ik ze.

'Natuurlijk hebben we ruzie.' Mason, woedend. 'Jij niet soms, als je uit de auto wordt gezet en ze je langs de kant van de weg laat staan en je door het raampje zit uit te lachen?'

'Ik heb je niet aan de kant van de weg laten staan,' zei Annie tegen Mason.

'Hoe noem je het dan? Ik stond daar, langs de kant van de weg. Jij zat in mijn auto.'

'Onze auto. En ik bedoel alleen maar dat ik niet ben weggereden.'

'Je zuster heeft me buitengesloten, Opal,' zei hij tegen me.

'Het was als grap bedoeld,' zei Annie tegen hem.

'Zie je me lachen, Opal?'

'Maar jij... Jíj gaat uit je dak, ja, pakt een steen op en...'

'Vind jíj het grappig als iemand je buitensluit, Opal?'

'Laat haar erbuiten,' zei Annie. 'Alsjeblieft. Als je ruzie wilt, doe het dan rechtstreeks met mij. Niet via deze... omweg.'

Rondom omweg... rondom omweg...

Mijn tenen gaan meer pijn doen.

Ik zeg tegen Pete: 'Jake is er niet om de baby-eendjes te zien.'

Pete draait zijn hoofd in slow motion naar mij.

'Niemand is hier. Of dood! Op Annie na.'

'Met mij heb je er twee.' Ze knielt naast me. 'Weet je nog? Hoe we daarover hebben gepraat? Dat ik je moeder én je zuster ben?'

'En als jij doodgaat, zijn jullie allebei weg.'

'Ik ben er.'

'Als één persoon doodgaat, verdwijnen er twee. Dat is nog het ergste van alles. En dan wil ik niet meer leven en...'

Annie wordt furieus. 'Die truc haal je niet met me uit.'

'Maar...'

'Hoor je?' Annie maakt zich groot en kijkt woedend. Bang ook. 'Die truc haal je niet met me uit.'

Tante Stormy zegt: 'Ik geloof niet dat Opal dat bedoelt.'

'Mijn dochter vertelt me dat ze niet wil leven. Dat is behoorlijk destructief.'

Ik gris de jongenspop weg.

Ren naar boven.

Gooi mezelf op de grond.

Bonk net zolang op de vloer tot mijn tenen geen pijn meer doen.

Dan schop ik op de vloer zodat ze me kunnen horen en spijt hebben.

Maar niemand komt naar boven gerend.

Ik heb de jongenspop bij zijn schoenen vast. 'Arme jongen.'

Ik sla zijn hoofd tegen de grond. Zijn schoenen laten niet los. Niets laat los. Enkel twee zwarte verfschilfers van zijn haar.

'Arme jongen.'

Zijn glanzend-stijve hoofd klinkt alsof iemand op de vloer klopt.

Ik verander mezelf in een slang en glij tot boven aan de trap.

'Wil je dat ik naar haar toe ga, Annie?' Tante Stormy's stem.

'Met schoppen en slaan krijgt ze het uit haar lijf.'

Ik schop en sla nog een beetje meer. *Lekker puh.*

'Opal wil zichzelf helemaal geen pijn doen,' zegt tante Stormy. 'Nu ze weet dat ze het in de wereld zonder haar biologische ouders en ook zonder Mason moet doen, gaat het er eerder om dat ze zich zo'n wereld niet kan voorstellen.'

'Ik kan dit niet nog een keer doormaken. Die bedreigingen... die woede-uitbarstingen... Niet na Mason.'

'Je gaat zo goed met haar om.' Opnieuw tante Stormy.

'Ik maak er een puinhoop van.'

'Je bent een prachtmoeder voor haar.'

Annie schreeuwt het uit.

'Ik dacht dat je dat wist.'

Annie. Snottert haar ogen uit haar kop, durf ik te wedden. Zegt: 'Mason... hij was veel beter met haar.'

'Op en af,' zegt tante Stormy. 'Als een man op een ladder...'

Man op een ladder? Mason? Op en af. Met mij? Mason...

'Luister, Annie. Vanaf de dag dat je haar kreeg, was jij de stabiele factor...

'Aanstellerij... dat heeft Opal... van Mason... geleerd...'

Annie schreeuwt. Schreeuwt snot.

'Pete merkte al hoe Opal zich aanstelde toen ze nog maar een dreumes was. En hoe Mason dat aanmoedigde. Ze waren beiden dol op reuring. Kijk maar hoe hij...'

'Nu... niets meer... van dat al.'

'Het enige wat ik wil zeggen, Pete, is dat Mason en Opal in

dat opzicht op elkaar leken. Ze hadden die reuring allebei in zich, en de rest van ons kon de boel opruimen. Jou kan ze veilig aanvallen, Annie. Want ze weet dat jij niet weggaat.' Tante Stormy slaakt een diepe, diepe zucht. 'Ik heb nu absoluut meer gezegd dan ik van plan was.'

'Opal... luistert mee.'

Fluisteren.

Voetstappen.

Meer dan één iemand.

Ik glip terug naar de jongenspop. 'Stil zijn.'

Maar de voetstappen komen niet de trap op.

'Ik red je wel, beloofd.'

Ik haal het oranje touw uit mijn sneeuwlaars. Daar verstop ik het voor als ik reddinkje speel. Het komt uit de kleine kajak, helemaal zacht omdat het zo vaak nat is geweest.

Het touw is dikker dan het hoofd van de jongenspop. Daarom moet ik het om zijn geverfde middel binden. Met twee knopen. Ik hou het andere eind van het touw vast. Stevig. En dan gooi ik hem over de leuning.

Maar ik laat hem niet te pletter vallen. Ik trek het oranje touw terug voordat hij op de trap stuitert.

'Stomme baby.'

Ik wieg de jongenspop.

'Stil!'

Wieg hem heen en weer.

'Ik ga je redden.'

Gooi hem over de roe en red hem. Koester hem in mijn armen, gooien, redden en wiegen, allemaal in één.

Dus doe ik het weer.

Dan verstop ik het touw totdat ik weer reddinkje ga spelen.

'Beter vanochtend?' Annie, op de rand van mijn bed.

Ik trek de deken tot mijn ogen op. Weet niet meer hoe ik in bed ben gekomen. Maar ik heb mijn pyjama aan.

'Vandaag geen school. Je hebt sneeuwvrij.' Annies stem klinkt opgewekt, maar haar gezicht staat bezorgd. 'Laten we zeehonden gaan zoeken. Maken we er een avontuur van. We gaan crosscountryskiën op het strand onder de Montauk vuurtoren.'

'Je doet opgewekt, Annie.'

Ze lacht.

Dus wil ik dat ze niet meer lacht. 'Ik kan deze dag niet.'

Maar ze geeft geen krimp. 'Achteraf ben je blij.'

'Achteraf kan me niet schelen.'

'Mij wel. We moeten opschieten. Er ligt vijfentwintig centimeter sneeuw.'

'Stel nou dat er geen stukjes prins liggen, Annie?'

'Misschien hadden de prinsen geluk?'

'Omdat ze op tijd konden wegkomen?'

'Soms lukt ze dat. Over wegkomen gesproken... op het strand blijft de sneeuw niet liggen, de vloed spoelt hem weg.'

Tijdens de rit naar Montauk wemelt het van de eekhoorns op de weg. Ik tel er negentien. Vijf ervan dood.

'Raar is dat.' Annie zwenkt uit om een eekhoorn te omzeilen.

'Zelfmoordeekhoorns.'

Ze bijt op haar lip.

Lekker puh.

Bij de vuurtoren helpt ze me mijn ski's aanbinden. De sneeuw scheert laag en snel over het zand als we over het strand skiën. Annie voorop omdat zij mooie sporen maakt.

'Net witte vossen,' zegt ze.

'Net snelle beestjes.'

'Zo is het.'

'Net wezels.'

'Ja.'

'Of rook. Of de witte buik van bodemvis.'

'Wezels of rook of bodemvis.'

'Bodemvissen zien er grappig uit,' zeg ik tegen haar. 'Hun buik raakt het zand. Ze schuieren over de bodem.'

'Ben je nou niet blij dat we dit doen?' Ze wordt zo gelukkig dat ze slipt.

Als ze overeind probeert te komen, lacht ze.

Ik weet dat ze wil dat ik met haar meelach. Maar dat wil ik niet. 'Stel dat er geen zeehonden zijn, Annie?'

'Die zijn er in de winter altijd. En bij eb klimmen ze uit het water op de grote rotsen. Lang en vet en glanzend. Net reusachtige natte bergkristallen.'

'Deze winter misschien niet.'

'Laat je me zo in de sneeuw zitten?' Ze steekt haar hand uit.

Ik pak hem niet aan.

'Opal! Kom op...'

'Die foto is nep.'

'Welke foto?'

'De naaktebruidfoto.'

'Ze is niet naakt.'

'Ík ben naakt. Hij is nep.'

'Hij is geposeerd.'

'Nep.' Ik kijk haar stuurs aan. Betrek haar in het verdriet zodat zij het van me overneemt.

'Stel je niet zo aan, Opal.'

'Je hebt me alleen maar omdat mijn echte ouders zijn doodgegaan.'

'We missen ze allebei.'

'Nou... je bent een waardeloze moeder!'

237

'En jij bent een waardeloze dochter!' Ze blijft met open mond staan.

We staren elkaar aan.

Ik ben zo bang dat ik niet kan slikken.

Heeft Annie dat echt gezegd?

'Als onze ouders nog zouden leven,' zegt ze, 'zou ik nog steeds je zuster zijn. Het zijn ook mijn ouders en ik mis ze elke dag.'

'Ik geloof je niet.'

'Dat maakt me geen... tomaat uit.'

'Ik weet wat je wilde zeggen. Sodemieter.'

'En toch maakt het me geen tomaat uit.'

'Brussels lof?'

Haar ogen worden hol, alsof ze er niet is.

'Annie? Annie!'

Golven stoten tegen de sneeuw. Een paar seconden een witte rand. Dan bruin en nat zand.

'Wat vind je van Brussels lof, Annie?'

'Dan maakt het me geen Brussels lof uit.'

'Sta op!' Ik steek mijn hand naar haar uit. 'Onmiddellijk! Anders bevriest je dikke kont nog.'

Annie pakt mijn hand. Krabbelt overeind. En is terug in haar ogen.

Ik sla de sneeuw van haar fleecebroek.

'Vraag me maar over onze ouders... wat je ook maar te vragen hebt, Opal.'

'Ik weet dingen over ze die jij niet weet.'

'Ik ben zo... blij voor je.' Annie glipt met haar handen door de lussen van haar skistokken.

'Van tante Stormy.'

'Dan ben ik voor jullie allebei blij.'

'Wist je dat mijn vader harder liep dan wie ook?'

'Mooi. Zullen we verdergaan?'

We blijven op de sneeuw. Rechts van ons het water en zand. Links van ons zand en een volgende rand sneeuw, gekarteld waar het water eroverheen piept.

'Mijn vader liep elke dag dertig kilometer, Annie.'

'Dat is een hoop. Schiet op.'

'Mijn moeder had als kind een hond in Duitsland.'

'Een cockerspaniël. Brigitte. Een bruin met witte cockerspaniël.'

'Ken je mijn moeders hond?'

'Uit verhalen. Maar toen ik klein was, deed ik alsof Brigitte mijn hond was.'

Doet Annie ook alsof?

De wind blaast door me heen, maar ik krijg het niet koud.

'Ik neem aan dat je me hebt geërfd, Annie.'

'We hebben elkaar geërfd.'

'Binnenkort ben je alleen nog mijn zuster.'

'Ik vind het best... als je eenmaal achttien bent.'

'En dan heb ik je niet meer nodig als mijn moeder.'

'Ik kan dit niet zonder jou, Opal.' Haar ogen kijken me indringend aan.

'Wat?'

'Een gezin zijn.'

Het duurt een eeuwigheid voor we bij de grote rotsen van de zeehonden zijn.

'Je kunt me als jouw kind beschouwen,' zeg ik tegen haar.

'Halleluja en zo.'

'Want ik bén een kind.'

'Moet ik nu een rondedansje maken?'

'En aangezien je voor me zorgt, kun je míjn zeggen. Zoals in míjn kind.'

'Dat zal ik doen.'

Het is echt. Net zo echt als de ene ski voor de andere laten glijden. Net zo echt als de sneeuw die als witte vossen om ons heen is. Of wezels. Of de witte buik van bodemvis. Net zo echt als het plotselinge zingen van Annie. Zingen zonder woorden, met haar rug naar me toe. Zoals de wind zingt. Net zo echt als die zeehonden...

'Kijk kijk, Annie!'

'Ze zijn enorm,' roept Annie uit.

'Net pony's.'

'Ja, net pony's.'

De koppen van de zeehonden lijken op hondenkoppen. Bijna. Maar ze hebben een groter lijf. Veel groter. En ledematen als aardappelzakken. Maar niet lomp. Glad als enorme reuzenslakken. Ze hangen over elkaar heen, die zeehonden. Smelten op die rotsen in elkaar, vol korsten van schelpen en zout.

'Daar zijn er drie...' Annie wijst naar het grijze water '...aan het zwemmen.'

'Waar?'

'Die grote bewegende ballen...'

'Waar Annie?'

'In het water zijn ze veel sneller dan op het land. Nu zijn ze daar, waar het water wervelt. Elke kop lijkt wel de bovenkant van een bowlingbal.'

En dan zie ik ze. 'Maar ze zijn donkerder dan het water.'

'Ja.'

'En als ze op de rotsen liggen, zijn ze lichter dan het water.'

'Omdat hun vacht dan opdroogt.'

'Kun je zeehond eten, Annie?'

'Eskimo's eten zeehond.'

'Mooi zo.'

Een zeehond trekt zich uit de golven op de grootste rots.

Maar een andere zeehond verspert hem de weg. Brult en heft zijn kop op zodat zijn rug zich kromt als een banaan.

Als hij de nieuwe zeehond van de rots af jaagt, deint de hele kluwen zeehonden.

Tante Stormy en Pete rijden naar een verhuisuitverkoop in Noyack om naar een nieuwe naaimachine te kijken, en meer schalen voor haar bedrijf. Maar ze nemen een hond mee terug. Hij is gratis in ruil voor een goed tehuis. En hij heeft al een naam.

'Luigi...' Pete praat met een babystemmetje. 'Kom binnen... en maak kennis met Opal.'

Luigi's ogen zijn bijna helemaal wit. Hij rolt ze naar achteren als hij achteruit kruipt. Bij ons vandaan. Hij komt niet hoger dan mijn knieën. Maar door het wit wordt het rood om zijn ogen zichtbaar waardoor hij er vervaarlijk uitziet.

'Luigi?' Ik ga op mijn knieën zitten en maak mezelf klein.

Hij schraapt met zijn nagels over de grond en wurmt zijn achterste in de hoek.

Als hij door de muur kon wegvluchten, zou hij dat doen.

Ik steek mijn hand uit. 'Luigi?'

'Wees maar niet bang, Luigi.' Annie gaat naast me op haar hurken zitten. 'Waarom geven ze hem weg?'

'Ze hebben een flat gekocht in de stad.' Tante Stormy schept hondenvoer in een bak. 'We hebben gezegd dat we het zouden proberen. Hem een week of zo in huis nemen zodat jij en Opal kunnen meebeslissen.'

'Ik wil hem niet uitproberen. Ik wil hem redden,' zeg ik tegen haar.

'Dat zullen we wel zien. Ik had al zitten denken of ik nog een hond zou nemen... na Agnes, dat is alweer een tijdje geleden. En ik vind straathonden zoveel leuker dan die doorgefokte rashonden.'

'Straathonden... hebben een vriendelijker... karakter.'

Luigi ademt snel. In en uit en in en uit. De vacht op zijn

magere flanken gaat op en neer. Alsof hij de marathon heeft gelopen.

Tante Stormy zet zijn bak onder het aanrecht.

We stappen allemaal opzij om hem te laten eten.

Hij jankt zacht. Laat zijn scherpe tandjes zien. Maar verzet geen stap. Houdt ons alleen met zijn witte ogen in de gaten.

We stappen nog verder opzij. Pete hoeft de muur niet meer aan te raken. Loopt gewoon zo dicht langs de muur dat hij zichzelf kan opvangen als dat nodig mocht zijn.

Luigi komt uit zijn hoek. Een paar passen.

'Hij ruikt het,' fluister ik.

'Hij heeft duidelijk honger,' zegt Annie.

'Luigi...?' Met een voet schuift tante Stormy de bak in de richting van de hond. 'Dit is zo lekker. Kom je eten, Luigi?'

'Schuif het... dichterbij... Stormy.'

Dat doet ze.

Luigi deinst terug. Bevend en hijgend strekt hij zijn neus en hals naar de bak. Maar zijn staart blijft in de hoek gedrukt.

'Hij heeft honger,' zegt Annie, 'maar is bang om te eten.'

'We kunnen... hem... beter alleen laten. Naar buiten... we gaan naar buiten.'

'Laten we naar mijn slaapkamer gaan,' zegt tante Stormy.

Als we de deur dichtdoen, horen we geklingel in de keuken.

'Ik wed dat dat het naambordje aan zijn halsband is dat tegen de bak komt,' zegt Annie.

Als het tingelen ophoudt, gaan we terug. Luigi's bak staat nu in de woonkamer. Leeg. Hij moet hem helemaal daarheen hebben gelikt.

Maar hij zit nog steeds in diezelfde hoek in elkaar gedoken.

'Brave hond,' zeg ik tegen hem. 'Brave likker.'

'Misschien moet dat voorlopig maar zijn hoekje worden,' zegt tante Stormy.

De volgende ochtend kopen we een zak hondenvoer voor Luigi met een puppyplaatje erop.

Als ik zijn etensbak en bak water in de hoek zet, rent hij weg en verstopt zich achter de fluwelen bank.

Hij waagt zich twee keer in de buurt van de bakken maar deinst steeds weer terug.

Plotseling weet ik waarom. 'Ik wed dat die mensen van de verhuisverkoop Luigi schopten. Als hij at.'

'Misschien heb je gelijk,' zegt tante Stormy.

'Want hij eet niet als hij met zijn rug naar ons toe staat. Of naar de kamer.'

'Dus als we zijn eten en drinken bij de muur vandaan zetten, kan hij erachter zitten eten,' zegt Annie, 'en met zijn rug naar de muur blijven staan.'

Ik pak zijn bakken en zet ze uit de hoek. We gaan nogmaals naar tante Stormy's slaapkamer.

En opnieuw het getingel.

Hij is aan het eten als we tevoorschijn komen. Eet behoedzaam, ogen weggerold.

Zo eet hij elke dag. Houdt iedereen goed in de gaten.

Als ik hem mee naar buiten neem, blijft hij zo dicht bij me dat hij met zijn neus tegen mijn benen stoot.

We kopen een hondenmand voor hem. Rond en vol cederhoutschilfers. Als hij een poot erin zet, knispert het. Hij jankt. Rent weg. Komt terug en maakt een omtrekkende beweging eromheen.

'Bang voor het onbekende,' zegt Annie. 'Arm ding.'

Na drie dagen gaat Luigi in zijn hondenmand slapen.

Tante Stormy's favoriete dierenarts woont op Shelter Island.

Ze neemt me mee met de ferry. Hij snijdt schuin door het ijs. Vermaalt het.

Als de dierenarts Luigi op de zilverkleurige tafel tilt, probeert hij met tikkende nagels weg te schuifelen.

Maar de dierenarts houdt hem vast. 'Mooi geprobeerd, ouwe jongen,' zegt hij tegen Luigi.

'We mogen zijn achterlijf niet eens borstelen,' zegt tante Stormy. 'We proberen hem niet op zijn rug aan te raken.' De handen van de dierenarts bewegen snel en voorzichtig. Zelfs als hij Luigi een injectie geeft.

'Luigi is nu van ons,' zeg ik tegen hem.

'Daar heeft hij geluk mee. Moet je goed luisteren, als jullie Luigi benaderen, raak dan zijn kop alleen van onderen aan.'

'Waarom?'

'Daar krijgt hij meer zelfvertrouwen van. Tot nu toe heeft hij het in zijn jonge leventje zwaar gehad. In zijn ogen staan jullie, mensen, aan het hoofd van de roedel. Ga op je knieën bij hem zitten. Neus tegen neus. Dan krijgt hij het gevoel dat hij op hetzelfde niveau zit.'

Ik zak door mijn knieën tot mijn neus tegenover die van Luigi is.

'Goed zo,' zegt de dierenarts.

Ik glip met mijn hand over de koude tafel. Naar Luigi's poten. Kroel hem onder zijn kop.

'Zo moet dat,' zegt de dierenarts. 'Je doet het prima.'

Als we naar de truck teruglopen, hangen de catbriers als sluiers aan de hoge takken, ze glinsteren van de bevroren regen. Een parelketting. Ik wist niet dat ze zo mooi konden zijn.

'Nu hebben we geen catbriers meer,' zeg ik tegen tante Stormy.

'Ik probeer ze allemaal te pakken te krijgen,' zegt ze.

De wind grijpt me vast. Ik word er duizelig van. Ik lach.

Op de ferry terug is het bijna donker. Spookachtig. Het knerpende ijs klinkt harder.

'Ik wed dat Mason door het ijs had willen kajakken,' zeg ik.

'Veel te gevaarlijk.'

'Hij zou een van uw wetsuits aantrekken.'

Ik heb een foto van Mason en tante Stormy in wetsuits. Ze poseren op het strandpad. Achteraf zei Stormy dat ze een hekel had aan dat gevoel van dat dikke rubber. 'Van top tot teen nylonkousen, net een harnas.' Maar Mason zei: 'Ik vind ze lekker knus.'

In het donker het witte, gebroken ijs.

De witte sterren.

Ik wed dat het er bij de Eskimo's net zo uitziet.

Mason

'...angst aanjaagt dan de dood.'

'Dat je niet zult winnen?'

'Dat we niet meer van elkaar willen winnen.'

'Je wedt met jezelf, Mason.'

Ik wendde me van je af, Annie.

'Waar ga je naartoe?' vroeg je.

'Bij Opal kijken.'

'Het is nog te vroeg.'

'Mag ik alsjeblieft in haar kamer zitten voordat je me gaat vertellen wanneer en waar ik mijn dochter voortaan mag zien?'

'Als je haar maar niet wakker maakt.'

Maar toen ik Opals kamer binnenliep, zat ze met gefronste wenkbrauwen rechtop in bed.

'Hé... Sterretje.'

'Waarom maak je ruzie met Annie?'

'Kan ik dan niks voor je verborgen houden?'

Ze schudde haar hoofd, trok me naar zich toe en omhelsde me met haar slaapgeurtje. 'Ga je het weer met haar goedmaken, Mason?'

'Dat zou ik het allerliefste willen.'

'Meer dan wat ook?'

'Ja.' Terwijl ik haar in mijn armen hield wilde ik dat dit ogenblik – voordat ze zou opstaan en naar school ging – specialer voor haar was dan elk ander moment dat we tot dan toe samen hadden gehad. Maar ik stelde me haar al over vijf, zes jaar voor, een tiener die liever bij haar vrienden was dan bij mij. Die zich geneerde voor alles wat ik deed of zei. Maar ik glimlachte. Deed alsof het er niet toe deed. Of dat ik het niet had gemerkt.

Ja, ik had al het gevoel dat Opal van me was afgenomen. Heb jij dat ooit gedaan, Annie, je voorgesteld hoe ze over een paar jaar zal zijn en dat je haar nu al zo verschrikkelijk mist?

'Huil je?' vroeg Opal.

Ik keerde mijn gezicht naar haar toe. 'Nee,' loog ik en plotseling moest ik denken aan die dag dat ze zich bij me vandaan vocht, Annie, ik mocht haar niet aanraken en hoewel ik wist dat dat door tante Stormy's lotion kwam, voelde ik het als een verlies.

'Stinkie,' gilde Opal. En ze had gelijk want die lotion stonk naar kokos en ananas.

'Net tuttifrutti,' zei ik overredend, 'maar je hebt zo'n lichte huid, je hebt echt zonnebrandolie nodig.' En terwijl ik Opal vasthield – ze was zo klein, Annie – smeerde ik lotion op haar gezicht, nek en armen en...

'Stinkie! Stinkie! Stinkie!' Ze schopte me, ontsnapte.

Maar ik wist haar te vangen. 'O... zit stil, Ragebol. Alsjeblieft?'

Brullend gooide ze haar lichaam naar achteren. In haar ogen die woeste blik van dieren die hun ledematen afbijten als ze in de val zitten. Of die van jou.

'Nee, Mason...'

'Haal je vingers weg, Opal. Ik ben bijna klaar.'

Ik wilde dat ik niet zo ongeduldig met haar was geweest, Annie. Ze krabde aan haar gezicht, gilde en schopte, de woede klom vanuit de aarde door haar voeten heen omhoog, steeg in haar lichaam op, nam bezit van haar buik voor ze die weer de grond in stampte...

247

Zoveel wilder dan jij, Annie. Eerder de wildheid van je moeder.

...en Opal rende al waggelend en zwaaiend langs de rand van de zee met mij achter zich aan, maar ik ving haar niet, liet haar voor me uit lopen, steeds op dezelfde afstand, tot ze haar woede eruit had gelopen en op het zand neerviel. Ik droeg haar naar jou terug, Annie. Hij was er ook, Jake, zat met je te fluisteren...

'Je huilt, Mason.' *Opal stond rechtop op haar matras.*

'Niet vallen. Als je gaat zitten vertel ik je een Melissandraverhaaltje.'

'Melissandra is een bedverhaaltje. Ik wil niet meer slapen.'

'Je gaat me niet vertellen dat je de ochtendversie nog nooit hebt gehoord!'

'Ik weet niks van een ochtendversie.' *Ze klonk opgetogen.*

Ik wachtte.

'Oké.' *Ze ging zitten.*

Ik raakte met mijn neus de hare aan. 'Eerst gaat Melissandra je onderstoppen.'

'Dat is de avondversie.'

'Bijna.'

'Waar is ze dan?'

'Ik ga kijken of ze in de buurt is.' *Ik ging plat op de vloer liggen, keek onder Opals bed.* 'Hier is ze... zoals altijd verstopt onder het bed.' *Mijn hoofd dook naast dat van Opal op en ik zei met het hoge Melissandra-stemmetje:* 'Zo, meissie... hoe heet je?'

'Opal. En jij?'

'Melissandra,' *zei ik en ik siste de dubbele s en rolde met de r.*

'Hoe oud ben je, Melissandra?'

'Acht jaar, een week en drie dagen.'

Opals lippen bewogen. Telden. 'Zo oud ben ik ook. Ik ben alleen een dag ouder dan jij.'

'Stik.'

'Ga je naar school, Melissandra?'

'Kleuterschool.'

'Je bent veel te oud voor de kleuterschool.'

Ik schudde mijn hoofd. 'Ik vind de kleuterschool leuk. Ik zit nu al drie jaar op de kleuterschool. Ik blijf daar voor altijd.'

'Dat kan niet.'

'Ja, hoor. Als ik groot ben, word ik kleuterjuf, daarom.'

'Hoe zit het dan met je avondbaantje?'

'Dat heb ik nog.'

'Hoeveel lolly's heb je gisteravond gegeten, Melissandra?'

'Zevenenvijftig.'

Ze lachte. 'Dan moet je overgeven.'

'Helemaal niet. Lolly's zijn goed voor me.'

'Nee, hoor. Je krijgt er gaatjes van.'

'Ik ben dol op gaatjes. Daarin verstop ik mijn chocola altijd.'

Ze schaterde het uit.

'Ik heb honderdelf gaatjes,' zei ik.

'Ik heb twee vullingen.'

'Laat zien.'

Ze opende wijd haar mond. Gaapte.

'Twee maar?' Ik klakte met mijn tong. 'Dat komt omdat je je tanden te vaak poetst. Dat kan gewoon niet goed zijn.'

Ze giechelde.

'Ik poets mijn tanden nooit.'

Ik drapeerde de deken om haar schouders. 'Je kunt nog een uur slapen voor je op moet staan.'

'Vertel verder over Melissandra.'

'Melissandra moet weg...'

Opal trok aan mijn hand. 'Beloof je dat ze terugkomt?'

Ik gaf een kus op haar wang, en toen ik opstond werd ik gegrepen door een duizeling van verlies en overgave, en ik...

[9] Jake

– Groepshuis –

Niet overhaasten, waarschuwt Jake zichzelf als hij bij de wake in Sag Harbor aankomt. Op de werf blijft hij twee rijen achter Annie, waar ze hem niet gelijk ziet. De aandrang om haar te vertellen hoe hij Mason zag sterven, bouwt zich elke dag verder op, is sterker geworden dan welke hunkering hij ooit had ervaren, welk verlangen of welke angst ook.

Een bries beroert de lucht. Kaarsvet en zout. Zo dicht bij Annie is hij niet meer geweest sinds die merkwaardige, verdrietige dag waarop ze bij Masons ouders *The Graduate* keken.

Mensen steken de lont van elkaars kaarsen aan, geven de vlam door, hebben het over een Amerikaanse studente die vandaag in Palestina is gedood.

'Ze is door een Israëlische legerbulldozer overreden...'

'Helemaal onder de aarde gewerkt...'

'Gebroken en verstikt.'

'Dit is als een stílle wake bedoeld.'

'Op de radio zeiden ze dat Rachel Corrie viel.'

Meer betogers dan bij de laatste wake, toen Annie hem niet zag en Jake de moed niet had om haar aan te spreken. Maar dat doet hij vandaag wel.

'Het huis was van een Palestijnse dokter.'

'Ik heb op internet gelezen dat ze daar was om vernielingen tegen te gaan.'

'Nee, ze liep in de weg.'

Jake had op de radio het nieuws over haar gehoord, toen hij hierheen reed. Hij denkt aan haar als een meisje, een dochter, nu dood... *Een meisje. Een dochter.* Denkt aan Opals neiging naar alles of niets... kenmerk van de martelaar.

'...en hij reed ook nog eens achteruit, de bulldozer, nadat hij haar had vermorzeld.'

'Hoe oud was ze?'

'Negentien.'

'Drieëntwintig. Ze komt uit de staat Washington,' zegt Jake, zo hard dat Annie zijn stem wel moet herkennen.

Ze draait zich naar hem toe. Ogen woedend en blij en bang.

'Alsjeblieft?' zegt hij.

Tante Stormy geeft hem een brandende kaars. 'Jake,' zegt ze en ze kust hem op de wang.

Hij slaat zijn armen om tante Stormy heen, zorgvuldig de kaars bij haar lange bruine haar weg houdend. Houdt haar vast zoals hij Annie zou willen vasthouden. 'Ik hoorde op de radio dat Bush heeft gezegd dat er morgen een laatste kans op vrede is. Dat is me bijgebleven. Dat en het meisje, Rachel Corrie.'

Tante Stormy laat hem los. 'Tot vanavond geloofde ik nog dat we hem en zijn krankzinnige oorlog konden tegenhouden.'

'Zo'n heel andere atmosfeer,' zegt Jake, 'in vergelijking met de demonstratie in Manhattan, toen vrede nog mogelijk leek.'

'Was jij er dan ook?' vraagt Annie. Was ze teleurgesteld dat ze hem daar niet heeft getroffen? Opgelucht?

'Ik kon je nergens vinden.' Dat is een leugen. Maar een halve leugen. Want toen hij haar in New York zag, was hij in de ijskoude lucht plotseling gaan zweten, zeker als hij was dat dit de laatste keer zou zijn dat hij Annie te spreken kreeg, zeker dat hij het zou verprutsen. Tenzij...

Tenzij hij woorden vond die naar een volgende laatste keer zouden leiden.

En daarna nog een volgende laatste keer.

Mason was hij al kwijtgeraakt, en die laatste keer met Annie moest hij bewaren, hem uitstellen tot hij beter was voorbereid. En dus schaduwde hij Annie en tante Stormy. Kwam steeds dichterbij. Werd steeds kalmer. *Omdat het vandaag niet per se hoefde.* Schaduwde ze tot een agent ze door de afzetting liet. Het laatste wat Jake van hen zag waren de protestborden die op hun rug bungelden.

Toen de stoet demonstranten Main Street inliep, in een deinende rij kaarslicht, bleef hij naast tante Stormy lopen. Het was een van de eerste zachte dagen na een strenge winter. Hij had zijn jas in de auto gelaten en zijn corduroy jasje hing open.

'Waar logeer je, Jake?' vraagt tante Stormy.

'Ik vind wel wat.'

'Wil je...'

Annie geeft haar een por met haar elleboog. 'Sommige hotels hebben speciale wintertarieven.'

'Goed idee,' zegt Jake. 'Ik hoopte Opal ook te zien.'

'Ze heeft een nieuw vriendinnetje,' zegt tante Stormy. 'O nee...' Ze tikt op de schouder van een kale man die voor haar loopt. 'Neemt u me niet kwalijk? Weet u dat u het logo van Mercedes-Benz op uw protestbord heeft staan?'

'Dit is een vredessymbool.'

'In het vredessymbool gaat de streep helemaal van boven naar beneden. In het logo van Mercedes-Benz stopt die halverwege.'

'O, wat een blunder. Nu ziet iedereen gelijk dat ik een beginneling ben.'

'We zijn allemaal blij dat u er bent.'

'U moet wel denken dat ik volslagen idioot ben.'

'Nee hoor,' verzekert ze hem. 'Ik dacht alleen dat u het voor uw volgende wake wel wilde weten.'

'Mercedes-Benz.' Hij lacht. 'Ik ga als het even kan altijd met de fiets.' Hij blijft naast tante Stormy lopen. 'Zou ik een paar folders kunnen ronddelen met een citaat dat ik op internet heb gevonden?'

'Wat voor citaat?'

'Iets wat Göring in Neurenberg heeft gezegd. Hier.' Hij haalt een elastiekje om een stapeltje papieren af.

Tante Stormy leest hardop voor: 'Natuurlijk wil het gewone volk geen oorlog... Maar uiteindelijk bepalen de regeringsleiders het beleid en is het een fluitje van een cent om het volk mee te krijgen.'

'Een waarheid als een koe,' zegt Annie.

'Lees eens door,' zegt de man met het Mercedes-Benzlogo.

'Het enige wat je hoeft te doen,' leest tante Stormy, 'is ze wijsmaken dat ze worden aangevallen, de pacifisten aan de kaak stellen vanwege hun gebrek aan vaderlandsliefde en dat ze het land aan gevaar blootstellen. Dat werkt overal.' Ze vouwt het citaat op. Huivert. 'Precies wat ze hier aan het doen zijn,' zegt ze. 'Bedankt.'

'Kunnen we praten, Jake?' zegt Annie. 'Alsjeblieft?'

Hij schrikt. 'Natuurlijk. Ja. Natuurlijk.'

'Zullen we morgen een stukje gaan rijden? Of wandelen?'

'Oké.'

'En... Jake?'

'Ja?'

'Kom maar in je gewone kleren.'

Als Annie naast hem in de auto zit, vraagt Jake zich nog steeds af wat ze bedoelde met 'kom maar in je gewone kleren'. Toen hij zich aankleedde, had hij zijn ruitjesbroek aangetrokken, toen zijn jeans en toen weer zijn ruitjesbroek. Was nadat hij zijn auto had gestart teruggegaan en had zijn jeans weer aangetrokken. Maar zijn witte Oxfordshirt hield hij aan. En hij kamde het stukje haar glad.

Zijn lichaam zit ontspannen naast het hare, wil instinctief dicht bij haar zijn, maar hij rijdt zonder iets te zeggen, wacht tot Annie begint, zodat hij haar nergens mee kan afschrikken.

Ze kijkt recht voor zich uit.

Jake is niet van plan over Mason te beginnen. Toch hangt er zonder Mason een stilte tussen hen in, Masons afwezigheid. *Op het vlot wilde ik dat hij dood was, dat zag hij in mijn gezicht voordat ik hem onder water duwde. En hij deed het voor mij, die zelfmoord – niet destijds, maar in Annies atelier. Toen hij opnieuw in mijn gezicht zag dat ik hem dood wilde, terwijl ik buiten voor zijn raam stond te kijken naar hoe hij zich op de dood voorbereidde, wedde hij misschien dat ik naar binnen zou stormen om hem te redden...*

Als hij dit aan Annie vertelt – het haar zo vertelt dat ze het kan begrijpen – wat er gebeurde toen Mason zichzelf ombracht, zal dat de ellende tussen hen opklaren, ze terugbrengen naar hoe het was voor die avond in de sauna, of zelfs nog daarvoor, toen ze nog kinderen waren en hij zo van haar onbevreesdheid hield en geloofde dat hij ook onbevreesd zou worden als zij van hém het meeste hield.

Maar stel dat hij het haar vertelde en zij dacht dat hij Mason had vermoord? Dat hij haar atelier was binnengegaan en hem had omgebracht? Omdat Jake dat in de sauna had willen doen. Mason vermoorden. Hem tegenhouden. Maar het niet had gedaan. Vermoord hem of hou hem tegen. Niet gedaan. Net zoals hij dat atelier niet was binnengegaan. Hij is heel goed in het níét iets doen. *Lafaard.*

254

Annie gelooft hem vast.

Hij zou het haar nu moeten vertellen. 'Die ochtend toen jij Opal naar school bracht...'

'Opal heeft het steeds over je.'

'Hoe... gaat het met haar?'

'Het is allemaal zo... verschrikkelijk moeilijk voor haar, Jake. Niet haar schoolwerk. Maar om alleen al de dag door te komen. Haar woede-uitbarstingen. En dat ze... voortdurend zo ongelukkig is. Ik probeer er alles aan te doen. Maar dat laat ze niet toe.'

'Haar zo te zien doet vast pijn.'

Annie knikt.

'Chanteert ze je?'

'Hoe?'

'Om te krijgen wat ze wil. Net als Mason.'

'Ik geloof niet dat dat het is. Maar ik ben wel te toegeeflijk. Om haar ongeluk ongedaan te maken. Het staat luid en duidelijk op mijn gezicht te lezen... en dat wordt erger als ik er niets aan kan doen. Ik heb altijd het gevoel dat ik er... omheen dans, haar tegen mezelf bescherm... terwijl ze me met stront bekogelt.'

'Mag ik er voor haar zijn?'

'Gisteren ging ze met haar voet door de badkamervloer. Voor de wastafel zit een zwakke plek. Ze was hem gaan uittesten, erop gaan springen, om te kijken of hij meegaf, maar toen hij dat inderdaad deed, voelde ze zich verraden. Reageerde het op mij af.'

Hij overweegt haar nogmaals te vragen of ze zijn hulp wil.

Maar hij wil niet aandringen.

Een bord: ALLEEN VOOR BEWONERS

Jake mindert vaart. 'Weet je nog dat ik met mijn ouders altijd op zondagmiddag een autoritje ging maken?'

'Ja?'

Hij rijdt een zijstraat in. 'Mijn ouders kozen altijd de duurste buurt die ze konden vinden. Privé of Verboden voor Onbevoegden. Op de achterbank hoorde ik ze dan raden hoe duur die huizen waren die wel tien keer zo groot waren als het onze. Mijn moeder...' Jake glimlacht, '...verzon er dan allerlei serres bij – we reden langzaam, zoals nu, heel langzaam – terwijl mijn vader de erkers en het latwerk aan het verbouwen was. Toen ik klein was, had ik altijd het gevoel dat we de volgende zondag naar zo'n huis zouden verhuizen, maar gaandeweg werd ik bang dat we elk ogenblik konden worden opgepakt omdat we daar niet mochten komen. Ik beeldde me in dat we zomaar voor drie jaar in het gevang werden gegooid.'

Aan het einde van de Alleen-voor-Bewonersstraat flankeren grote koperen beelden van hazewindhonden de ingang van de oprit. Magere lendenen. Hun achterste schuin aflopend alsof ze op het punt staan te urineren.

Toen Jake een U-bocht maakte, liep een man in een blauw trainingspak langs de hazewindhonden en maande Jake met opgestoken hand tot stilstand.

'Nu zit je in de problemen,' zegt Annie.

'Tante Stormy betaalt de borgtocht wel.'

'Ha.' Bijna een lachje.

De man loopt naar Jakes raampje toe, inspecteert met een schuin hoofd de binnenkant. 'Kan ik u helpen?'

'Hij klinkt anders niet alsof hij je wil helpen,' fluistert Annie.

'Kan ik u helpen?' Zijn haar is als grijze vleugels naar achteren gestreken. Of meer als een paar muizendijen.

Muizendijen. Jake prent zich in dat hij dat tegen Annie moet vertellen. Stelt zich voor hoe ze in de lach schiet.

Ze maakt haar gordel los en leunt naar hem toe. 'Ja, reuze vriendelijk van u. U kunt ons zeker helpen.'

'Dit is een privéweg.'

'Dat mag ik hartelijk hopen.' Haar arm leunt tegen Jakes borst. 'Een privéweg is voor ons een voorwaarde.'

Jake ademt langzaam. Zodat ze niet merkt dat ze hem aanraakt. Dat ze er niet aan denkt en haar arm terugtrekt. Maar het is meer dan dat. Ademen...

'Zeg eens...' Annie strekt haar hals, haar schouderbladen wijken uiteen. 'Welk... huis staat hier momenteel in de executoriale verkoop?'

Ademen. Langzaam. En dan weet Jake het. *Opdat ik mezélf niet bij Annie wegduw.* Zijn lichaam haat haar aanraking. Vond het verschrikkelijk om haar voor de ogen van Mason te neuken. Hij laat zijn rugleuning zakken. Leunt achterover.

'U moet zich vergissen,' zegt de man.

'Uw huis, toevallig?' vraagt Annie.

'In deze straat staat geen executoriale verkoop gepland.'

'Nou, dan moet een van ons zich vergissen, dat is wel zeker,' zegt ze. 'Wel begrijpelijk, natuurlijk.'

'Waarom?'

'De bank heeft het niet officieel aangekondigd.'

'Ik ben ervan overtuigd...' Maar de stem van de man klinkt niet meer zo zeker als eerst. '...dat in deze straat geen executoriale verkoping gaat plaatsvinden.'

'Ik vind dit geweldig,' fluistert Annie in Jakes oor.

Hij wendt zich van haar adem af... warm en overheersend door de geuren van alles wat ze in haar mond heeft gestopt.

'Ik voel me net een indringer,' fluistert ze.

'Dat ben je ook,' zegt Jake. 'Dat zijn we allebei.'

'Vergeet maar dat we er iets over hebben gezegd,' zegt Annie opbeurend.

'Absoluut,' zegt Jake. 'We weten het alleen omdat mijn zwager vicepresident van de hypotheek verstrekkende bank is.'

Annies ogen flakkeren even op.

'Wat moet ik er dan mee?' vraagt de man.

'U bent er gauw genoeg achter om wie van uw buren het gaat.' *Bluffen voor Annie. Mason-gedrag. Opdringerig. Liegen. Mezelf verbazen...*

Niet aan Mason denken.

'Het enige wat we vandaag doen,' legt Annie uit, 'is deze buurt controleren, om te kijken of die... nou ja, geschikt is.'

'Geschikt,' echoot Jake en hij voelt de samenzwering, de pret. Zo was het altijd als ze een bondje tegen Mason smeedden, tegen elkaar opboden... fantaseerden.

'Geschikt?' Zweetdruppeltjes op de bovenlip van de man.

Jake wuift zorgeloos met zijn hand.

'Geschikt waarvoor?'

'Misschien voldoet het toch niet aan onze... missie,' zegt Annie.

'Hoewel de ligging wel geschikt is voor...' Jake wacht.

'Waarvoor?' wil de man nu per se weten.

'Nou,' zegt Annie, 'dat is nog niet officieel.'

Jake ziet hoe ze hiervan geniet. Hij doet de motor uit. Legt zijn mouw op de rand van het raampje, heft zijn gezicht naar de man op. 'Mag ik u wat vragen?'

'Ja?'

'Is het hier altijd zo stil?'

'Uiteraard.' De man kijkt verbluft.

'Want dat is onze voornaamste eis. Rust.'

'Rust,' stemt Annie in. 'In zo'n... exclusieve buurt nemen we aan dat buren zich niet bemoeien met andermans... privacy.'

'Wat bedoelt u?'

'Aardige mensen.' Annie glimlacht engelachtig.

'Nou moet u eens goed luisteren...'

'Maakt u zich geen zorgen,' verzekert Jake hem. 'Het gaat om prachtige jonge mensen die in een heropvoedingsfase zitten.'

'We gebruiken liever niet de term túchtschool,' verklaart Annie. 'Het is meer een...' Ze laat zich in haar stoel terugzakken. Wacht op Jake.

Die koortsachtig nadenkt. 'Residentieel opleidingscentrum.' *Drijven dit nog verder door dan Mason zou hebben gedaan. Met meer fantasie. Behalve dat Masons stem harder klinkt. Harder klonk. Of is dit mijn echte stem? De hele tijd al?*

De bewondering in Annies ogen is bedwelmend.

'Privé, uiteraard,' zegt Jake tegen de man, maar hij kijkt naar Annie. 'Ze komen namelijk allemaal uit rijke gezinnen. U kent het soort wel.'

'Die jonge mensen passen perfect in uw buurt,' zegt Annie. 'We verwachten dat het succespercentage hoopgevend is omdat het... slechts om lichte overtredingen gaat.'

'Overtredingen?'

'Misdrijven... min of meer.'

'Hoewel,' wijst Jake haar terecht, 'we het zo liever niet uitdrukken.'

'Sorry. Ik hoop niet dat dit tijdens mijn evaluatie ter sprake komt.'

'Nog één keer en ik sleep je voor het bestuur.'

'Ik weet het. Dank je wel.'

Jake slaakt een zucht. 'Het gaat om jongeren, dat maakt uiteraard nogal een verschil.'

Annie knikt. 'Schitterende jonge mensen... gelukkig allemaal jongvolwassenen. Nog in zo'n experimenteel stadium...'

'Maar veelbelovend,' valt Jake haar in de rede.

'...dat dit soort jonge mensen het helemaal zelf mogen uitzoeken zonder... de tussenkomst van volwassenen.'

'Begeleiding,' zegt Jake. 'Alsjeblieft! Begeleiding!'

'Sorry. Begeleiding.'

'Deze jongeren willen zo graag weer deel uitmaken van de

maatschappij,' verzekert Jake de man, 'en uw buurt... zo rustig, ideaal gewoon.'

'U... vergist zich vast.'

Annie glimlacht vriendelijk naar hem. 'Dat zei ik toch, een van ons moet zich absoluut vergissen.'

'Maar evengoed, wij weten feiten die u niet kunt weten.' Jake start de motor. 'In elk geval de komende weken nog niet. Nog een prettige dag verder.'

Tegen de tijd dat ze links afsloegen, hadden ze het niet meer van het lachen.

'Zeker.'

'Absoluut.'

'Exclusief.'

'Ik haat woorden als: exclusief, superieur, elite...'

'Prachtige jonge mensen.'

'Jongvolwassenen nog.'

Mason had het geweldig gevonden. En dan bederft Jake het en zegt hardop: 'Mason had het geweldig gevonden.'

Nu hangt zijn naam tussen hen in.

Ze zitten als verstomd.

Tot Annie zegt: 'Komt niet in de buurt van Masons grenzen.'

'Je gordel.'

'We hebben een hele geschiedenis van dit soort dingen, waarbij we bijna over de schreef gingen.'

En elke keer rekte Mason die grens een beetje op. Maakte het nog opwindender.

'Sommige dingen waren ronduit kinderachtig.' Jake reikt voor Annie langs en gespt haar gordel vast.

'De sauna was niet kinderachtig.'

'Meestal lukt het me wel om het niet zover te laten komen.'

'Die avond niet.'

'Nee. En ook niet in Marokko, toen je ons leven op het spel zette door naar het kruis van die man te blijven staren.'

'Zijn ogen... op me, alsof hij me aanraakte, Jake.'

'Het was gevaarlijk en kinderachtig, je zo naar ons om te draaien en hem uit te lachen.'

'Ik wilde hem laten voelen hoe het is als je zo wordt aangestaard.'

In Marokko sliep Jake 's nachts met Annies kleren, één tegelijk, op zijn kussen, ademde haar in. Op een ochtend, toen ze naar haar kamer terugging, zag ze hem met haar bloes op zijn kussen. 'Mijn haar was nat,' haastte hij zich te zeggen, 'en ik wilde niet dat het kussen helemaal onder kwam.' Het verbaasde hem dat ze het slikte. Toch verklaarde hij zich nader: 'Dus heb ik jouw bloes tussen mijn haar en het kussen gelegd. Zodat het niet nat werd...'

'Op onze laatste avond in Tanger kon ik jullie door de muur heen horen,' zegt Jake tegen Annie.

'Pas achteraf moest ik aan je denken.'

Hij kijkt haar bevreemd aan.

'Dat kwam door de mensen in de kamer aan de andere kant. We werden om een uur of drie 's ochtends wakker van ze, ze waren heel luidruchtig en hielden ons voortdurend uit onze slaap. Om zes uur 's ochtends kreunden en bonkten Mason en ik een eind weg. Om wraak te nemen. Het is nooit in ons opgekomen dat jij ons kon horen.'

'Jij misschien niet. Maar Mason wel, dat weet ik zeker. En dat hij...' Jake schudt zijn hoofd.

'Zeg op.'

'Ik weet niet zeker of ik dit wel moet zeggen.'

'Je kunt alles tegen me zeggen.'

'Wanneer?'

'Wat bedoel je?'

'Je wilde niet met me praten, op vandaag na dan.' Hij schudt zijn hoofd. 'Hoe kan ik...'

'Zeg het dan niet.'

'Mason wílde dat ik het hoorde.'

'Dat is ziek.'

'Het valt nog mee als je bedenkt... waartoe hij in staat was.'

Ze trekt haar knieën naar haar borst op.

Hij vraagt zich af of ze zich hem aan de andere kant van die muur voorstelt... zich voorstelt wat hij moet hebben gevoeld... zich voorstelt hoe hij haar geur van zijn kussen opsnuift.

Ze huivert. 'Elke dag... kom ik hem overal weer tegen...'

Het is Mason voor en Mason na. Jake rijdt door. 'Op zomerkamp dreigde hij met zelfmoord.'

'Waarom?'

'Toen ik niet voor hem wilde liegen. Dat was op de dag dat jij bij ons op bezoek kwam.'

'Jullie zaten op het vlot. Daar heb ik jullie gevonden. Ik...'

'Hoe lang duurde het... voor we je zagen?'

'Welke leugen moest je voor hem ophangen, Jake?'

'Mason stal zelfgebakken broodjes. 's Ochtends maakten we tijdens het ontbijt zelf onze lunch klaar. Alles was op lange tafels klaargezet: eieren, broodjes, vleesbeleg en kaas. Er was meer dan genoeg fabrieksbrood, maar voor elke jongen slechts één vers broodje. Je kon het bij het ontbijt nemen – nog warm – of voor de lunch bewaren en dan lag het op een dienblad met je naam op een etiketje.'

Annie wacht en terwijl Jake het haar vertelt, is hij weer helemaal terug in *het kamp met de geur van kamfer, dennennaalden, aarde en knapperige, versgebakken broodjes.*

'Mason was dol op die broodjes. Dat waren we allemaal. Hij at het zijne bij het ontbijt op en maakte voor de lunch een sandwich van fabrieksbrood klaar. Maar dan glipte hij voor de rest naar het lunchdienblad, gapte het broodje van een andere jongen en plakte het etiketje met de naam van die jongen op zijn eigen sandwich.'

'Sandwichetiketjes.' Ze knikt. 'Klinkt als Mason.'

'Op een middag werd hij door een paar jongens betrapt. Ze hadden gezien dat hij hun broodjes stal. Hij wist te ontkomen en verstopte zich op mijn stapelbed. Daar vond ik hem. Hij huilde en zei: "Het was van mij. Ik ben geen dief."'

'Wat heb je toen gedaan?'

'Hij wilde wegrennen en wilde dat ik met hem meeging. Maar ik wilde blijven. Hij zei dat hij dan ook bleef. Maar dat ik hem had geholpen en dat hij iedereen zou vertellen dat ik 's ochtends dat broodje voor hem had gestolen en zijn naametiketje erop had geplakt.'

'Heb je dat gedaan?'

'Ik was de enige vriend die hij daar had.'

'En hij waagde het erop dat hij je zou verliezen.'

'Hij beloofde dat hij niet meer zou stelen en geen etiketjes meer zou verwisselen.'

'Maar hij deed het toch, hè?'

'Soms stal hij twee broodjes en gooide de naametiketjes op de grond... alsof hij wilde uittesten hoe ver ik zou gaan met voor hem liegen.'

'Uittesten... Weet je, elke keer moet ik hem weer neersabelen, Jake. Het maakt niet uit dat ik nu ergens anders woon, dat ik mijn werktafel heb achtergelaten. Ik moet hem neersabelen en dan weet ik al dat ik hem elk moment weer zal tegenkomen...'

'Hé... ik vind het zo erg voor je.' Hij raakt haar pols aan, zet zich schrap omdat ze vast ineen zal krimpen, maar dat doet ze niet. Hij is degene die ineenkrimpt, plotseling onpasselijk. Hij trekt zijn hand met een ruk terug. 'Ik kon het niet verdragen als ik jullie allebei al zou moeten verliezen.'

'Ik ben zo... verdomd moe van dat neersabelen.'

Jakes hart bonst in zijn keel. 'Hebben we dan een bondje?'

'Stel dat ik wel genoeg voor hem was geweest?'

'Niemand was genoeg voor hem. Nooit geweest ook.'

'Hoe verder ik van hem af kwam te staan, des te meer klampte hij zich aan me vast.' Annie trekt haar knieën nu tot haar voorhoofd op. 'Denk je dat hij het al die tijd al wilde doen... zelfmoord plegen... zodat hij ons in zijn dood kon meetrekken?'

'Dan is hij de enige die heeft gekregen wat hij wilde.' In Jakes oren klinkt het allemaal zo duidelijk als wat. Als hij het maar kon geloven. Geloven dat Mason er niet op rekende dat hij hem van zijn zelfmoord zou weerhouden. Geloven dat Mason niet wachtte om van Annies werktafel af te stappen tot hij er zeker van was dat Jake naar hem toe zou rennen. *Mij in zijn dood mee te trekken.*

'Hij vond het heerlijk als hij met dingen weg kon komen,' zegt Annie, 'en dat anderen ervoor opdraaiden.'

Hij kan te pas en te onpas bij mij thuis komen omdat zijn ouders voor hem betalen. Kan mijn kamer overhoophalen. Of me negeren. Soms heb ik 's ochtends buikpijn omdat ik weet dat hij er elk moment kan zijn.

'Maar heel veel was ook... geweldig, in onze jeugd. Toch, Jake?' Annie heft haar gezicht naar hem op. 'Wij met z'n drietjes... dat we elkaar niet in de steek lieten?'

Wij met z'n drietjes.

Een strik.

Een knoop.

Was dan vriendjes met de een, dan weer met de ander.

Wilde dat Annie mij het leukst vond. Wilde dat Mason mij het leukst vond. En toch wist ik dat ik voor beiden op de tweede plaats stond. Maar... onmogelijk om haar liefde te weigeren, hoewel ik me daardoor nog beroerder voel.

'Toch, Jake?'

Nee. Dat wil hij tegen haar zeggen. Hij zegt: 'Ja.' *Makkelijker. Voor Annie en voor Mason. Moeilijk om nee te zeggen als ze willen dat ik ja zeg. Toch was het niet helemaal nee. Het was ook een beetje ja...*

'Als jongetje,' begint Jake, 'dacht ik altijd dat hij het zou besterven als jij en ik uiteindelijk met elkaar zouden gaan.'

'Je was sterk genoeg om mij aan hem te verliezen.'

'Wat?'

'Omdat je ons dan allebei nog had.'

Hij schudde zijn hoofd. 'Ik moest zorgen dat je veilig was zodat...'

'Op ons passen?'

'Denk je dat ik dat wilde?'

'Oppassen, net als je moeder?'

'Kom op, Annie. Zo was het niet.'

'We konden op elkaar rekenen... jij en ik.'

'Ja?'

'Altijd, als kind... deed ik alsof ik Mason leuker vond... dat moest wel, zodat hij je niet zou kwetsen of je spullen zou stukmaken. Niet laten merken dat ik jou leuk vond... En dat doe ik nog steeds. Ook al is hij er niet meer.' Annie schudt haar hoofd. 'Zichzelf van kant maken nadat hij ons zo heeft gemanipuleerd...'

'Zodat we ons schuldig zouden voelen als we ooit nog bij elkaar zouden zijn. Heb je ooit het idee gehad dat onze vriendschap geheim moest blijven?'

'Ja, alsof onze vriendschap uit twee gedeelten bestond... het open gedeelte waar Mason bij was en het stiekeme deel.'

'Hij was op zijn best als hij bij ons beiden was, wanneer hij in het middelpunt stond.'

'Dingen waren altijd opwindend... hij leefde zo intens.'

'Maar als hij dat uitschakelde, tuimelden wij om.'

'O nee...' Annie kijkt verbijsterd.

'Wat is er?'

'We praten nog steeds met elkaar via hem.'

Jake staart haar aan. *Dat is waar.*

'We hebben het meer over Mason dan over jou of mij. Ze begraaft haar gezicht in haar handen. 'Dat wil ik niet. Dat deden we toen hij nog leefde. Dan praatten we over hem.'

'Als wij er niet over begonnen, deed hij het wel. Het was zijn favoriete gespreksonderwerp.'

'Ook van ons. Geef maar toe, Jake.'

'Toegeven? Oké, dit zal ik toegeven: ik ben bang dat je me zonder Mason niet erg opwindend zult vinden. Je vond het fijn toen je ons beiden om je heen had, we je aanbaden.'

'Op school voelde ik me heel bijzonder dat twee jongens me leuk vonden maar... Jij en ik waren degenen die als een stel geschifte muggen in het licht om Mason heen dartelden... en dat doen we nog steeds, Jake. Zelfs zonder hem. Laten hem...' Ze lacht vreugdeloos.

'En zo gaat het nu weer,' zegt hij, 'raden wat Mason zou hebben gedaan of gedacht of van ons had gewild. Wat Mason had gewild...' Hij onderbreekt zichzelf.

'Begrijp je wat ik bedoel?'

'Misschien voedt hij ons wel.'

'Soms word ik 's nachts wakker en kom ik in opstand tegen zijn geweld... tegen zichzelf. Tegen mij. Vooral tegen Opal. Andere keren ben ik bijna... opgelucht – het is niet het juiste woord, maar ik weet geen beter – opgelucht dat hij er niet... meer is. Beloof je dat je dat nooit aan iemand zult vertellen?'

Hij knikt. 'Die dag dat we limonade verkochten... ik geloof dat toen de blauwdruk van onze vriendschap al was vastgelegd. Wie we waren... en wat er van ons zou worden.'

Ze luistert aandachtig.

266

Hoeveel meer kan ik nog zeggen zonder dat ik haar afstoot?
'Geloof jij dat hij ooit situaties heeft gecreëerd waarin hij met recht jaloers kon zijn?'

'Voortdurend. Daar kickte hij op, jaloers zijn.'

'Elke dag van je winnen?' vraagt Jake.

'Of van jou.'

Jake vraagt zich af hoe ze Masons jaloezie aanmoedigde.

'Hij was trouwens lang zo amoureus niet als hij leek. Hij deed een hoop voor de show... als jij in de buurt was.'

De voorgehouden kluif? Het vuurtje aanwakkeren? Jake voelt vanbinnen een stille kreet, houdt hem in. *Dat ik jou voor hem moest neuken.*

'Wat, Jake?'

Hij parkeert aan het eind van Ocean Road, staart woedend naar de golven.

'Wat is er?' vraagt ze, ze raakt hem niet aan hoewel haar stem hem beroert.

Dat ik jou voor hem moest neuken. Hij voelt zich onpasselijk.

'Jake?'

'Dat ik jou voor hem moest neuken,' zegt hij, geschokt dat hij het heeft gezegd.

Ze slaat haar armen over elkaar, vingertoppen op haar schouders, buigt zich naar voren, lippen bewegen.

'Ik versta je niet, Annie.'

Lippen bewegen. Wiegt zichzelf.

'Ik was de stand-in,' zegt Jake.

'Heb je er ooit aan gedacht... nee.'

'Wat, Annie?'

'Dat dit voor Mason het dichtste in de buurt kwam van jou te neuken?'

'Ik heb er alles aan gedaan om dat niet te denken. Of dat

hij het misschien met ons beiden wilde.'

'Ons beiden neuken door het ons voor hem te laten doen?'

'Dat hebben we gedaan.'

'Alleen om hem de mond te snoeren, Jake.'

'Of om hem te plezieren?'

Ze wiegt. Wiegt zichzelf. Lippen bewegen. En uiteindelijk kan Jake ontcijferen wat ze fluistert: 'Mason heeft ons drietjes niet overleefd.'

'Als je ooit wilt praten, Annie, over die avond en Masons dood...'

'Tante Stormy zegt dat hier behoorlijk wat mensen zijn verdronken.' Ze gebaart naar het water.

'Omdat ik je iets moet vertellen.'

'Dit strand heeft geen strandwachten. Daarom.'

'Annie?'

'Mensen die geen strandpassen kunnen krijgen, gaan hier zwemmen. Net als ongeregistreerde arbeiders. Het zoveelste document dat buiten hun bereik ligt.'

'Kijk kijk, Jake. Een modderslak.' Opal steekt de schelp naar hem uit, legt hem in zijn handpalm.

'Mooi hoor.' Hij heeft haar al vijf keer geknuffeld.

'Mason zegt dat als je water op hun huid laat druppelen, ze gaan bewegen.' Ze schept water op zijn hand.

Na een tijdje voelt hij het, de lichte stuiptrekking van een membraan. Griezelig. Fluweel dat over zijn hand glijdt. Hij wil het eraf schudden. Maar voor Opal houdt hij zijn hand stil.

'Je kunt hem beter in het water doen, Jake.'

'Goed idee.' Hij trekt hem van zijn hand en zet hem in de baai.

Het water is nog koud, het zand ook, maar hij en Opal bouwen met tuinscheppen een zandkasteel. Het is al op heuphoogte, met een paal van wrakhout en krullen van bruin zeewier.

Annie kijk toe. Helpt niet. Kijkt alleen maar.

Waarvoor? Om te kijken hoe ik als vader ben? Het is duidelijk dat Opal me heeft gemist.

'We hebben schelpen nodig, als versiering,' besluit Opal en ze rent weg.

Hij loopt achter haar aan. Draagt de schelpen die zij opraapt.

'Jake, kijk...' Ze blijft staan.

Reusachtige letters in het zand. GEEF OORLOG EEN KANS.

'Dat is ziek,' zegt Jake.

Opal trappelt op OORLOG. Vertrapt de zes letters tot het zand plat is. Met de punt van haar rechtersneaker schrijft ze er VREDE voor in de plaats.

'Dat is slim,' zegt Jake tegen haar.

'Kun je dat zeewier eten?' vraagt ze hem terwijl ze de schelpen in de kasteelmuren drukt.

'Dat weet ik niet zeker.'

'Ze verkopen zeewiersalade op de vismarkt.'

'Waarschijnlijk is dat geïmporteerd,' zegt Annie. 'Dit is vast vervuild.'

'Au...' roep Opal uit.

'Wat is er?' vraagt Annie.

'Een schelp. Te scherp.'

'Zal ik even kijken?' vraagt Jake. 'Dr. Pagucci op splinterronde.'

'Het is geen splinter.'

'Dan moeten we improviseren. Jij had altijd meer splinters dan wie van mijn patiënten ooit.'

'Je hebt helemaal geen andere patiënten.'

'Dr. Pagucci beperkt zijn praktijk tot de familie. Omdat

ieder ander hem nu zou hebben ontslagen.'

'Ik ben je familie niet. Je bent zo stom.'

Ja, wrijf het er nog maar eens in.

'Je bent stom omdat je me niet bent komen opzoeken.'

'Sorry.'

'Als je helemaal niets meer te eten hebt, kun je dan zeewier eten?'

Jake weet dat ze een ja op dit antwoord wil. Beraamt ze soms een overlevingsplan voor het geval ze niemand meer overheeft? 'Ken je mijn telefoonnummer nog uit je hoofd, Opal?'

'Ja.'

'Je moet het telefoonnummer onthouden van iedereen die van je houdt.'

Iedereen die van je houdt, Mason...

Mason achter Opal aan op het strand, steeds verder weg tot hun gedaanten samensmelten, een ogenblik één vorm tot Opal oprijst omdat Mason haar op zijn schouders tilt. Dan weer één vorm, één figuur boven op de andere, terwijl hij naar Jake en Annie terug galoppeert, dichterbij, Opal lachend en gillend, haar vingers houden zijn voorhoofd stevig vast. 'Ragebol', zo noemt hij haar.

'O nee,' roept Opal uit als het tij begint op te komen. Ze klakt met haar tong, stampt met haar voeten, zwaait als een sjamaan met haar armen boven het kasteel.

Jakes hart loopt over zoals ze rond het kasteel danst.

'Je bent mijn Ragebol,' zegt hij.

'Noem me niet zo!'

'Hoe moet ik je dan noemen?'

'Sodemieter op, Jake.' Zo'n woede. Dan een blik van afgrijzen alsof ze stond te wachten dat hij dood zou neervallen.

'Wat zei je?' vraagt Annie.

'Jake leeft nog, dus daar zit het 'm niet in.'

'Ik wil dat je je excuses aan Jake aanbiedt.'

Het blauwgroene water komt dichterbij, verandert in schuim dat aan het zand om haar kasteel likt.

Met zijn voet schuift Jake zand in een slotgracht. 'Denk je dat we je kasteel moeten redden?'

'Het is geen kasteel.' Opal pakt haar schep en verzamelt omliggend zand in de richting van haar kasteel, zo de muur ophogend. 'Dat weet je toch?'

'O ja?' Jake graaft sloten in het zand om het water om te leiden.

'Je hebt het toch helpen bouwen, Jake?'

'Ik dacht dat het een kasteel was.'

'Stommerd...' sputtert ze. 'Dat je denkt dat het een kasteel is.'

'Als het geen kasteel is, wat is het dan wel?'

'Een drakenhuis.'

'Natuurlijk. Een drakenhuis.'

'Nee, dat is het ook niet. Het is een drakenschool. Dat is het.' Ze duwt met haar vlakke hand in de richting van de oceaan alsof ze het verkeer tegenhoudt.

De opkomende vloed is al bij de onderste muren van haar drakenschool, vlakt alle details af.

'Hier, Jake. Meer zand. Nee. Daar niet...'

Waarom vernielt ze haar drakenschool niet voordat de golven er bezit van nemen? *Het doet minder pijn als je het zelf afbreekt in plaats van af te wachten tot iemand anders dat doet.*

Maar Opal probeert nog de laatste zandtoren te redden, graaft nog een slotgracht, zelfs als haar drakenschool al door de golven wordt verzwolgen.

Mason

...*struikelde. Ik hield me met een hand op mijn dochters matras staande. Ze werd kleiner en kleiner...*

'Ga niet weg, Mason.'

Ik knipperde met mijn ogen en daar was ze weer, zo groot als ze hoorde te zijn. 'Slaap lekker, Sterretje...' En nogmaals beroerde ik met mijn lippen even haar voorhoofd.

IJskoud, mijn buik.

De lucht was nu nog donkerder, Annie, dan toen jij en Opal in de auto stapten.

Rijd voorzichtig. Het ziet ernaar uit dat we een orkaan krijgen, hoewel het niet voelt als een orkaan. De zon ziet eruit als een oude blauwe plek. Zo stel ik hem altijd voor na een fall-out. Geen vocht in de lucht... alleen die scherpe droogte.

Koud... zo koud...

In je atelier trek ik je kasjmier sjaal van de rugleuning van je werkstoel. Die stallucht raak je hier nooit kwijt, ook al zijn de dieren allang verdwenen, ook al schrob je de wanden, vloer, dakspanten. Ik wikkel je sjaal om me heen en ben plotseling in het huis van mijn ouders, koud als de kluis op de bank, en de kakofonie als het zoveelste kind zich door een les heen worstelt...

Van jou, Annie, wil ik niets vernietigen... alleen mijzelf.

Ik weet wat je zou zeggen: 'Doe niet zo dramatisch, Mason.' *Of liever nog:* 'Doe niet zo verdomde dramatisch, Mason.'

Denk er maar eens over na, Annie. Nu ik je niet langer heb,
kan ik mezelf aan de dood overgeven...

'Dat doodsidee,' zo noemde je het toen ik erover begon.

Het verschil? Wat maakt het uit. Als dat idee me naar de dood
leidt? Weet je Spoorloos *nog, Annie? Die Nederlandse film over*
een vrouw die bij een benzinestation wordt ontvoerd? Saskia.
Haar minnaar wil zo wanhopig graag weten wat er met haar
is gebeurd dat hij met de moordenaar afspreekt dat die hem de-
zelfde dood zal laten ervaren. Zodat hij het zou weten.

Ik weet het.

Ik weet hoe het is wanneer je iets zo wanhopig graag wilt we-
ten dat het je vermoordt, Annie.

Ik weet wat Rex voelt als hij wakker wordt en merkt dat hij
levend begraven is.

Wat is eigenlijk erger, vertel me dat eens? De realiteit, Annie?
Of wat jij denkt dat de realiteit is?

Met je sjaal om me heen krul ik mezelf op de vloerdelen op,
mijn knieën opgetrokken tegen mijn borst. Als baby zoog ik zo
opgerold op mijn tenen. Dat heeft mijn moeder me verteld. Ze
vond het verbazingwekkend. Was verrukt.

Laat ik je dit vertellen, Annie: van alles wat er vroeger toe
deed, is nog maar één ding belangrijk voor me. Het geloof dat
ik in staat zal zijn je terug te winnen, wat ik ook doe. Ik kan al-
les aan als ik die overtuiging heb, de magie van winnen. De kos-
ten wegen niet op tegen de winst, en ik ben woedend op mezelf.
Woedend dat je me verlaat. En wint, natuurlijk.

Wacht je af om te kijken in hoeverre ik je vertrouw? Uit te
testen in hoeverre jij mij kunt vertrouwen voor je terugkomt?
Wacht niet te lang. Ik weet alles van tests, over duwen over
de...

Mijn ogen en keel jeuken.

Je sjaal... verstikkend zo zwaar. Maar als ik hem afgooi, strijkt
koude lucht langs mijn huid. Ik ril... heb me op je vloer opgerold.

Rillend. Maar ik hou niet op om meer kleren aan te trekken. Als ik ergens mee ophoud, ga ik er misschien niet mee door. O, Annie...

[10] Annie

– *Het vredesnest* –

Buiten: onweer. En op de televisie vergelijkbare geluiden terwijl Irak wordt gebombardeerd. Felle lichten flakkeren op. Op het scherm en buiten onze ramen. Alle hemelen slaan terug omdat we vandaag deze oorlog zijn begonnen.

'Alsof we het Iraakse volk gaan bevrijden, wat een leugen.' Tante Stormy is woedend. 'Een beetje van ze verwachten dat ze op onze soldaten toe komen rennen, ze verwelkomen.'

Ik ben het met haar eens. 'En de gotspe dat ze er terrorisme van maken, terwijl de Irakezen zichzelf alleen maar verdedigen.'

'Natuurlijk verdedigen ze hun huizen. Net zoals wij ons kleine stukje aarde zouden verdedigen. Daar zijn we aan gehecht. Wij dulden ook geen overheerser.'

Plotseling reclame, die Viagra-vent, wiebelt met zijn kruis terwijl hij onder begeleiding van 'We are the champions' een voordeur uit rent...

'Die man is zo lelijk,' zeg ik, 'ik zou seks compleet afzweren.'

'Jij?' Tante Stormy zet het geluid van de tv uit. 'Welke seks?'

'Ik geloof mijn oren niet, dat je zoiets zegt.'

'Jij en Jake zijn...'

'Er is heus niets gaande, hoor.'

'Absoluut waar. Een non-in-de-dop en een monnik-in-de-dop. Jij loopt er compleet als non bij. Helemaal ingepakt.'

'Verder nog iets aan te merken?'

'O... alleen dat je ouders hoopten dat het Jake was geworden.'

'Dat hebben ze nooit gezegd.'

'Natuurlijk niet. Wat hadden we moeten zeggen?'

'Jij ook al?'

'Ik hoopte op Jake, maar wedde op – zoals jij het zou uitdrukken – Mason, zeker na Marokko, toen hij zijn mond zo vol had over trouwplannen... alsof hij bang was dat als hij het vijf minuten losliet, je er met Jake vandoor zou gaan. Wij dachten...' Ze schudt haar hoofd. 'Ik weet niet of je dit wel wilt horen.'

'Vertel.'

'Wij dachten dat je voor Mason had gekozen omdat je alleen op die manier jullie drietjes bij elkaar kon houden. Jake zou er immers altijd zijn. Maar als je voor Jake had gekozen, zou Mason zich voorgoed verongelijkt hebben teruggetrokken.'

Mijn hoofd tolt. 'Maar uiteindelijk... heeft Mason me die keus opgedrongen... ons, en toen heeft hij zelfmoord gepleegd.'

'Ultiem tot in eeuwigheid verongelijkt.'

'Lief van je dat je niet naar de details vraagt. Daar ga ik ooit nog wel eens op in, maar...'

'Wanneer en als...' Ze wijst naar haar hart. 'Je weet dat ik er ben.'

Ze laat het geluid uit als we weer terug zijn bij de bommen die in de gebouwen inslaan, een zandlandschap, angstaanjagend in zijn geluidloze verbijstering.

Het enige geluid komt uit de keuken... Opal die met het blik hondenkoekjes rammelt, Luigi traint. Zitten. Wachten. Niet bedelen aan tafel. 'Alleen de trainer mag de hond voeren,' zegt ze nadrukkelijk als we aanbieden om het reusachtige blik hondenvoer voor haar te dragen. 'Anders raakt hij maar in de war.'

Vorige week, toen Luigi bij de kreek een paar dode vissen was tegengekomen en er lekker in had liggen rollen, probeerde Opal de stank te verdoezelen door hem te besproeien met tante Stormy's parfum. Zelfs nadat ik Luigi in bad had gestopt, rook hij nog naar lelietjes-van-dalen, weeïg zoet.

'De ultrarechtsen hebben dit al sinds begin jaren negentig gepland,' zegt tante Stormy. 'Hoeveel groeperingen hebben hier niet naartoe gewerkt? En er komen er steeds meer bij.'

'Maar het is niet hopeloos,' zeg ik, 'en precies om de reden die je net zei. Denk er maar over na. Wij kunnen ook plannen.'

'Maar denk eens aan al die verwoestingen die ondertussen worden aangericht.'

'Denk eens aan die vredesdienst in Bridgehampton... over dat we het nog een dag langer moesten volhouden.' Gisteren had een van de sprekers tijdens de First Church of Peace vertroostend gesproken over hoe Afro-Amerikanen altijd hadden moeten leven met het feit dat hun stem niet werd gehoord... hoe ze het hadden overleefd door bij elkaar te komen en het nog een dag langer vol te houden, een jaar, tien jaar.

'Wij kunnen ons niet eens een uur veroorloven.' Tante Stormy begint te huilen.

'Ik heb je nog nooit zo bij de pakken neer zien zitten.'

'Ik heb het zo... verschrikkelijk koud.'

Ik wikkel mijn afghaan om haar heen. Masseer door het roze garen haar schouders. De afghaan bleek om een paar collages te zijn gewikkeld. En dan te bedenken dat ik dacht dat ik hem aan het Leger des Heils had gegeven. Hoewel ik die rozetinten nu niet meer zou hebben gekozen, ben ik zo blij dat ik hem terugheb omdat hij deel uitmaakt van onze eerste paar maanden met Opal.

In de keuken gaat de telefoon. Opal rent ernaartoe. 'Hallo?' Zo'n gretig stemmetje. Dan teleurstelling. 'O... het is voor u, tante Stormy.'

Ik wed dat ze hoopte dat het Jake was.

'Of hoopte jij dat het Jake was?' vraagt Mason.

'Hou op!'

'Voorzichtig, Annie. Moedig niet iets aan waar geen beweging in te krijgen is.'

Tante Stormy neemt de telefoon in de keuken. Ze grijnst als ze terugkomt. 'Onze minst favoriete klant.'

'Onze koloniaal.'

'Weet je nog dat ik het erover had dat ik van hem af wilde?'

'O ja.'

'Hij zei me niet eens gedag. Begon gelijk met: "Raad eens." Dus vertelde ik hem dat. "We zijn een oorlog begonnen." Hij zei dat het daar niet om ging, dat zijn nieuwe schoonmaakster alweer ontslag had genomen.'

'Tja, waarom zou dat toch zijn...'

'Toen zei hij tegen me: "Je moet een betrouwbaar iemand voor me vinden, Stormy. En als ze niet gelijk kan beginnen, dan vind jij het toch niet erg om deze keer de boel schoon te maken, wel?" Ik wilde gelijk zeggen: ja, dat vind ik wél erg, maar hij onderbrak me zodra hij me ja hoorde zeggen. "Je bent een bovenste beste, Stormy," zei hij tegen me, en toen ik zei: "Ja, ik vind het wél erg," zei hij met die bekakte stem van hem: "Nou... dan neem ik mijn woorden terug." Raad eens wat ik tegen hem zei, Annie?'

'Ga zitten?'

Ze lacht. 'Ja, en met diezelfde bekakte stem: "Nou... ik zit al."'

'Goed om je te zien lachen,' zeg ik tegen haar, 'ook al gaat het over de "koloniaal".'

De wind raakt in onze schoorsteen verstrikt, een geloei dat merkwaardig op een bombardement lijkt.

'Laten we een visarendnest bouwen,' zegt tante Stormy.

'In de storm?'

'Zodra de storm is gaan liggen. Ik moet... iets doen als tegenwicht tegen al dat geweld. Ik weet dat het voor de mensen in Irak niets uitmaakt, maar ik voel me zo machteloos dat ik iets vredelievends wil doen. Vandaag nog.'

We timmeren een houten frame in elkaar, spannen er als nestbasis draadgaas over en nieten dat op de rand vast, verzamelen twijgjes, stokjes en gras en weven dat door het draadgaas heen.

'Ik wil een rond nest,' zegt Opal.

Tante Stormy en Pete plukken wijnranken vanachter haar schuur. Hij hervindt het lichaam dat Annie zich herinnert, soepel, kan weer met zijn vingers bij de grond en helpt tante Stormy in de tuin. Zijn halsstarrigheid om te willen genezen – rekken en therapie en lopen – heeft me geïnspireerd.

Nadat hij en tante Stormy de ranken in een krans hebben gevlochten, haken ze de taaie uiteinden in het gaas. Samen met Opal weef ik lange rietstengels door de vierkante draadgazen gaatjes tot het nest op een vredesteken begint te lijken.

'We krijgen het niet... hoog genoeg,' zegt Pete.

'We kunnen het proberen.' Met rood touw bindt Opal een paar van haar lievelingsschelpen aan de ranken.

We hangen er dingen aan die voor ons vrede symboliseren: Petes bijna verwelkte rozen als donkerroze accenten tussen de grassprieten; tante Stormy's amethist en een lang helder kristal; een schelp die ik de dag ervoor bij Sagg Main heb gevonden, in bruin- en beigetinten.

'Jouw schelp,' zegt Pete tegen me. 'Zijn net verschillende... kleuren... huid.'

'Ik heb deze amethist al heel lang,' zegt tante Stormy. 'Hij heeft gewacht tot er een bestemming voor was.'

'De amethist heeft hier ook op gewacht.'

Overal om ons heen wordt de geur van de aarde verwarmd omdat de zon steeds langer schijnt. Zo samen buiten aan het werk brengt ons hart tot rust, geeft ons respijt van ons verdriet en onze angst.

Ik druk een kus op de bezwete krullen van mijn dochter. 'Het is een schitterend nest.'

'Wie zal zeggen of we ooit visarenden krijgen,' zegt tante Stormy, 'maar als dat zo is, kunnen we kijken hoe ze het verder opbouwen.'

'Ze hebben hun... nest het liefst... hoger dan de... omringende boomtoppen.'

'Kunnen we het nog hoger krijgen?' vraag ik.

Tante Stormy schudt haar hoofd. 'De steunbouten van het plankenpad zijn niet lang genoeg, die houden het niet als het nog hoger komt.'

Ze gebruikt de draadloze boor die ze vorige maand bij BigC zo omstandig had bewonderd, nadat een van haar nepkeien in de kreek was gewaaid. Ze was er in haar kajak achteraan gegaan, had BigC's boor geleend, had in al haar keien gaten geboord en ze aan bomen vastgebonden. 'Die boor van jou,' zei ze tegen BigC, 'is zo'n stuk makkelijker dan met zo'n stroomdraad te moeten rondslepen...' Ze ging net zolang door tot BigC erop stond dat ze hem hield.

Ik haal viltstiften uit de cottage, snijd lange repen papier. 'Laten we er iets opschrijven wat met vrede te maken heeft. En ze dan in het nest vlechten.'

'Ik vind jouw viltstiften niet mooi.' Opal stampt met een voet op het plankenpad.

'Daar ga je... met je vrede,' zegt Pete.

'Ze zijn helemaal zacht en zompig alsof een ander kind er te hard op heeft gedrukt.'

'Jij bent hier... het enige... kind.'

'Kijk kijk, Pete, een kaarsenspook.'

'Het is een grote... witte reiger,' zegt hij.

'Kaarsenspook!'

'Dat is een mooie... naam.'

'We laten de rest van de twijgjes op de grond liggen,' zegt tante Stormy, 'dan kunnen de visarenden zelf hun nest afbouwen.'

We bevestigen ons platform op het uiteinde van een lange stok, steken hem in de lucht en bevestigen de voet van de stok aan de leuning aan het begin van het strandpad. Tante Stormy heeft er al gaten in geboord en terwijl wij de paal in die wankele positie houden, schroeft zij er schroeven en klemmen op. Boven ons is door het draadgaas de lucht en het roze van Petes rozen te zien.

'Kijk kijk,' roept Opal uit. 'Onze visarend.'

'Zo snel gaat dat niet.' Tante Stormy wendt haar gezicht naar de lucht omhoog. 'Het is een visarend.'

En zo is het ook, hij cirkelt boven hen.

'Hij controleert ons nest,' zegt Opal met nadruk.

'In hun eerste jaar keren visarenden niet terug naar het noorden,' zegt tante Stormy. 'Maar daarna komen ze naar hun broedplek terug. Om te jagen en te vissen.'

'Hij heeft hier naar een woonplaats uitgekeken,' zegt Opal, 'en wij hebben die voor hem gebouwd.'

'Nou... de jongere exemplaren hebben woonruimte nodig,' zegt tante Stormy. 'Hun ouders leven wel twintig jaar.'

'Kom hier, chickie chickie...' zingt Opal naar de visarend.

Pete gebaart naar het platform. 'Ik hoop alleen... dat ze deze woonplek... goed genoeg vinden.'

'Het doet ons in elk geval aan vrede denken,' zeg ik tegen Opal.

'Het doet ons denken aan al dat werk dat we eraan hebben besteed,' corrigeert ze me.

...Lopen, Opal en ik lopen door duinpannen... klimmen op een brede duinrand. Het begint hetzelfde... zij rent de gele duinen op, glijdt op haar billen naar beneden, speelt en klimt weer omhoog, paars-op-geel, en plotseling is ze er niet meer. Ik kan haar niet vinden, roep haar naam – Opal Opal Opal – hoe kon ik nou vergeten dat Napeague Harbor zo dichtbij is? – Opal – ik ren de duinen over, helemaal over de duintoppen, zoek overal. Ik dwing mezelf stil te staan omdat het een droom...

Ik weet dat het een droom is en wil mezelf wakker maken. Maar ik ben verstijfd...

...in de droom is. Klim op de rand van de droom om eruit te komen omdat ik bang ben voor wat komen gaat, omdat elke droom meer openmaakt, en ik al weet dat ik elk moment aan de voet van het duin iets paars in de baai zal zien liggen – en daar is het – drijft alsof het er al te lang ligt. En in mijn hart weet ik dat mijn dochter verdronken is. Omdat ik de andere kant op keek. Hoe kan Opal zo ver weg zijn gerend? En nu zet ik het op een lopen, een lopen...

...terwijl ik uit deze droom probeer te ontwaken...

...ren dieper de droom in en naar het paars onder de oppervlakte. Het bolt op...

...ik wist het, was hier in andere dromen, heb verzuimd op de voorbodes te letten...

...ren, schuif, glijd... doodsbang om zekerheid te krijgen. Nog banger zelfs om uit de droom te klimmen en het nooit zeker te weten...

...en dus blijf ik. Ik besluit in de droom te blijven...

...ren, schuif, glijd naar mijn dochter, die daar met haar ge-

zicht omlaag drijft, die met haar gezicht omlaag veel te lang in
het water heeft gelegen om het te kunnen overleven. Maar mis-
schien ook niet. Misschien kan ik deze keer... Op mijn knieën. Ik
kruip – daar, nu – grijp de achterkant van mijn dochters wind-
jack, geef er een ruk aan... een harde ruk...

Rillend zit ik rechtop in bed. Verzeker mezelf ervan dat
mijn dochter ademt. *Leeft.* Slaapt. *Droog.* De heldergroene
cijfers van de klok staan op 04:18 en in de bijna-donkere kamer voel ik me plotseling blij. Opal is veilig. En dat heb ik gedaan. Op een of andere manier voelt het alsof ik volwassen
ben geworden, in elk geval een poosje. Mijn hart komt tot
rust en ik ben dankbaar dat Mason dood is... en niet Opal. Ik
had niet wilen ruilen. Had hem aan de goden willen offeren,
het noodlot, om haar veilig te behouden. *Bloedverwant. Ze-*
kerheid.

Ik ren de trap af naar de keuken, grijp Opals windjack dat
aan de blauwe haken tussen de andere jassen hangt en prop
het achter de kratten van de hoekbank. *Zo.* Nu is ze veilig,
mijn dochter.

En ik zal haar blijven beschermen. Als ik weer boven kom,
is haar linkerwang tegen de bedrand gegleden, waardoor haar
mond scheeftrekt, opgezet in haar slaap. De zekerheid dat ze
nog twee, drie uur doorslaapt. De zekerheid van de volgende
dag. En het is prima dat niets zo zeker is als dit moment. Ik
glip terug in bed, krul mezelf op in wat er van mijn lichaams-
warmte over is, zie Opal lachend over het strandpad rennen
en terwijl ik in slaap wegdrijf, beloof ik mezelf dat ik naar
haar vreugdemomenten leer kijken, die momenten in mijn
herinnering vasthoud, zodat ik me haar wanneer ik maar wil
voor de geest kan halen. En haar aan die blijdschap kan herinneren.

’s Ochtends word ik met de bekende paniek wakker: *ik ben*
alleen.

Maar vervolgens denk ik onmiddellijk: *we zijn nu veilig.*

Ik sla mijn armen om mezelf heen, houd mezelf aan dat vredige moment vast en vraag me af of deze ogenblikken gaandeweg langer gaan duren... als de genezing van een wond, bijvoorbeeld, dat je in staat bent om vijf minuten zonder pijn te lopen, en dan tien... je stukje bij beetje niet meer tegen de pijn schrap hoeft te zetten... niet meer met de verwachting hoeft te leven dat je – elk moment – weer kan worden gekwetst. Tot je wakker wordt en de pijn niet meer als eerste bij je opkomt.

Opal staat onder het vredesnest, kijkt met toegeknepen ogen naar de lucht, wacht tot haar visarend terugkomt.

'Je hebt hem weggejaagd,' zegt ze tegen BigC, die op haar strandpad met beide armen staat te zwaaien alsof ze gaat opstijgen, haar manier om de eenden weg te jagen.

'Ik verjaag alleen de eenden.'

'Ik voer ze,' fluistert tante Stormy tegen me, 'en BigC houdt halsstarrig vast aan haar eendenpreventieprogramma.'

Haar laatste project: een vogelverschrikker die al helemaal onder de eendenschijt zit.

'Mag ik Opal meenemen naar de vliegerwinkel in Sag Harbor?' vraagt BigC aan me.

'Zeg ja, Annie? Ja?'

'Ja,' zeg ik.

Ze komen terug met chocoladechips en twee fluorescerende molentjes die geluid maken als de wind ze in beweging zet.

Geen eenden meer.

Een paar dagen lang.

Elke dag controleert Opal het nest een paar keer.

Nog steeds geen visarenden. Maar de eerste eend keert terug. En algauw volgen er meer.

Twee grote witte reigers komen ons vredesnest inspecteren. Als ze wegvliegen, laten ze een reusachtige witte klodder op BigC's strandpad achter.

'Toen ze zich voor het eerst in de kreek lieten zien,' zegt BigC tegen me, 'hoopte ik dat ze zouden blijven.'

'Misschien doen ze dat wel.'

'Niet op mijn strandpad, Annie.'

Nog voor ik de auto heb gestart, praat dr. Virginia tegen me, prijst haar nieuwsbrief aan, herhaalt haar 0800-nummer drie keer. *'Of abonneer u op de online-nieuwsbrief op www.dear-doctorvirginia.com.'*

'Ik heb genoeg van je,' zeg ik tegen haar.

'Ik heb het gevoel dat mijn zuster misbruik van me maakt,' vertelt Sybil uit Mattituck aan dr. Virginia. 'Ze nodigt me altijd uit in haar flat als ze iets van me nodig heeft, maar als ze eenmaal heeft wat ze wil, negeert ze me en belt ze nooit terug.'

'Je zuster stelt grenzen aan je, Sybil.'

'Ja, maar ik vind het ondankbaar van haar dat ze dat doet nadat ik...'

'Als je op zoek bent naar een relatie met een broer of zus in termen van dankbaarheid, dan ben je ongelooflijk afhankelijk bezig.'

'Maar ik dacht dat het deze keer anders zou zijn. Ik bedoel, ik heb haar...'

'Daar ga je weer. Je probeert anderen tot dankbaarheid te dwingen. Geen wonder dat je zuster niet met je wil praten.'

Oranje gestreepte pionnen – markeringen voor de weg-werkzaamheden overdag – staan langs de berm van de weg. Geen straatverlichting. Alles is donker.

'Ik vraag me alleen af of ik de juiste beslissing heb genomen, dr. Virginia. Weet u, voor de operatie belde mijn zuster me twee keer per dag. En in het ziekenhuis waren we zo dik dat ik dacht dat we van nu af aan zo veel beter met elkaar...'

'Wat voor operatie? En heel precies, graag.'

'Ik heb een nier aan mijn zuster afgestaan. O... u wilt het heel precies. Mijn linkernier.'

Ik vind het altijd heerlijk als dr. Virginia zo volkomen van haar stuk is gebracht dat ze vergeet haar bellers af te snauwen.

'En ze is mijn oudere zus,' voegt Sybil eraan toe.

'Zou jij je nier afstaan om mij terug te krijgen?' vraagt Mason.

'Doe niet...'

'Dat zou je voor me doen, hè, Annabelle?'

Daar is het weer, dat gevoel dat iets te ver is gegaan en dat je het moment hebt gemist waarop het gebeurde. Het moment dat terugkeer nog mogelijk is. Zoals toen ik Mason buiten de auto sloot. We hadden zitten grappen, en we moesten beiden lachen toen we van plaats wisselden, hij liep achterom en ik glipte achter het stuur. Bij wijze van grap deed ik de passagiersdeur op slot. Maar Mason lachte niet. Rukte alleen maar aan de hendel en schreeuwde naar me dat ik de deur open moest doen. Ik zat nog steeds te wachten tot hij naar me zou lachen. Toen ging alles heel snel. Hij pakte een steen op, een platte steen zo groot als zijn hand. 'Ik sla het raampje in als je me er niet in laat.' En toen was ik bang om de deur open te doen. Maar ik deed het wel. Omdat ik nog banger was om het niet te doen. 'Je zou nu toch moeten weten hoe rancuneus ik ben,' zei hij toen ik hem erin liet.

'Ik geloofde je niet,' zeg ik tegen Mason.

Ik schakel over naar dr. Francine. Een reclame voor een echtscheidingsadvocaat: 'U kunt me bellen op 0800-scheiding. Snelscheiding biedt u binnen twaalf uur een wettige echtscheiding...'

'Wat een timing!' Mason lacht.

'...of nietigverklaring, zonder te hoeven reizen, zelfs als uw echtgenoot onvindbaar is.'

'*Ik weet hem wel te vinden,*' zeg ik tegen de radiostem.

'*Je bedoelt dat je me gaat opgraven?*' vraagt Mason.

Koplampen achter me. Heel plotseling en snel. Veel te dichtbij.

'Klootzak!'

'*Daar horen klootzakken thuis,*' stemt Mason met me in. '*Op je achterbumper.*'

'*Als je dat maar weet.*'

Ik ga naar de kant. Laat de auto passeren. Een Humvee. Net een tank. Op dat moment zie ik een bord: ALLEEN STOPPEN BIJ NOODGEVALLEN.

'*Vond je dat een noodgeval?*' vraag ik aan Mason.

'*Ik haat Humvees.*'

'*Pete ook.*'

'*Ze gebruiken overal te veel van,*' zegt Mason. '*Ruimte en brandstof. En bovendien zijn ze spuuglelijk. En omdat ze zo zwaar zijn, worden Humvees als landbouwwerktuig aangemerkt... lagere belasting dus.*'

Plotseling mis ik hem. '*Denk je dat Opals pijn al voor haar geboorte is begonnen?*'

'*Tijdens het ongeluk of daarvoor?*'

'*Tijdens... denk ik.*'

'*Misschien, als je zelfs in de baarmoeder niet veilig bent... wanneer ben je dat dan wel?*'

'*Vroeger kon je zien hoe blij ze was,*' zeg ik tegen Mason. '*Nu zie je alleen haar verdriet nog maar.*'

'*Misschien wíl ze je haar blijdschap niet laten zien.*'

'*Om me te straffen?*' Ik zie Opal om de tulpenboom dansen. *Zo blij.*

'*Lola is met mij beter af, dr. Francine.*' Een verdrietige, uitdagende mannenstem.

'Maar ze is van je buurman.'

'Ik heb twee weken voor haar gezorgd.'

'O, Bob...' Dr. Francine zucht. 'Ik begrijp dat je van haar bent gaan houden...'

'Zonder mij was Lola verhongerd.'

'Ik vind dat je buurman heel verantwoordelijk heeft gehandeld,' zegt dr. Francine tegen Bob, 'door jou te vragen voor zijn kat te zorgen terwijl hij in Costa Rica was, en...'

'De enige fout die de buurman heeft gemaakt is dat hij deze idioot in de buurt van zijn kat heeft gelaten,' zeg ik tegen Mason.

'Maar als ik Lola geen eten had gegeven, was ze nu dood geweest,' zegt Bob tegen dr. Francine.

'...jij hebt verantwoordelijk gehandeld door voor de kat te zorgen.'

'Ik geef Lola niet terug.' Een scherpe klik als Bob ophangt.

'Bereidt zich voor op een leven als vluchteling,' zegt Mason.

Dr. Francine zucht.

'Ze drukt weer op haar zuchtknop,' zegt Mason.

'Ik maak me zorgen over Lola.'

'Denk je werkelijk dat Lola een kat is?'

'Alleen jij zou zo'n vraag stellen.'

'Waarom?'

'Met je bizarre fantasie.'

'Waar je vroeger dol op was, voor je...'

Een bord langs de kant van de weg moedigt automobilisten aan om informatie op te vragen over carpoolen. Ik stel me een carpool van weduwen voor die met mij door de nacht rijden en verhalen uitwisselen over de dood van hun echtgenoot.

'Weet je nog toen Opal de bloesems uit onze tulpenboom aan het trekken was?' vraag ik Mason.

'Prachtig zoals ze om die boom danste.'

'Ik vond het ook prachtig om te zien… maar ik wilde ook graag van de boom genieten. Jij vond het goed dat ze hem vernielde.'

'Ze heeft hem niet vernield, Annie.'

'Ik vind het niet leuk dat ik altijd degene ben die nee moet zeggen.'

'Doe het dan niet.'

'Ik heb het alleen kunnen overleven door tot een beest te vervallen, dr. Francine.' Een knarsende stem. 'Drie jaar en vijf weken in een Vietnamees gevangenkamp.'

'Maar nu ben je in elk geval weer vrij,' zegt dr. Francine.

'Nee, dat ben ik niet.'

'Maar Marty…'

'Om mezelf in leven te houden, moest ik alle ethiek en hoop opgeven… menselijke waarden… omdat ik anders een wisse dood tegemoet zou gaan. Ik heb gestolen om in leven te blijven. Dag in, dag uit. Je buik en bedrog, daar ging het allemaal om.'

'Toen ik later met Opal om de boom heen liep… haar vertelde hoeveel meer we van de boom zouden genieten als de bloesems er nog aan hadden gezeten, voelde ik me… een tut.'

Mason lacht. 'Je kunt ook zo tuttig zijn.'

'Pas op.' Ik voel me merkwaardig kalm, gesteund door Masons milde houding jegens Opal. Zo kan ik ook zijn met Opal.

'Dat moet afschuwelijk zijn geweest,' zegt dr. Francine.

'Ik doe het nog steeds. Leven als een beest.' Hoorde ze trots?

'We dragen allemaal verdriet met ons mee,' zegt dr. Francine. 'En we moeten een manier zien te vinden om met dat verdriet te leren leven.'

'Vraag haar of ze je haar Melissandra-verhaaltjes vertelt,' zegt Mason.

In de vooravond zit ik bij het raam, kijk naar ons nest en wacht op iets wat daar wil wonen. Heel anders dan op de volgende oorlogsgruwel te wachten. Maar tante Stormy zet het nieuws aan en opnieuw word ik woedend.

Zwaarbewapende Amerikaanse soldaten...

schoppen deuren open...

stormen huizen binnen...

duwen mensen opzij...

gooien de meubels overhoop...

verstrooien papieren...

Tante Stormy ademt scherp in wanneer een soldaat een reeks cijfers op de huid van een Irakese man schrijft.

'Ik had nooit gedacht... dat Amerikanen... geweld zouden gebruiken.'

'Ik wist dat het overal kon gebeuren,' zegt tante Stormy. 'Vroeger dacht ik dat als we maar begrepen hoe het in Duitsland was begonnen, we konden voorkomen dat het in de toekomst weer zou gebeuren. Maar ik kijk er nu anders naar... andersom, van heden naar verleden.'

Door wat er in Amerika – een beschaafde en goed opgeleide maatschappij die zich richting angst en superioriteit laat manipuleren – gebeurt, vertelt ze, is ze dag na dag het Duitsland uit de vroege jaren twintig van de vorige eeuw beter gaan begrijpen.

'Ik heb het niet over de Holocaust, Annie, maar een stuk eerder, toen Hitler aan de macht kwam... toen deed zich dezelfde afbrokkeling van ethische normen voor als nu in dit land. De ontmenselijking van een... begrepen vijand, van het door de uiterst rechtsen vastgestelde kwaad.' Ze gebaarde naar het televisiescherm. 'Rechtvaardiging van marteling... gevangenschap. En elke keer dat ze ermee wegkomen, wordt het erger.'

Een verslaggever duwt een microfoon tussen een groep

demonstranten: een travestiet met een Twin Towerskapsel, Texas cheerleaders die met een karikatuur van Bush zwaaien. Niet grappig meer. In Irak gaan mensen dood.

'Annie!' Opal komt uit onze slaapkamer de trap af rennen.

'Ieder mens is daartoe in staat,' zegt tante Stormy.

'Mag ik buitenspelen?' Opal hipt van de ene voet op de andere. Tolt rond. 'Ga je gang maar. Ga rennen en dansen. Maar alleen als ik je door het raam kan zien.'

Ze loopt naar de deur. 'Waar is mijn windjack?'

'Ik... weet het niet.' Ik heb er een hekel aan om tegen haar te liegen. Toch, als je één deel van een droom weghaalt, doe je de droom teniet, verbreek je zijn volgorde.

'Hij hing aan de tweede haak.'

Ik voel bijgeloof. Onredelijk.

'Ik wil mijn paarse windjack!'

'O... dat windjack. Dat is je te klein geworden.'

'Nietwaar.'

'Het zag er... van achteren gek uit. Trok helemaal. Dat kon jij niet zien.'

'Liegbeest, liegbeest spuwt op vuurgeest...'

'Hou je kop, Mason.'

'Het kon echt niet meer,' zeg ik tegen Opal. 'We kopen een nieuwe voor je, oké?'

'Niet oké.'

'Dan kun je een andere kleur uitkiezen. Paars gaat je nu toch zeker wel vervelen?'

'Je weet niet eens dat paars mijn moeders lievelingskleur is. Je weet helemaal niks. Jij stomme...'

Tante Stormy vangt haar in een knuffel. 'Als je dat eens voor onze Hunkerende Geest bewaarde? Hier heb je een vel papier. Schrijf het op en stop het in de geestendoos, dan krijgen we een schitterend vuur.'

Haar afleiden... dat deed mijn moeder altijd met mij toen

ik klein was. *Vinden onze moeder langs een verschillende weg...*

Opal schermt wat ze neerpent met haar linkerhand af. 'En ik hoef u of Annie niet te vertellen wat ik opschrijf?'

'O nee.'

'Tenzij je dat wilt,' zeg ik en ik wilde dat ik dat niet had gedaan.

'Dat wil ik niet!'

'Snauw niet steeds zo tegen me!'

Tante Stormy haalt de geestendoos tevoorschijn die we met crêpepapier en restjes stof van haar bedrijf hebben versierd. Felle kleuren, rood en paars en goud.

Opal kijkt me met gemene ogen aan. 'Beloof je dat je het niet leest?'

'Beloofd.'

'We beloven het allemaal.'

'Maar wat als het echt gebeurt? Wat als ik opschrijf dat Annie stom is en de geesten haar mee moeten nemen?'

'De Hunkerende Geest verbrandt alleen wat er in de doos zit, dat is het enige. Hij doet geen mensen kwaad en neemt ze ook niet mee.'

Opal vouwt het papier op en stopt het in de doos. 'Dit is voor onze Hunkerende Geest.'

Zelfverkozen moeder dus?

Ik geef tante Stormy een kus op haar wang.

'Hé...' zegt ze, verrast en ze geeft me een kus terug.

Je kiest niet alleen een zuster zoals zij en mijn moeder hebben gedaan, zelfverkozen zusters, maar kies je ook je moeder, je dochter?

De lucht om me heen voelt ruimtelijk, licht en compleet, ik kan hem inademen, vasthouden, en opeens weet ik dat ik weer aan het werk kan.

Ik wacht tot Opal slaapt voor ik haar windjack van achter de Eckbank tevoorschijn haal. Paars met capuchon, afgezet met dunne witte katoen, nog bijna nieuw. Ik zou hem aan mijn dochter kunnen teruggeven...

Maar ik heb hem nodig als achtergrond van mijn collage. Ik verkreukel en verscheur de paarse stof, plak hem op het canvas met daaroverheen zandglas, drijfhout, een cirkel gedroogde catbriers... ga niet langer mijn paniek, verdriet en woede uit de weg maar laat ze als achtergrond fungeren waartegen ik ons leven reconstrueer zoals Pete dat met zijn lichaam doet... lagen en cirkels... verf en glas en zaadknoppen die op het canvas gemorst willen worden... wantrouwen transformeren in een verlies dat níét heeft plaatsgevonden: Opal die verdrinkt.

Dan water. Het vlot...

Alweer? Ik hou de gebitsröntgenfoto's tegen de lamp. Het vleugje bot... schaduwen van vlees... licht dat vanboven komt. Had ik ze maar voor de ramen van mijn Treinserie gehad. Dan nu voor het vlot. Aan elkaar vormen de röntgenfoto's planken. Als ruggenwervels.

Stel dat Opal de stof herkent voordat die iets anders is geworden? Maar aan de andere kant verandert altijd alles wat ik begin... dat maakt deel uit van wat me drijft, het risico waarmee je ergens binnengaat zonder te weten waar je uitkomt. Toch werk ik snel door voor het geval ze wakker wordt, houd een handdoek bij de hand om het canvas voor haar te verbergen.

Wat zal er gebeuren als ik net zo'n onderdeel word van dat beeld als Jake en Mason? Die langvervlogen angst rijst op, treedt me opnieuw tegemoet, brengt me ergens heen waar ik meer kan zien.

Ze zijn te lang onder water.
Een hoofd komt boven.

Het andere is te lang onder water. Mason...

Maar voor de collage is het de waarheid... de blauwe hint van de schaduwen eronder... de schijn van lichamen... en daar zit een rijkdom in. Ik moet mezelf ervan weerhouden ze boven water te dwingen, de jongens. *Het is alleen een speling van...*

Nee. Geen speling.

Dit zag ik.

Dit heb ik gezien.

En ik moet de jongens daar laten waar ze zijn. Mason onder water. Het ís verontrustend... niet alleen voor mij tijdens het proces maar ook voor iedereen die ernaar kijkt.

Ik ben aan het werk. Aan het werk. En nu komt het andere hoofd tevoorschijn... Mason... nu beide zichtbaar... ja, schouders en armen... Jake en Mason, joelend... lachend? Nee, niet lachend... hijsen zich met glanzende torso's op het vlot, trekken elkaar naar het midden van het vlot, een kluwen armen en benen...

Stellen ze zich mij tussen hen in voor, warme planken tegen onze voeten, de hitte van onze lichamen, daar?

Of is die hitte van hun lijven alleen voor henzelf?

Zodra ik het zie, is het er, tussen hen in. Was daar tussen hen in sinds die dag op dat vlot. Ik wacht tot ik verbazing voel. Niets.

Alleen op het vlot?

Alleen op die dag?

Hoe zit het met Marokko?

De zomer nadat we waren geslaagd voor ons middelbare schoolexamen gingen we naar Tanger. We hadden ons haar kort laten knippen, dat verbleekte in de zon terwijl onze huid roodbruin bleef door de instant zonnebrandcrème die Mason had gekocht. We kregen nooit een normale teint... alleen dat roodbruin, met witte strepen langs ons nieuwe kapsel.

Onze ouders hadden een hotel voor ons geboekt, een kamer met twee bedden voor Mason en Jake, een eenpersoonskamer voor mij, waar ik mijn kleren opborg, alsof dat Masons ouders gerust zou stellen als ze zouden bellen om te vragen hoe het met ons ging. In werkelijkheid verbleef Jake in de eenpersoonskamer terwijl ik bij Mason sliep. Onze eerste avond praatten we tot laat en maakten plannen wat we de volgende ochtend wilden doen. Daarna glipte Jake weg naar het kamertje met het smalle bed.

Maar de volgende dag voelde ik me bedreigd door al die starende mannen, waar ik ook ging – ze staarden, mompelden woorden in mijn gezicht en smakten met hun lippen – zo verstikkend als niemand me ooit had kunnen wijsmaken. Ik had met mijn ouders gereisd, vond het heerlijk in Italië en Mexico... maar Marokko verstikte me... maakte me woedend.

Jake bleef vlak naast me. 'Ik ben er, Annie.'

Maar Mason begreep er niets van toen ik uit mijn dak ging.

Die middag drong ik er bij Mason en Jake op aan dat ze zonder mij de buurt gingen verkennen. 'Ga nou maar,' zei ik. 'Ik ga lezen. Ik ga in bad.'

Terwijl ik zat te wachten tot de badkuip vol was, zat ik op bed een reisgids door te bladeren, las dezelfde alinea twee keer, te veel in de war om op te nemen wat ik las. Ik wilde alleen maar uit Tanger weg. Ik las een ander hoofdstuk. Stond op en pakte mijn dagboek uit mijn rugzak. Nat, mijn voetzolen. Nat. Het water kwam door het tapijt heen. *Verdomme.* *Verdomme.*

Ik draaide de kraan dicht, greep onze handdoeken om het water op te dweilen, maar ze werden bruin van het vuil dat uit de tapijten vrijkwam. Ik smokkelde ze naar de waskamer aan de overkant van de hal, en pakte stiekem schone handdoeken. Maar na vier stel handdoeken was het tapijt nog steeds vochtig, en we moesten in de kleine kamer slapen, waar de kleden nog droog waren.

'Ik slaap in het midden,' kondigde Mason aan.

'Waarom?' vroeg Jake.

'Omdat ik niet wil dat jij naast mijn toekomstige vrouw slaapt.'

'Je... wat?' vroeg Jake verstomd.

'Als zij in het midden ligt, lig jij naast haar,' zei Mason, 'en als jij in het midden ligt, ligt ze nog steeds naast je. Je weet hoe ik ben als ik jaloers word.'

'Wanneer is dat allemaal besloten?' vroeg Jake aan hem, maar hij staarde naar mij.

'Ergens in de eerste klas,' zei ik. 'Ik heb er een tijdje niet aan gedacht.'

Lepeltje lepeltje. Mason als een lepeltje dicht tegen me aan in het smalle bed. Zijn dij over me heen gegooid. 'Zullen we de volgende zomer trouwen?'

'Willen jullie soms wat privacy?' Jakes stem, zo gekwetst.

'Laten we gewoon gaan slapen,' zei ik. 'Oké?'

Maar toen ik wakker werd met de zon in mijn ogen, was de ruimte tussen Mason en mij afgekoeld. Ik draaide me om. Masons hand lag op Jakes heup – *daar moet hij in hun slaap terecht zijn gekomen, onbewust* – en Masons lichaam krulde zich om Jakes rug. Ik kreeg een raar gevoel in mijn maag. Ik sloop het bed uit. Schonk een glas water in. *Ze zullen zich doodgeneren als ze zichzelf zo zien.* Ik lachte. Dronk meer water. Pakte mijn camera. Schoot een foto. Bedacht dat ik hem bij hun volgende verjaarskaarten zou stoppen om ze echt in verlegenheid te brengen. Ik wilde ze ermee plagen toen ze wakker werden. Maar dat deed ik toch niet. Misschien omdat

Jake chagrijnig was toen hij zijn ogen opendeed. Dat is hij altijd als hij wakker schrikt.

Ik wilde bij beiden uit de buurt zijn.

Weg uit de verwarrende doolhof van Tanger.

Asilah was anders, wit en open, hoog op de kliffen. We liepen door de medina zonder te worden lastiggevallen, liepen de winkel binnen van een oude, zwarte wever en keken hoe hij weefde terwijl we de zachte jasjes die hij maakte aanpasten. Hij was zo'n waardige, vriendelijke man, een moslim, praatte over de extreme armoede in zijn land, over mannen die op pad moesten om hun gezinnen te kunnen onderhouden.

Zijn dochter, een jonge, gezette vrouw, zette thee voor ons, en ik rook de sterke mintgeur terwijl de oude man sprak over mensen die met zichzelf en anderen leerden leven. Ik kocht een jasje en we dronken mintthee, hij smaakte net zo lekker als hij rook. De dochter bediende, aarzelde om bij ons te komen zitten hoewel ik haar dat vroeg, en toen ze uiteindelijk naast me kwam zitten, glimlachte ze en raakte even mijn pols aan.

De oude man maakte een koord los met houten, met steentjes ingelegde armbanden en vroeg mij er een uit te kiezen, als geschenk. De meeste konden niet over mijn hand. Maar hij koos er een die paste. Ik droeg de armband toen we de verdedigingswerken hoog boven de zee verkenden, en toen Mason me vastgreep – eerst speels, maar later niet meer – probeerde hij hem van mijn pols te trekken; en ik beet hem, worstelde met hem tot aan de steile afgrond van de kliffen, en al die tijd schreeuwde Jake naar ons dat we op moesten houden. Maar zijn ogen schitterden.

En ik ging naar hem toe.

'Nog steeds boos op me?' Ik zit op de achtertrap naast Opal.

Met een hand beweegt ze Petes zakspiegeltje op en neer en Luigi jaagt achter de lichtreflectie aan. Met gespannen spieren staat hij te wachten en stuift dan op de lichtflakkering in het gras af.

'Het gaat zo'n stuk beter met hem,' zeg ik tegen Opal. 'Je zorgt goed voor hem.'

Maar ze kijkt me niet aan.

'Alleen al het feit dat hij zich laat bedotten,' zeg ik, 'is een teken dat hij steeds meer zelfvertrouwen krijgt.'

Ze flitst met haar spiegel naar Luigi.

Hij had de buurt afgestroopt, had zijn buit – een pop, een pluizige plumeau, een tennisbal, een zonnebril, een sweater – mee naar huis genomen en achter zijn cedermand gestopt alsof hij botten wilde begraven.

'Heb je zin om me een Melissandra-verhaaltje te vertellen?'

'Misschien heeft Melissandra zichzelf ook wel weggedaan.'

'Dat geloof ik niet. Ik heb het gevoel dat ze nog steeds in de buurt is.'

Opal trekt haar schoenen uit. Kromt haar hand om haar tenen.

'Zal ik ze masseren?'

'Nee.'

'Doen ze pijn?'

Opal haalt haar schouders op.

'Zullen we samen een verhaaltje over Melissandra verzinnen?'

'Ze is niet van jou!'

'Ik vind het naar als je zo tegen me tekeergaat.'

'Ik ga niet tegen je tekeer.'

'Ik dacht dat het... makkelijker ging tussen ons. En ik vind het vreselijk dat dit gedoe weer gebeurt.'

'Welk gedoe?'

'Dat je me uit alle macht probeert weg te duwen. Wil je heel goed luisteren naar wat ik je ga zeggen?' Ik wacht tot ze knikt en als ze dat niet doet, zeg ik heel langzaam met een rustpauze tussen welk woord: 'Ik. Laat. Je. Niet. In. De. Steek.'

'Wat heeft dat te maken met de graanprijs in Bulgarije?'

Ik moet lachen. 'Hoe kom je daar nou weer op?'

'Pete.'

'Heel goed. Is dat het begin van een glimlach?'

'Nee.'

'Wat vind je van een verhaaltje over onze pap?'

Nu luistert ze wel.

'HIZHI.'

'Wat ben je nu, Annie? Een paard?'

'Dat zei hij altijd. HIZHI. Dat betekent: het is zoals het is.'

'Is dit zoals het is?'

'Gedoe waar we niets aan kunnen doen. Zoals dat jij met mij zit opgescheept en Mason niet meer hebt.'

Opal houdt haar spiegel schuin en Luigi rent achter het licht aan.

'Pap zei tegen me dat HIZHI hem rust geeft vanbinnen.'

'Waarom?'

'Omdat rust heel veel ruimte inneemt, zodat er niet veel ruimte over is voor boosheid en verdriet en...'

'Ik vind dit verhaaltje niet leuk. Ik wil horen hoe ik ben begonnen.'

'Je bent in de buik van mama begonnen... in dezelfde ruimte waar ik ook ben begonnen.' Ik wachtte totdat Opal zoals altijd haar deel van het verhaal zou vertellen.

Maar ze tilde de hond in haar armen. Zijn benen, buik en penis met het rode puntje steken alle kanten op als ze hem wiegt.

'Jij...' ga ik verder, '...bent negentien jaar vóór mij begonnen.'

'Niet waar.'

'Welles.'

'Nietes.'

'Ja, je...'

'Zelfs dat doe je verkeerd, Annie.'

'Niet zo tegen me snauwen, wil je?'

'Ik ben negentien jaar ná jou begonnen! Niet vóór jou.'

'Ik zei ná!'

'Je zei ervóór!'

Zusjes ten voeten uit. We konden de hele dag op elkaar vitten.

'Waarom ben je zo provocerend?'

'Provo... wat?'

'Irritant. Gekmakend.'

'Ja, ik kan niet anders!' Ze duwt haar onderlip naar voren.

'Hoe dan ook, ik was al negentien...'

'Je moet vanaf het begin beginnen, Annie.'

'Jij... *Help me hieruit, Mason...* 'Jij begon negentien jaar ná mij. Begrepen?'

Opal knikt. 'En nu ben ik negen. Negen plus negentien is achtentwintig. Dat ben jij.'

'Jij bent in dezelfde ruimte begonnen als ik. Begrepen?'

'Maar niet in jou.'

'Niet in mij.'

'Ik heb nooit in jou geleefd. Omdat ik daar niet hoor.' Ze wendt zich van me af. Nog steeds op zoek naar onze moeder.

Net zoals ik. 'Jij leefde in onze moeder en ik mocht van haar haar buik aanraken zodat ik jou kon voelen bewegen.'

'Je vergeet het blauwe licht, Annie.'

'Onze mam stelde zich voor dat haar baby in blauw licht zweefde.'

'Je kon mijn voet voelen.'

'Als een danspasje...'

'Een snél danspasje,' corrigeert Opal me.

Ik sla een arm om haar heen. 'Je wilt dat ik precies de volgorde aanhoud die jij je kunt herinneren, hè?' Mijn stem klinkt nu milder.

Ze knikt. 'Je voelde vanbuiten een snel danspasje toen je van mijn moeder haar buik mocht aanraken.'

'Een snel danspasje.' Ik voel hoe het verhaal tussen ons opbloeit.

'En ik duwde er met mijn vuistje tegen.'

'Jij duwde mij met je vuistje. En ik hield al van je.'

'En toen werd ik geboren en ging zij dood. Punt uit.' Opal schudt mijn arm van zich af. Springt op en laat Luigi op de grond glijden.

Hij jankt. Verstopt zich achter mijn benen.

'Sorry,' fluistert Opal tegen hem. Ze knielt in het gras, steekt haar handen naar hem uit. Als hij eindelijk naar haar toe loopt, tilt ze hem in haar armen. Kust zijn vochtige neus. 'Sorry, Luigi-hondje.'

'We hebben hondenvoer nodig,' zeg ik tegen haar. 'Ga je met me mee naar de winkel?'

'Maakt me niet uit.'

'Mij wel.'

'Oké.'

In de winkel bestudeert ze dozen met zaad, keert zich met haar rug naar me toe.

'Zullen we wat zaden uitzoeken? Welke vind jij goed? Wortels? Of zullen we zonnebloemen kweken... of pompoenen of... komkommer?' *Belachelijk hoe ik haar probeer te paaien.* Toch laat ik de pakjes zaad voor haar neus bungelen, verleid haar met de foto's. 'Zinnia? Maïs? Ratelslangen? Chocoladekoekjes?'

Ze probeert uit alle macht niet te lachen.

'We moeten onze troepen steunen.' Een vrouwenstem. Bij de plank met insecticides.

De man bij haar zegt: 'Nu het eenmaal is gebeurd, moeten we er maar het beste van maken.'

'Als je midden in een stormvloed zit maak je er het beste van.' Met kloppend hart praat ik snel verder voordat ze me naar de hel kunnen wensen. 'Of een aardbeving. Bij elkaar blijven. Het beste maken van wat al is geschied. Maar om het beste te maken van een corrupte keus, simpelweg omdat het nu eenmaal is gebeurd?'

'Om uw mening heb ik niet gevraagd,' zegt de vrouw.

'Het spijt me. Maar er zijn te veel mensen die nog steeds niet kunnen geloven dat hun regering het bij het verkeerde eind heeft.'

'Ik wilde dat u bij *het spijt me* uw mond had gehouden.' Ze wendt zich af. Laarzen in dalmatiërpatroon met luidruchtige hakken.

'Genoeg, jongedame,' zegt de man tegen me en hij loopt achter haar aan de winkel uit.

'Mason zegt dat je toeristen op hun schoenen kunt beoordelen,' fluistert Opal.

'Goed opgemerkt.' Ik pak een blik wildebloemenzaden. Schud hem. *Als regen op een dak.* 'Zullen we wilde bloemen zaaien?'

Opal schenkt me haar ouderwetse blik, als van een wijze, oude vrouw.

'Niet zeggen,' waarschuw ik haar in de hoop dat ze opstandig wordt.

En dat gebeurt. 'Als het echte wilde bloemen waren, zouden ze niet in een blikje zitten.'

Maar elke glimlach van mij brengt haar weer tot zwijgen. *Ik haat dit soort spelletjes met haar. Zo ingewikkeld. Maar toch...*

Ik klak met mijn tong. 'Zo'n klein cynisch typje.'

Ze recht haar rug. 'Niet klein.'

'Toch... een cynisch typje.'

En ze glimlacht. Glimlacht eindelijk, eindelijk.

En wat sloof ik me voor die glimlach uit.

Mason

...jij zou alles kunnen tegenhouden, Annie.

Een lawine die een berg verzwelgt.

Een vloedgolf.

Het touw valt over de dakspant. Bij de eerste worp al. Ik dacht dat dat deel moeilijker zou zijn. Misschien ben ik hier wel voor geboren... wat denk jij, Annie?

Als ik het touw over mijn hoofd laat glijden, ben ik plotseling niet meer zo moe. Het rust om mijn hals... genoeg touw voor wel acht halzen, stel ik me zo voor.

Ik klim op de werktafel. Een stukje van je werk – ik – je zoveelste meesterwerk. Je houdt niet van dat woord, Annie. Wat vind je van je zoveelste creatie, uitvinding...

Waarom kies je verdomme niet gewoon?

Oké, je zoveelste onderneming...

Ondernemen.

Ondernemer.

Onder...

Te oneerbiedig. Zelfs voor ons.

Je tafelblad wankelt, die kerkdeur – raar als je bedenkt dat hij uit een kerk komt – en ik weet zeker dat ik precies in het midden sta, boven op je archiefkasten. Want het moet strak zitten, het touw, voor ik op de rand van de deur ga staan, eraf stap...

Je kunt me nog steeds tegenhouden.

*Weet je wat me angst aanjaagt, Annie? Dat als je het wist, je
me niet zou tegenhouden...*

*Maar dat is niet waar. Het zit in mij. Ik kan niet stoppen. Om
wat ik onze liefde heb aangedaan.*

*Een lichtflikkering in de donkere ochtend. Koplampen? Ben
je weer thuis, Annie? Ik wacht tot het autoportier dichtslaat.
Wacht op je voetstappen. Dat we weer verder kunnen gaan met
alles wat er voor mij toe doet... jij en ik en Opal.*

Maar dat kan niet. Toch?

*Beweegt er iets buiten? Alleen stilte. Toch wacht ik nog, mijn
lichaam gespannen en klam. Omdat ik nu weet hoe het zonder
jou is.*

*Je kunt me nu niet meer bellen, Annie... niet meer met me la-
chen en plannen maken en je schandelijk met me gedragen.*

Ben jij dat?

O, Annie...

*Beweegt stilte met een eigen geluid? Een truc die voortkomt
uit willen. Van te veel willen.*

*De lucht... beneveld en asgrauw en de geur van gist. Kauwen
en slikken de dief door. Slikken van wat verkeerd is. Tot drie jongens me in de gang betrappen waar ik aan het kauwen en slikken ben. Elke ochtend eet ik mijn portie bij het ontbijt en wenste
dan al dat ik het ook als lunch had, bezwoer mezelf dat ik het
zou bewaren, dat ik braaf zou zijn...*

Vervolgens die jongens. 'Dief.'

Nog steeds kauwend en beschaamd en bang en meer willen.

Ze schelden me uit voor dief. Stompen me.

*'Nee. Het is van mij.' Ren bij ze weg. Verstop me in Jakes sta-
pelbed. Wil me daar voor altijd verstoppen en huil, schaam me
om het hem te vertellen. En toch vertel ik het hem. 'Ik maak het
goed met je, Jake, als je zegt dat het jouw broodje was.' Medelijden in Jakes ogen...*

Medelijden? En de schaamte in me nog zwaarder vanwege het eten en liegen en Jake voor me laten liegen en...

'Jake...' *Achterstevoren ademen eet mijn stem eet het touw vuurstormen hameren tegen het raam Jake bij het raam smelt al het glas alle stopverf alle...*

'Jake?'

Hier?

...vuurstormen smelten ons alle drie nee langer drie nee langer zelfs en smelt...

Annie?

Vraag me, Annie, wat is het ergste...

Dat ik geen weg terug weet.

Ook al zou je me verlossen, hoe zou ik het dan kunnen, Annie?

Lucht ruikt naar gist en rook in de verte en ik zweef...

...droom dat ik slaap...

...zweven wordt een lichtpatroon van vuur...

...verschuift en is vuur...

...deint tegen een vierkant raam bedekt met rook die de zon afschermt...

...en al die Canadezen wachten nog steeds op regen...

...grappig dat ik nu aan al die wachtende Canadezen moet denken...

...en ik kan maar niet ophouden met rillen...

...kan niet stoppen met tegen het raam te slaan tot het verbrijzelt...

...tot ik vuur word...

...al die op vuur wachtende Canadezen...

...tot ik melkachtige glasscherven word...

...die mijn huid heet doorboren...

...hitte drukt heet tegen mijn borst...

...tegen mijn lipppen...

...o, Annie...

...mijn keel...
...ademen zo moeilijk...
...ademen en zweven...
...een lichtfilm verbrandt mijn oogleden...
...druppels zoet rood vuur...
...tillen mijn botten naar de oppervlakte...

[11] Annie / Jake / Opal / Stormy

– Hunkerende Geest –

Annie

'De politie probeert uit te zoeken wie een gat heeft gegraven in de zandbank tussen het meer en de oceaan,' zegt Annie tegen Jake als ze de kajaks uit tante Stormy's truck tillen.

'Dus daarom is het zo smerig,' zegt Jake.

Het startpunt bij Georgica Pond heeft zich teruggetrokken en de grond is drassig. Wanneer ze de kajaks door het ondiepe water trekken, zuigt donkere modder aan hun enkels, laat ze los en sluit zich er weer omheen.

'Klinkt walgelijk,' zegt Jake.

'Normaal gesproken maakt de gemeente dat gat elke lente open zodat de vis in het meer kan kuitschieten,' zegt Annie. 'Dan wordt het dichtgemaakt en gaat het in de herfst weer open om de vis de oceaan in te laten. Behalve dit jaar. Door de regen zijn een hoop kelders ondergelopen en toen de gemeente de bewoners geen toestemming wilde geven het meer in de oceaan te laten overvloeien, heeft iemand het stiekem gedaan.'

'Misschien was er maar één schep voor nodig, in het holst van de nacht, zodat het gat zo groot was dat de kracht van het water meer zand wegduwde en... Verdomme. Ik zit vast.'

'Probeer dit eens.' Annie laat zich in haar kajak zakken.

'Dan komen we er nooit meer uit.'

'Vertrouw op mij,' zegt ze met een diepe basstem.

Hij lacht. 'Oké, ik vertrouw je.' Maar als hij in zijn kajak zit, kan hij niet voor- of achteruit. 'Ik zit muurvast.'

'Tijd voor wat droogsurfen.' Annie laat zien hoe ze met haar kajak naar voren wriggelt en met haar heupen en torso in de richting van het open water glijdt.

Jake probeert een stoot naar voren. 'Wacht op mij.' De modder vliegt van zijn peddels.

'Zo moet het.' Annie plant een peddelblad in de viezigheid voor haar, wriggelt en trekt zichzelf naar voren.

'Ik hoop dat ze de dader te pakken krijgen. Hierdoor raakt de hele balans tussen zoet- en zoutwater verstoord.'

Als ze door de eerste bocht van de kreek zijn die naar de buik van het meer leidt, voelen ze de deining van de oceaan.

Op dat moment komt een zwaan – met gespreide vleugels en naar voren gestoken snavel – als het ware over het water rennend op hen af. Ze peddelen uit alle macht, draaien naar rechts om hem uit de weg te gaan.

'Zo te zien is hij kwaad,' zegt Annie.

'Ik wed dat hij een nest beschermt.'

'Ze kunnen behoorlijk agressief zijn. Botten breken. Boten laten kapseizen.'

'Misschien kunnen we beter teruggaan.'

Ver voor hen uit is de verre zandgrens waar het meer met de oceaan samenkomt. 'Zolang we zijn nestelgebied respecteren, gaat het prima.'

Jake gebaart naar iets wits in het riet, ruim dertig meter verderop. 'Dat is vast het vrouwtje.'

Half boven het water uit stuift de zwaan op hen af, opgeblazen als een draaimolenzwaan.

'Scheer je weg, jij...' Jake tilt zijn peddel als een vliegenmepper op.

Maar de zwaan is groter dan de kajaks en hij blijft sissend

op hen af komen, zijn hals naar voren gestrekt om aan te vallen.

'Ga weg, rotbeest,' roept Annie met zwaaiende peddel. 'Sorry...'

Haar peddelblad raakt de borst van de zwaan.

Ze wordt misselijk. 'Sorry. Schiet op...'

De zwaan zwenkt naar links, blijft tussen de kajaks en het vrouwtje in het riet.

'We moeten hem de ruimte geven,' zegt Jake.

Ze grijpen hun peddels, klaar om die tegen de zwaan te gebruiken, varen langs hem en peddelen zo snel als ze kunnen langs de grote huizen die iets van de oever van het meer af staan. Een hert graast op een glooiende weide.

'Nooit maar één hert,' zegt Mason.

En daar zijn er nog drie, doen zich te goed aan het struikgewas langs de lange veranda. Helemaal niet bang. Hier worden herten als een plaag beschouwd, maar in New Hampshire voerde Mason ze altijd. Kocht zoutblokken waaraan ze konden likken en keek samen met Opal naar ze uit het raam.

'Weet je hoe tante Stormy het verschil aanduidt tussen een huis waar je het hele jaar woont en een vakantiehuis?' vraagt Annie aan Jake.

'Mensen die er het hele jaar zijn, hebben niet zoveel kamers nodig.'

Hij lacht.

'Tante Stormy zegt dat sommige hier wel meer dan vijf miljoen opbrengen.'

'Achterlijk.'

Wanneer ze bij de zandbank aankomen, laat hij de kajak stranden. 'Bedenk wel dat we straks weer langs die zwaan moeten.'

'Ben je bang?'

'Ja.' Hij trekt haar kajak aan land. 'Jij?'

'Ik ook.' Ze draait haar kajak ondersteboven en spreidt er een tafelkleed overheen. 'Maar nu wil ik niet aan die zwaan denken.'

Hij maakt hun picknickmand open. Schenkt rode wijn in ijzeren kampeerkroezen. 'Bevalt het je in North Sea?'

'Je past je... hier makkelijk aan. Het is vertrouwd. En prachtig.'

'Blijf je hier?'

'Mijn moeder zei altijd dat deze plek zich in je hart nestelt.' Ze geeft hem een stuk focacciabrood aan.

Hij snijdt de verse mozarella en tomaten.

Mist wervelt vanuit de oceaan, transparante vochtspiralen die langs de blauwe lucht, de groene kustlijn scheren.

'Blijf je hier?' vraagt Jake nogmaals.

'Voorlopig wel...'

'Hoe lang is voorlopig?'

Annie glimlacht. 'Dat is precies wat Opal aan tante Stormy vroeg toen we vorig jaar hierheen verhuisden. En zij zei tegen Opal: "Zo lang als je wilt." '

'En jij?'

'Ik sta op de lijst als invaldocent. Dat zou ik naast mijn eigen werk kunnen doen. Tante Stormy heeft in de winter minder klanten.'

De mist wordt dikker... donkerder.

Huizen en bomen worden schimmige, misvormde uitsnedes.

De kleur van lucht en water en hemel is één, wikkelt zich op de zandrichel om hen heen.

Alleen Jake is er, dichtbij.

Ze verlangt ernaar zijn lippen aan te raken, zijn lieve, lieve gezicht. *Nee...* Stel dat alle hartstocht tussen hen zich alleen via Mason kan voltrekken, als een leiding, een stroming?

'We moeten ook nog zien terug te komen,' brengt ze zich-zelf in herinnering.

'We kunnen ook hier blijven,' fluistert hij. 'Alleen wij met zijn tweeën.'

'Als we op de terugweg... helemaal links aanhouden en dicht bij elkaar blijven, ver bij het vrouwtje vandaan... dan zijn we veilig.'

Alles grijs op grijs... glinsterend... en de oceaan luidruchti-ger nu ze hem niet kan zien... die rollende verwarring.

Met een duim strijkt ze langs zijn mondhoek, langs zijn onderlip.

'Annie...?'

'Er zat daar wat zand.' Ze trekt haar hand terug. 'Iets an-ders... zou maar raar zijn,' zegt ze snel om hem te bewijzen dat het echt zand was, ook al was het een leugen. 'Omdat het niet gaat werken.' Ze is opgelucht. Weer iets opgelost.

Hij aarzelt. Als hij zegt: 'Ja,' krimpt haar hart ineen.

'Voor Opal is het beter... dat we alleen... vrienden blijven.'

Jake ziet er akelig uit. 'Gebruiken mensen dat woord nog steeds?'

'Welk woord?'

'Platonisch.'

'Ah, dat woord,' grapt Annie. Maar het voelt gespeeld.

'Dus... denk je dat we hier goed mee omgaan?'

'Min of meer. Ja, ik denk het wel.'

'Omdat we dit allebei zo willen?'

'Precies. We laten... de seks erbuiten.'

'Een pact... En dan krijgen we onze vriendschap weer te-rug?'

'Niet als we elkaar de schuld geven.'

'O Annie, ik geef jou nergens de schuld van.'

'Niet als slechts een van ons de... schuld op zich neemt. Maar als we die tussen ons in dragen, zoals we Opal dragen...

ja, in een weefsel van... genegenheid, samen, dan kunnen we er niet doorheen vallen.'

'Zoals het ook onze pijn is. Binnen dat weefsel.'

'Ja.'

'Dat kan,' zegt hij, maar zijn ogen staan verdrietig.

'Gelukkig kunnen we dit zo doen,' zegt ze. *Maar waarom voelt het dan alsof het voorbij is tussen ons?*

'Ik moet je wat vertellen,' zegt Jake.

Ze knikt. 'Ik luister.'

'Niet nu. Maar als ik in augustus voor de Hunkerende Geest terugkom. Pete zegt dat ik bij hem kan logeren.'

Ze kijkt hem met toegeknepen ogen aan. 'Je klinkt... grimmig.'

'Eerder bang dan grimmig, Annie.'

Stormy

'Zeg alstublieft tegen meneer Bush dat zijn optreden op de *Abraham Lincoln* een belachelijke vertoning was,' zegt Stormy tegen de telefonist van het Witte Huis. 'Door hem in dat pilotenpakkie van hem "Missie volbracht" te laten verklaren, bewijst hij de wereld alleen maar hoe arrogant en onnozel hij is.'

Elke dag verkoopt de antwoordmachine van het Witte Huis Stormy dezelfde leugen, dat haar boodschap heel belangrijk is voor de president; en elke dag is ze verbijsterd vanwege haar eigen schitterende omgeving tegenover de waanzin van de oorlog. Allebei werkelijkheid.

'Wilt u meneer Bush vertellen dat hij dit land in een immorele oorlog heeft gesleurd, en dat de mensen zijn leugens en smoezen wel doorhebben?' Als altijd geeft ze haar naam op. *In nazi-Duitsland zou ik hiervoor vermoord worden.*

Ze blijft zeggen wat ze ervan vindt, ook al is ze er niet langer zeker van of haar stem – of een heleboel gelijkluidende stemmen – er wel iets toe doet. Dat geloof is omgeslagen in desillusie. Gedesillusioneerd zelfs in geloven op zích, de reden waarom ze nadat ze een jaar in Amerika had gewoond haar ouders ondervroeg over het feit dat zij hun stem niet hadden laten horen.

Op een avond wordt ze misselijk wakker van het geweld tegen het Iraakse volk. Pete is al wakker.

'Voel je je er als Amerikaan bij betrokken?' vraagt ze hem.

'Natuurlijk.' Hij steekt zijn hand naar haar uit.

'Ik ook. Net zoals ik me al mijn hele leven als Duitse erbij betrokken voel.'

'De meeste Amerikanen hebben dat niet. Zij... groeien vol vertrouwen in hun regering op.'

'Europeanen zijn sceptischer.'

Stormy blijft het Witte Huis bellen, zelfs als de enige persoon die haar te woord wil staan een of andere telefonist met een minimumloontje is.

'Ik bel over de reddingsoperatie van Jessica Lynch uit een Iraaks ziekenhuis. Vertel meneer Bush dat hij haar voor zijn eigen propaganda misbruikt. Slachtoffer en heldin in één.'

Wanneer Bush eind mei naar Auschwitz gaat en zichzelf vergelijkt met de bevrijders van de concentratiekampen, moet Stormy huilen. Eenmaal tot rust gekomen, belt ze het Witte Huis en zegt: 'Een van meneer Bush' grootste schendingen tot nu toe: door Auschwitz te misbruiken voor een van zijn zoveelste fotosessies toont hij geen enkel respect voor de slachtoffers van de Holocaust.' Ze kijkt op internet hoe de reactie van de pers is. Geen geschoktheid. Geen woede.

'Vindt de pers dit onderwerp soms te gevaarlijk?' vraagt ze aan Pete. 'Waagt niemand Bush op de vingers te tikken omdat hij zich in Auschwitz op de foto laat zetten?'

'Of die tuttebel van een Laura,' zegt Pete, 'zoals ze met een rode neus... op de treinrails naar Auschwitz staat te poseren.' Hij trekt haar dicht tegen zich aan. 'Het is een vreselijke tijd. Ik merk dat ik een merkwaardig soort troost vindt... in kleine rituelen. Een kaars... voor mijn raam. Naar een wake gaan.'

'Is het dwaas om resultaten van zulke protesten te verwachten? Wat vind jij, Pete?'

'Nee. Natuurlijk niet.' Hij kust haar op de lippen, op haar kin. In de afgelopen maanden is zijn gezicht zich goed aan het herstellen, de spieren krijgen hun oude vorm terug. Zijn vroegere zelf komt weer tevoorschijn terwijl hij zich aan zijn ziekte ontworstelt. Zich aanpast. En er uiteindelijk sterker uitkomt.

De magnetron neuriet de thee van vandaag... kamille met pepermunt. Zoet. Vertroostend. *Wat is vertroostend?* Annie werkt weer. Leest Opal voor. 's Nachts Petes armen om haar heen, en nu.

Stormy nestelt zich dieper in zijn omhelzing, slaat haar armen om hem heen. 'Op sommige dagen heb ik het gevoel dat ik zonder jou zou wegvliegen, ik blijf alleen aan de grond om te zien dat jij geneest.'

'Ik heb je graag op de grond... hier,' fluistert hij, 'bij mij.'

Jake

Als Jake in augustus terugkomt voor het Feest van de Hunkerende Geest, neemt hij een drakenvlieger mee voor Opal. Voor Annie een cd van Annie Gallup. 'Nog een Annie die verhaaltjes vertelt,' zegt hij tegen haar terwijl ze bij Petes huis bamboestelen afsnijden voor de borst van de geest en de tipirok.

Daarna rijden ze naar het tuincentrum waar Jake een rozenstruik voor Pete wil kopen. Tussen de tuinplanten en bloempotten door slepen twee jongetjes met hun troostlappen, bladeren en bloesems breken af terwijl hun vader doorloopt, in zijn mobieltje praat en een rode plantenwagen voortduwt.

'Yuppenouders,' zegt Annie.

'Hoe zou je dat willen omschrijven?' Jake transpireert.

'Precies zo.' Annie gebaart naar de jongens. 'De schatteboutjes die ze niets kunnen weigeren.'

Stel dat hij haar nu zou vertellen hoe hij is weggerend zodat zij Masons dode lichaam zou vinden en ze niet meer met hem wil praten? Toch, ze kunnen niet verder als hij het haar niet vertelt. Hij weet niet goed wat achter dat verder ligt. Alleen dat als hij het Annie niet vertelt, het in de weg staat.

Vandaag moeten ze bij elkaar zijn, dat is belangrijk, zegt Jake tegen zichzelf. Het gesprek zo te sturen dat ze uitkomen op welk soort roos hij voor Pete moet kopen omdat hij bij hem mag logeren.

Annie pakt een purperwinde op, blauw als verschoten denim. Ze aarzelt. Zet hem dan abrupt weer terug.

'Wil je die niet?' vraagt Jake.

'Eigenlijk niet.' Ze lijkt van slag.

'Ik wil hem met alle liefde voor je kopen.'

'Daar gaat het niet om.'

De jongens stoten tegen hun vaders plantenkar. Gooien hem om. Rennen weg terwijl hij de planten die nog heel zijn opraapt en de andere met een voet opzijschuift.

'En dat allemaal zonder zijn telefoongesprek te onderbreken,' zegt Jake. 'Wat een talent.'

'U vergeet uw planten,' roept Annie de man na.

Hij kijkt haar verveeld aan. Draait zich om.

'Engerd,' zegt Jake.

Annie pakt de pot met de purperwinde. 'Ik denk dat ik

hem niet wilde omdat ik bang was dat de blauwtint me aan Mason zou doen denken. Moet ik mezelf een kleur ontnemen omdat hij er zo van hield?'

'Je bent verbazingwekkend,' zegt Jake. 'Wist je dat?'

'Misschien kan het me aan de goede dingen van Mason helpen herinneren.'

'Je bent grootmoediger dan ik.'

Weer terug in de cottage treffen ze BigC aan op haar strandpad waar ze een reusachtige rol bubbelplastic uitrolt. Ze zwaait. 'Ik plak dit op het hout en laat er lucht onder.'

'Waarom?' vraagt Annie.

'Als de eenden erop gaan staan, kukelen ze om, schrikken en komen niet meer terug.'

Maar zodra BigC het bubbeltjesplastic op het hout plakt, zwermen de eenden van alle kanten op haar af, aangetrokken door het ritselende plastic.

'Dat doet ze vast aan Wonderbroodplastic denken,' zegt Jake.

Annie lacht. Jake heeft het idee dat ze gelukkiger is dan in de herfst, de laatste keer dat hij haar zag. Niet meer zo voorzichtig met hem.

Opal

'Je moet de geest niet zo eng maken,' zegt Opal.

'Wat wil je dan anders hebben?' Annie is van oude bamboestokken de geesthanden aan het maken.

Opal doet een stap achteruit en inspecteert de Hunkerende Geest. Zijn borst is één grote driehoek. Hij rijst uit zijn middel op. Eindigt bij zijn rechte schouders. Zijn hoofd staat pal op zijn schouders, geen nek. Haar van glinsterfolie. Wenkbrauwen van zoethout. Een papier-maché neus. Uitpuilende ogen van twee halve tennisballen die Luigi mee naar huis had gesleept.

'Ik hou niet van gele ogen,' zegt Opal.

'Wil je een andere kleur?' vraagt Annie.

'Paars. Helemaal paars met wit rondom.'

'Klim erop.' Tante Stormy duwt Opal op de keukentafel. 'Jij doet de ogen. Daarna plakken jij en ik crêpepapieren stroken aan de mouwen van de geest.'

Annie doopt een kwast in een oude salsapot waarin ze lijm en water heeft gemengd. 'Hier.'

'Maar het drupt.'

'Smeer het snel op de tennisballen.'

'Jeetje. Die ogen zijn helemaal opgekauwd.'

'Je moet ze helemaal bedekken. Blijf kwasten. Goed zo. Dat is mooi.' Annie scheurt het paarse tissuepapier in lange stroken.

Gisteren waren Opal en Annie met het pendelbusje naar de stad geweest en hadden in Chinatown massa's spirit money gekocht. Tissuepapier in paars en rood en geel. Glimfolie van zilver en goud. Crêpepapieren serpentines en glimdraad.

'Nu het tissuepapier.'

'Boven op de tennisbalogen?'

'Met nog meer lijm erop, ja.'

'Schitterend.' Tante Stormy ruikt naar het parfum dat Pete haar voor hun jubileum heeft gegeven. Niet hun trouwdag. Maar van de dag dat ze elkaar hebben ontmoet.

Opal rimpelt haar neus. Als ze Pete vraagt om tante Stormy in plaats daarvan chocola te geven, doet hij dat misschien wel. Dan heeft zij er ook nog wat aan.

'Vind je zijn ogen nu mooier?' vraagt tante Stormy.

Opal knikt. 'Je moet hem alleen geen rode tanden geven.'

Ze dragen de Hunkerende Geest over het strandpad naar Little Peconic Bay, Opal houdt het hoofd vast, Jake de voeten, tante Stormy, Annie en Pete lopen in het midden.

'Wat heb je onder je shirt verstopt, Opal?' vraagt tante Stormy.

'Niks.'

'Van hieruit lijkt het alsof door niks je hele middel opzwelt.'

'U zult het wel zien. Als we de geest gaan verbranden.'

Nadat ze de kreek en het zand zijn overgestoken, zetten ze de geest langs de baai, waar een hele rits vrienden een eten-wat-de-pot-schaftdiner op de met felkleurige kleden gedekte tafels hebben neergezet – vrienden uit de buurt, de basisschool en tante Stormy's bedrijf, van Vrouwen in het Zwart en Amnesty International. Omlijst door de kleuren van zand, baai en lucht wankelt de geest boven hen uit, de felgekleurde serpentines en crêpepapieren stroken ritselen, één met de stroming van water, vogels en wind.

Opal is zo opgewonden dat ze maar een paar hapjes door haar keel krijgt. Dan rent ze weg, langs de golven, weg van de andere kinderen. Als de maan vaag en roze opkomt, komt ze terug met wrakhout en het skelet van een degenkrab.

'Kijk kijk, dat is de kindjesmaan.'

'Waarom?' vraagt Annie haar.

'Omdat het nog licht is buiten. Dan is de maan alleen van kinderen.'

'Dat is prachtig. Dat wist ik niet.'

'Ja, dat wist je wel,' zegt tante Stormy. 'Je vader heeft je over de kindjesmaan verteld.'

'Weet je het zeker? Ik kan het me niet herinneren.'

'Zo noemde je vader de maan, wanneer die overdag te zien was en de kinderen nog niet sliepen.'

Opal rangschikt het wrakhout rond de geestfiguur en biedt de degenkrab aan Jake aan. 'Geen kleine bokshandschoenen meer, zie je wel? Geen scharen meer.'

Hij pakt hem van haar aan met het schild omlaag.

'Alleen de staart lijkt eng,' verzekert ze hem.

'Goed dat je het zegt.' Met zijn vrije hand strijkt hij haar krullen achter haar oren, en hij treuzelt met zijn duim op haar hals.

Tante Stormy schuifelt met blote voeten de geestendoos onder het beeld en spuit aanstekervloeistof op de kleren van de geest.

Ruim een jaar geleden nu, Masons dood. En wat Annie op de bladzijde heeft geschreven die ze wil verbranden, is: *Mason klampt zich aan ons vast.*

'De degenkrab gebruikt zijn staart alleen als hij op zijn rug ligt,' zegt Opal. 'Om zichzelf om te keren.'

'Helaas is het voor deze te laat,' zegt Jake.

Maar ze lacht. 'Omdat zeemeeuwen hem eerder te pakken hadden en hem helemaal kaal gepikt hebben.'

Als Pete lucifers uit de zak van zijn shirt haalt, steekt Annie een hand naar hem uit. Stel dat hij niet snel genoeg naar achteren stapt? Maar hij geeft zich niet aan haar over. Zijn kin heeft een koppige trek, en opeens ziet ze zijn vroegere scherpte weer, hoe knap hij was. Bij zijn eerste poging vat de lucifer vlam en hij gooit hem weg. Een plotselinge 'woesj' als de vlammen het gewaad van de Hunkerende Geest in lichterlaaie zetten. De borst, de serpentines, het hoofd van de figuur verschroeien en toveren hem om in een doorzichtig, gouden licht.

'Tijdens het Feest van de Hunkerende Geesten,' begint tante Stormy zoals ze dat altijd op de avond voor de volle augustusmaan doet, 'brengen we offers aan de Hunkerende Geest...'

'...zodat we hem vol geluk kunnen wegsturen,' maakt Opal het voor haar af. Plotseling rukt ze een oranje touw vanonder haar T-shirt en doet vier stappen naar het vuur toe.

Geschrokken wil Annie achter haar aan rennen, maar ze dwingt zichzelf te blijven staan, sluit haar vuist om het stuk papier in haar zak: *Mason klampt zich aan ons vast.*

Jake

'Opal!' Jake wil naar het vuur rennen. Voelt Annies hand op zijn arm.

'Nee.' Zegt ze tegen hem.

'Maar...'

'Opal moet dit doen.'

Opal gooit het touw in het vuur, stampt met haar voeten en schreeuwt het uit: 'Neem dat stomme touw mee, geest!' Dan stormt ze op Annie af. Duwt haar hoofd in Annies middel. Gooit haar in het zand voordat Jake ze allebei kan opvangen.

Annie hapt naar adem maar houdt stevig vast. Houdt zich aan haar dochter vast. 'Dat was heel dapper van je.'

'Gaat het wel met jullie?' Jake slaat zijn armen om hen heen. Laat weer los. Maar blijft op zijn hurken naast hen zitten.

'Met ons is het goed,' zegt Opal en ze graaft zich dieper in Annie in.

'Neem de oorlog mee!' Tante Stormy gooit krantenknipsels in het vuur.

'Alle oorlogstuig,' roept een man van de Vrouwen in het Zwart.

'Tien-slaapkamer McMansions!' Een leraar gooit onroerendgoedbrochures in de vlammen.

Ze gooien allemaal wat in het vuur: wrakhout en gedroogd

zeewier, gebroken latten van zandweringen, kranten en glossy advertenties en vellen papier waarop ze iets geschreven hebben.

Jake staat op. 'De bulldozer die Rachel Corrie heeft vermoord!'

'Aanmatigend gedrag!' roept een buurman.

'Hebzucht!'

'Alle dictators ter wereld,' zegt een van de Amnestyleden.

'Glamourwinkels!'

'Twintig-slaapkamer McMansions!'

Jake laat zich op het zand zakken en wrijft over Opals arm. Ze had haar gezicht naar Annie opgeheven, maar schenkt hem nu een onzeker glimlachje – deels angstig, deels triomfantelijk – en nestelt zich met haar rug tegen Annie aan zodat ze beiden naar de brandende geest kunnen kijken.

'Smoezen die de waarheid verdoezelen!' Valerie de dichteres stapt naar voren. 'De Healthy Forest Act. De Patriot Act. No Child Left Behind.'

'De Clear Skies Act ook!' roept de man wiens vredessymbool ooit het logo van Mercedes-Benz was. Hij zwaait met een systeemkaartje. 'Ik heb een Rumsfeld-citaat op internet gevonden. Luister naar wat hij zegt over massavernietigingswapens in Irak: "Gebrek aan bewijs is nog geen bewijs dat het er niet is."'

Grommend rijzen de vlammen op.

'Neem elke kans mee dat Bush... volgend jaar herkozen wordt!' schreeuwt Pete.

'Absoluut!' BigC verheft haar kleine gestalte.

'Natuurlijk wordt hij niet herkozen.'

'Zelfs de mensen die op hem hebben gestemd walgen van hem,' zegt een buurman.

'De protesten klinken steeds luider,' zegt tante Stormy.

Op dat moment, als de hele geest een en al vlammen is,

worden ze allemaal één: ze zien de figuur en elkaar, allemaal halfdoorzichtig, niets wordt afgeschermd, alles in één oogopslag zichtbaar. De Hunkerende Geest laait feller op dan het zand, de baai. Feller dan hun kleren. En plotseling wordt Jake geroerd door de zekerheid van de mensen om hem heen. *Natuurlijk hebben ze gelijk. Natuurlijk wordt Bush niet herkozen.*

Waar eerder de driehoekige borst was geweest, beeldhouwen de vlammen een gezicht, levende gelaatstrekken van vuur omlijst door het skelet van de Hunkerende Geest.

Bevrijd.

Annie leunt tegen hem aan, haar schouder tegen zijn bovenarm.

Hij blijft stevig staan.

Voelt haar samen met het gewicht van Opal op zich leunen.

Zijn hart vliegt.

Maar hij blijft stevig staan.

Wil zo altijd met haar blijven staan in de plotselinge gedempte kleur van de vroege schemering, de geest de enige lichtglans in zijn warmgele gloed. *We willen dat de Hunkerende Geest meeneemt...*

De vlammen nemen af. Worden kleiner. En in dat laatste stadium, zien ze, als alles, het beeld in al zijn naaktheid. Dan: schittering.

Annie

Annie zit in die droomfase waarin haar vingers over beelden zwerven, verlicht, vluchtig. Dit vlot is ook opgebouwd van stroken gebitsröntgenfoto's en de vage planken liggen zo ver van elkaar dat stukjes foto's erdoorheen flakkeren, nog meer door de transparante spleten tussen de planken – twee slapende mannen in een bed in Marokko – terwijl op de planken twee jongens met elkaar worstelen.

Ze speelden het voor mij. Niet alleen op het vlot. En ik heb ze aangemoedigd. Het meisje – niet langer de suggestie van een rode elleboog, schouder of profiel – is deel van het beeld geworden, een compacte, rode gedaante.

Buiten springt de hond om Opal en Mandy heen. Annie denkt nog steeds aan haar als het schildpadmeisje. Gisteravond zat Mandy rondom het slinkende vuur achter Opal aan tot Pete kaarsen aan de kinderen uitdeelde. Ze zetten ze in een hoopje zand en toen hij ze aanstak, liepen alle kinderen achter hem aan, van kaars tot kaars, een lange rij kleine vlammetjes.

Nu slepen de meisjes met tante Stormy's keien, ze lachen en kruipen eronder, duiken tevoorschijn en plagen de hond. Maar Luigi schraapt over de keien, laat zich niet afschrikken.

Annie voelt nog steeds de vurige hitte van de geest op haar gezicht. Ze is opgetogen over de dimensies in het vlot, maar niet over de scherpe omlijsting van het rode meisje. Te veel van hetzelfde... neemt het over, gescheiden van de rest. Ze heeft stukjes en lapjes nodig. Oude kant misschien?

Jake, bij de deur: 'Ben ik te vroeg?' Opgetut en bleek. Blond haar uit zijn voorhoofd en achter zijn oren gekamd. Dat vale olijfkleurige shirt dat hem niet staat.

'Ik dacht dat ik klaar zou zijn voordat je er was.'

'Ik wacht wel.'

Ze verkruimelt hortensiablaadjes over de onderste helft van het meisje.

'Leid ik je af?' Hij lijkt nerveus. Schrikt zomaar.

'De diepte van het groen zit er nog niet in.' Ze gebaart naar een verkreukt en gekarteld stuk groen, doopt haar brede kwast in de pot met water en lijm en veegt ermee over de bloemblaadjes zonder hun kantachtige cirkels af te vlakken.

'Zal ik buiten wachten?'

'Je staat te popelen om weg te gaan.'

'Nee, nee...'

Annie ziet nog steeds een rode rand, terwijl de andere rand door de wazige bloemblaadjes wordt verzacht.

Jake

Dit ziet Jake in haar collage: verschillende waterdiepten. Reflecties. Blauwtinten op de bovenste helft van de collage. De onderste helft krachtig bruin met andere kleuren erdoorheen... oranje en amber. Een veenpoel, misschien.

'Is dat een veenpoel, Annie?'

'Zou kunnen... Het gaat erom wat jij erin ziet.'

'En het rode meisje daar rechts?'

'Dat gedeelte, daar ben ik nog niet uit.'

'Ben jij dat misschien?'

'Voor mij wel.' Ze pakt een schaar, knipt een hand uit een stuk glanzend geel papier.

Jake gluurt door het vlot waar twee figuren tevoorschijn komen. Twee mannen, lepeltje lepeltje. De hand van de ene man op de heup van de andere... 'Wat is dat?'

'Uit Marokko. De avond dat het bad overliep.'

Masons zilte zweetlucht overspoelt Jake met verlangen en walging. Hij blijft dicht bij de muur om niet te vallen. 'Zo hebben we niet geslapen.'

'Ik heb het niet verzonnen.'

...Masons hand op mijn heup. Zijn gezicht tegen mijn nek gedrukt. Onze gelaatstrekken afgestompt. Effen slaap. Effen huid... 'Die foto?' vraagt hij.

'Jullie sliepen.'

'Maar waarom?'

'Ik vond het grappig. Toen. Ik wilde jullie ermee plagen, maar...'

'Maar dat heb je niet gedaan.'

'Jij werd wakker en toen was het anders. Ik weet het niet. Het was in elk geval niet meer grappig.'

'Waarom nu wel?'

'Om te kijken.'

'Doe je daarom het vlot weer?'

'Je klinkt als Mason.'

'Ik ben niet...'

'Hij voelde zich altijd ongemakkelijk... als ik een vlotcollage deed. Jij nu ook?'

Masons gezicht omlaag gedrukt in de kuil tussen mijn schouderbladen. Effen slaap...

Annie smeert lijm achter op de glanzende, uitgeknipte gele hand. Bouwt de hand van de gele jongen die met de bruine jongen naast het vlot zwemt.

Jake raakt geagiteerd door de gele hand van de jongen. Eerder was die ook geel, maar niet zo groot en opvallend omdat die van hetzelfde soort rijstpapier was als de figuur zelf. Maar nu, glanzend opgestoken, overlapt hij het voorhoofd van de bruine jongen.

Annie

'Ik was zo... naïef. Toch, Jake?' Annies ademhaling zit hoog en gaat snel.

'Nee.' Hij blijft naar haar collage staren.

'Ook op het vlot. Jij en Mason. Niet alleen in bed, daar.'

'Zo was het niet.'

Ze spoelt haar kwasten uit. 'Je hield van hem, hè?'

'Ik hield van jullie allebei.'

'Maar van hém hield je echt.'

'Ik hield van jullie allebei. En toen alleen van jou.'

'Je hoeft heus niet te doen alsof... dat je van me houdt.'

'Maar zo is het niet. Ik hou echt van jou.'

'Maar niet houden-van in de zin van me wíllen.'

'Ook op die manier.'

'Met ons allebei?'

'Niet met Mason. Nee.' Hij schudt zijn hoofd.

'Wat is dit dan?' Ze kijkt naar het vlot. En is verbijsterd. Want ze heeft het voor elkaar... heeft het tafereel overstegen, heeft alles in één keer onthuld: twee worstelende springende verdwijnende oprijzende pochende jongens – lagen en lagen echo's waar twee mannen in Marokko daar voor altijd verstrengeld liggen te slapen, en daar – de oppervlakte weer vlak en de worstelende springende verdwijnende oprijzende pochende jongens, en in dat beeld het dichterbij komende meisje dat niet alleen toekijkt. Echo's. Voor altijd en opnieuw allemaal tegelijk. *Een van ons keek altijd toe...*

'Annie...'

Ze lacht. Opgetogen. Doodsbenauwd. *Eindelijk.* 'Het is dus toch mogelijk.'

Jake

Mogelijk?

Wat is toch mogelijk?

Jake vraagt zich af of ze aan haar liefde voor hem denkt, hoe gecompliceerd die liefde is.

Haar gezicht is verhit.

Zoveel is nog mogelijk...

Is het wel eerlijk om haar ermee te belasten, alleen maar om zijn eigen geweten te sussen?

Wat als dit – het feit dat hij Mason de hand aan zichzelf zag slaan – het enige geheim is dat hij voor haar moet verbergen?

Dat is een mogelijkheid.

Het alleen meetorsen – hoe zwaar het hem ook valt?

Makkelijker dan het in zijn leven zonder Annie en Opal te moeten stellen.

Is dat laf?

Edel?

'Ik heb het voor elkaar, Jake.' Ze kijkt nog steeds naar haar collage.

'Wat voor elkaar?' Hij gaat naast haar staan en het beeld van de jongens en het vlot verschuift, overstijgt het beeld van Mason die zelfmoord pleegt, veegt het uit, en wordt een veel duidelijker geheim. Een geheim dat hij kan verruilen voor het geheim dat hij alleen draagt, een geheim dat hij Annie kan vertellen zonder haar kwijt te raken, haar te laten geloven dat hij haar dit wilde vertellen.

'Over wat ik je wilde vertellen...'

'Natuurlijk.' Ze lijkt opgeschrikt, terug van een plek waar hij haar niet kan bereiken.

'Tijdens dat zomerkamp dat Mason stal...'

'Dat heb je me al verteld.'

'Niet alles.'

'Laten we bij het raam gaan zitten, dan kan ik Opal en Mandy in de gaten houden.'

'Het is er altijd geweest... maar heel ver weg. En door het je nu te vertellen, voelt het alsof...' Hij schudt zijn hoofd. 'Smerig. Ik trof Mason aan op mijn stapelbed, daar had hij zich verstopt. Hij huilde en zei: 'Ik wil het met je doen, Jake.'

Annie ademt heel voorzichtig uit.

'Ik rende weg. Bij Mason vandaan. Bij het stapelbed vandaan...'

'Bij je eigen verlangen vandaan?'

'Dat weet ik niet, Annie. Misschien weg bij de verwarring over mijn verlangen? Ik rende naar het meer, sprong erin en zwom naar het vlot met hem achter me aan, en hij klom ook op het vlot en werd grof. En Mason niet alleen. Ik ook. Ik haatte mezelf en haatte hem omdat hij naast me stond en ik hem voelde, en wachtte...' Jake zei het in één adem en zijn schaamte, afgrijzen en verdriet bij het zien van de stervende Mason in Annies atelier smelten al samen met wat hij als jongen voelde toen hij Mason dood wenste. Diezelfde schaamte, afgrijzen en verdriet. Vervlochten en reëel.

'Maar toen zag ik jou, Annie. Op de kant. En ik duwde Mason weg. Vocht hem van me af tot hij in het meer viel. Maar we hielden elkaar nog steeds vast. Hielden nog steeds vast. Dus duwde ik hem weg. Naar beneden...'

'Hield je hem onder?'

'Dat hindert me nog het meest. Dat ik hem dood wilde. En nu is hij dat ook.' Een centimeter dichter bij het geheim dat hij haar niet kan vertellen. Bekennen zonder haar te verliezen.

Ze staat op. Raakt haar collage aan... die glanzende hand.

Buiten blaft Luigi tegen Opal en Mandy die uit het ijzeren eendenblik maïskorrels scheppen en het deksel met het elastiek vastmaken. Luigi loopt ze met kwispelende staart achterna.

'Weet je nog dat wij zo oud waren?' vraagt Jake.

Ze knikt.

'Rondrennen. Verstoppertje spelen.'

'Je was zo kwaad toen je van het vlot wegzwom. En je rende weg.'

'Ik voelde me... smerig.' Jake kan haar niet in de ogen kijken.

'Mason was duizelig en zo blij dat ik er was. Maar jij...'

'Toen werd ik ziek.'

329

'...rende weg.'

'Ziek van de rode winegums.'

'Ik dacht dat je boos op me was. En ik wist niet waarom.'

'Ik was niet boos op jou, Annie.'

Annie

Maar ze buigt zich naar haar collage, naar wat ze op die dag zag, het hele lichaam van het rode meisje, nu binnen in die dans van vluchtige transformaties – werkelijkheid naar onwerkelijkheid en weer terug naar werkelijkheid – en ze weet al dat wat ze ziet zich steeds verder zal aanpassen, en dat dit ook – nu Jake het haar heeft verteld – dat dit moment van haar leven zich zal schikken en een plek zal vinden.

Ze voelt zich wijs. Grootmoedig. Ongeduldig met alles wat minder intens is dan de waarheid. 'Die dag is het voor mij begonnen,' zegt ze. 'Ik werd op jullie allebei verliefd.'

Ze herinnert zich de aantrekkingskracht van hen beiden nog...

Of was het eerder van wat ze dacht bespied te hebben tussen hen beiden, op die glanzende dag?

Maar wat ze nu bespiedt, op dit moment, is dat Jake wacht, en zij kijkt niet langer toe maar gaat erin op als ze naar het vlot zwemt waar alleen Jake is – *alleen Jake* – die zijn hand in het water naar haar uitsteekt wanneer zij zichzelf op de warme planken hijst.

Opal

Wenkkrabben. Schieten als schaduwen over het zand. Honderden wenkkrabben.

Opal drijft. Drijft met Jake en Annie en Opal naar Alewife Brook. Het tij draagt ze de haven in. Voorbij de zandbank waar een vrouw en een man naar ze wuiven. Vierkante lichamen. Vierkante kinnen. Zwart haar.

'Wat zijn jullie aan het doen?' De vrouw lacht.

'Snorkelen,' roept Opal en ze laat het uiteinde van haar lange schuimrubber snorkel op het water stuiteren.

'Eens per jaar lieten onze ouders zich door de vloed helemaal naar Alewife Pond drijven,' vertelt Annie haar, en als het tij niet keerde, moesten ze dat hele eind teruglopen.'

'Ze hoorden de mosselen zingen,' zegt Opal.

'Zij hebben het tegen tante Stormy verteld en zij weer aan mij. Wil jij de mosselen zien, Jake?'

'Tuurlijk.' Hij trekt aan zijn snorkelbril.

'Ze leven bij de onderwatermuur. Wil je ze zien, Jake?'

Hij volgt haar onder water.

Veervormige planten wuiven met de stroming mee. Slierten langs Opals nek. En daar is het... piepkleine grotten en bruggen.

'Magisch,' zegt Jake als ze weer bovenkomen. Hij wendt zich tot Annie. 'Net een miniatuur van die oude grottenmuur in Marokko.'

'Ga er nog niet uit, Jake,' zegt Opal.

'Even maar.' Hij gaat naast Annie liggen. Sluit zijn ogen.

'Kijk naar me!' Opal springt in het water op. 'Jake?'

'Ik hoor je plonzen.'

'Maar je kijkt niet naar me.'

Hij wijst naar zijn kale plek. 'Ik kijk met mijn derde oog naar je.'

'Je hebt geluk dat je zo blond bent,' zegt Annie. 'Dan valt het niet zo op.'

'Laatst heb ik met een spiegeltje de achterkant van mijn hoofd bekeken.'

'Wel wel, hoeveel mannen zouden dat toegeven?'

'Jake!' gilt Opal.

Hij tuurt naar haar. Zwaait naar haar. 'Weet je nog dat je zei dat Opal twee vaders heeft?' vraagt hij aan Annie.

Annie

'Laten we nog een stuk met Opal gaan snorkelen.' Annie rent het stroompje in. Tilt Opal in haar armen en zwiert haar rond.

Jake loopt achter haar aan en ze lopen tegen het zich terugtrekkend getij in, langs de ondiepe rand, waar de levendige kiezelkleuren de beweging van het water dempen en doen opleven.

'Kijk!' Opal heeft een veer gevonden, nog steeds vast aan een stuk kraakbeen.

'Een stukje beest,' zegt Annie.

'Je mag het hebben.'

'Dank je.' Annie stopt het in de holle ruimte van haar snorkel voor ze zich weer door de stroming laat meedrijven.

Ze komen weer bij de bocht van de zandbank, de man is de vrouw aan het begraven en plotseling herkent Annie ze... de mensen die elkaar op het strand begraven. Zij inspireerden haar tot een collage toen Opal nog een baby was. Eerst wist Annie niet wat het zou worden, kende de vormen niet hoewel ze die in het zand had uitgebeeld. Maar toen ze hen had geïdentificeerd, deden ze haar denken aan een andere collage met overlappende cirkels. *Duizend rondjes.* Beweging vermomd als inertie. Ingekapseld in die ronde vormen.

Zodra ze bij hun handdoeken terug zijn, vallen Opal en Jake in slaap, maar Annie houdt het stukje beest in haar handen en wordt weer tot andere beelden aangetrokken... heu-

vels van twee lichamen tegen de hemel... lumen, ja, opflakke-
rende lumen in de lucht... licht. En hoewel ze iets heel anders
zouden worden, zouden ze altijd de adem en energie van die
eerste inspiratie in zich meedragen, hoewel die wellicht niet
meer als zodanig herkenbaar zou zijn. *Een manier om in mezelf te komen.* Misschien ziet ze hen de volgende zomer weer,
de man en de vrouw, bergen zand die hun grote lijven afteke-
nen.

Opal

Opal probeert zich in slaap terug te krullen. Boven haar een
fladderend geluid. Ze tuurt. Het is de parasol. De schaduw
op haar gezicht. Haar voorhoofd tegen iets zachts en warms.
Sproeten. *Een veld sproeten.* Annies arm.

'Zo slaapt Jake altijd,' zegt Annie tegen haar. 'Voor zijn
moeder was slaap zo belangrijk dat ze die nooit onderbrak...
zelfs niet als Mason en ik met hem wilden spelen.'

'Dat wist ik niet.' Jake gaat gapend rechtop zitten.

'Omdat je sliep,' zegt Opal. 'Duh.'

'Duh zelf.' Hij trekt zijn neus naar haar op.

Annie strijkt Opal over haar voorhoofd. 'Alle crèchekinderen moesten op hun tenen lopen als Jake zijn dutje deed.'

Opal wrijft in haar ogen. Leunt tegen Annie aan. *Sproeten
en zon.*

Annie blijft haar strelen. Naar haar rug. Over haar schouders. 'Een verwende slaper, dat was Jake. Chagrijnig als hij
werd gestoord. Dat totale onbegrip waarom iemand hem
wakker zou maken.'

Maar Jake zegt: 'Dat geloof ik niet.'

'Waarom niet?'

'Omdat de crèchekinderen bij mijn moeder altijd op de
eerste plaats kwamen.'

'Dat meen je niet.'

'Ik ruimde al het speelgoed op... de puinhoop die jullie ervan maakten.'

'We moesten van je moeder altijd fluisteren als jij sliep... gaf ons alleen zachte snoepjes, zodat je niet wakker zou worden van ons gekraak. Jij was het enige kind dat ik kende wiens moeder hem van school thuishield als hij moe was.'

Jake keek gegeneerd. Schaapachtig.

'Die eerbied voor slaap...' Annie glimlacht. 'Alsof je slaap moest verdienen, alsof je iets werd ontnomen waar je recht op had wanneer je die onderbrak. Ze verwende je zo.'

'Zin in een verhaaltje?' vraagt Opal

'Goed,' zegt Jake.

'Een Melissandra-verhaaltje.'

'Dat zou... oké.' Annie buigt zich naar voren, lippen uit elkaar.

'Dus... hoe heet je?' vraagt Opal haar.

'Heet ik?'

'Zeg gewoon: Annie.'

'Annie.'

'Ik ben Melissandra,' sist Opal.

'Spreek je het zo uit?'

Opal knikt. 'Ik heb lef en ben slim.'

'Zo'n meisje komt me bekend voor,' zegt Annie.

'En 's avonds werk ik. In een lollyfabriek. Ik eet alle mislukte lolly's op.' Opeens weet Opal dat Mason andere verhaaltjes voor haar gaat verzinnen. En dat Melissandra altijd een dag op haar achterloopt. Zelfs als ze groot is en afspraakjes krijgt.

'Waarom alleen mislukte lolly's?' vraagt Jake.

'Hoe oud moet een meisje zijn voor een afspraakje?'

'O... ongeveer vijfendertig,' zegt Annie.

'Luister niet naar haar, Opal,' zegt Jake. 'Ik denk eerder iets van zestien.'

'Zesentwintig,' zegt Annie.

'Zestien,' zegt Opal.

Annie tilt Opals krullen op. 'Wat heb je voor glitter onder je haar verstopt?'

'Mandy's glitterspeldje. Het glittert nog meer als het licht uit is.'

Annie

Als ze thuis zijn, trekt Opal sokken aan en gaat in de keuken op haar sokken schaatsen. Haar rode krullen dwarrelen om haar oren en ze neuriet in zichzelf.

Annie doet een stap naar achteren. Opal zou ermee ophouden als ze wist dat Annie naar haar stond te kijken. Toen ze klein was, sloofde ze zich altijd uit, speelde de clown voor Annie. Nu verstopt ze zich voor haar.

'De enige die zich verstopt, ben jij,' zegt Mason.

Annie vraagt zich af of ze hem mist wanneer ze verlangt naar leven in de brouwerij. Maar hij is weg. En haar leven zal nooit meer zo rumoerig zijn.

Opal maakt een pirouette en Annie stapt op haar toe. Applaudisseert.

'Annie, kijk kijk, ik speel IJscapades. En ik dans. Weet je nog wat er gebeurde nadat ik je met mijn vuistje had gestompt?'

'Vertel.'

Opal steekt haar puntkinnetje in de lucht. 'We dansten samen, ik en mijn moeder en jij.'

'Op mijn trouwdag, ja.' Annie trekt haar sandalen uit, schaatst met Opal mee, maar haar blote voeten lopen op tante Stormy's keukenvloer vast.

'Zo niet, Annie.'

'Hoe dan?'

'Je moet sokken aan.' Opal stuift de trap op. Komt terug met een balletje opgerolde sokken.

Annie rolt ze uit. Trekt ze aan.

'Glijden...' Opal laat haar zien hoe ze moet glijden.

Zou ik nog meer van haar houden als ze mijn biologische kind was geweest?

Annie glijdt. Naar het raam. De deur. En tegen een muur. Ze lacht.

'Daar ga je weer,' plaagt Opal haar, 'je breekt alles.'

De zeldzame lach tussen hen. Maar voorlopig – als Annie met haar dochter in de keuken aan het sokschaatsen is – verdringt die lach die wanhopige oorlog binnen in haar. En ze weet dat ze dit soort momenten zal vasthouden. Ze moet wel.

Na het eten, als Annie de vuilnis naar buiten brengt, stinkt de lucht naar rook die alle andere geuren en nuances overstemt, van alles een vlak, eenvormig grijs maakt alsof het hele noorden in brand staat. En plotseling slaat de grond tegen haar schenen en ze kokhalst, de aarde droog tegen haar handpalmen, en het enige wat ze kan inademen is de geur die Mason moet hebben geademd toen hij op het punt stond dood te gaan. *De ene catastrofe die de andere oproept: niet door vuur maar door touw.*

Handen trekken aan haar...

Ze kokhalst, kokhalst in de nevelige rook, op haar handen en schenen. De dag dat Mason zelfmoord pleegde, hoorde ze op de radio dat een paar Canadese dorpen moesten worden geëvacueerd, en ze weet nog dat ze dacht hoe verbazingwekkend het was dat branden op zevenhonderd kilometer afstand zo'n stempel konden drukken op waar zij woonden.

Grote handen trekken aan haar.

'Ben je gevallen, Annie?'

Jake op de grond. Bij haar.

Piekerig, blond haar alsof het was ingetekend.

De nacht door de haarpuntjes heen.

'Annie? Wat is er gebeurd?'

'Misschien... ben ik uitgegleden?'

'Heb je je bezeerd?'

'Nee.'

Naast haar de gebarsten vuilniszak... sinaasappelschillen en koffieprut en kippenbotjes...

Zijn arm ondersteunt haar als ze op haar hurken gaat zitten.

'Ruik je die rook, Jake?'

Hij snuift in de lucht. Zegt: 'Ja.'

Ze veegt haar handpalmen af aan haar dijen en probeert op te staan.

'Het is Petes open haard maar.' Jakes huid is donkerder dan zijn wenkbrauwen en haar. Donkerder dan het wit van zijn ogen en het wit van zijn tanden. *Jake...*

Als ze de huid om zijn mond aanraakt, tintelen haar vingertoppen... lossen op. Hij drukt zijn lippen tegen haar handpalm en ze voelt zijn vlakke tanden... een zweem van skelet... van wat wordt verbeid en daar voorbij de beweging van zijn lichaam...

Dit heeft met Mason niets te maken...

'Wil je met me zwemmen, Jake?'

'Eerst moeten we je overeind zien te krijgen.' Hij leunt tegen haar aan en zij staat op.

Als ze bij het strandpad komen, worden ze plotseling overmand door verlangen, door een aandrang die ze al hadden toen ze twaalf waren en elkaar voor het eerst kusten, het was winter en al die lagen kleren, en toch konden ze elkaars huid voelen. Net als nu, alleen nu, kleren uitgegooid, de wijsheid en routine van huis alsof de extase op hen had gewacht, was gegroeid om hen hier op dit strandpad tegemoet te komen, de paal met het vredesnest achter Annies rug.

Ze bewegen zich niet voorbij dat portaal totdat Annie fluistert: 'Daar gaat de kuise liefde.'

Lachen, dan – *en Mason ver weg, ver genoeg weg* – lachen en ze rennen naakt naar de baai, het licht, de uitgestrekte oppervlakte, en als ze zwemmen, ver voorbij de kleine korte golfjes, onzekerheid riskerend, zwelt de zee rondom hen op, vindt en besnuffelt ze overal tegelijk tot ze water, membraan, alles worden. En toch, als ze boven water komen, drijft de nevelige rook zelfs daar naar hen toe, en het komt in Annie op dat het helemaal niet verbazend is dat brand zo'n enorm bereik heeft, dat verdriet en vuur kan springen, je honderden kilometers ver weg kan lastigvallen en het gemunt heeft op je ziel, zich in je vreugde kan nestelen en dat de geur van welke brand ook – zelfs een in een naburig huis afgestreken lucifer – je verdriet kan doen ontvlammen.

Dankwoord

Mijn speciale dank gaat uit naar Nan Orshefsky die met me de studio is ingegaan en me alles over collages heeft geleerd, en naar Gordon Gagliano die me in het creatieve proces van een visual artist bij de hand heeft genomen. Zij beiden hebben, samen met Barbara Wright, commentaar geleverd op een aantal concepten van dit boek. Dank ook aan Mike Bottini, omdat ik niet uitgeleerd raak uit zijn boeken over de natuurhistorie van de East End.

En als altijd mijn onmetelijke dank aan Gail Hochman, al achtentwintig jaar een briljant agente, en aan Mark Gompertz, die in de afgelopen dertien jaar met zoveel wijsheid mijn boeken heeft geredigeerd.

Lees ook Ursula Hegi's everseller:

Stenen van de rivier

In de zomer van 1915 wordt in een kleinburgerlijke stadje aan de Rijn Trudi Montag, een dwerg, geboren. Doordat zij gevangen zit in een lichaam dat ze verafschuwt, voelt ze zich een buitenstaander, iemand die geen deel heeft aan de maatschappij. In die maatschappij, intussen, voltrekt zich een ramp: Duitsland staat aan het begin van een grote catastrofe.

Stenen van de rivier is een indrukwekkende roman over de *coming of age* van een meisje tijdens de woeligste periode in Duitslands geschiedenis.

Wijs en dapper, liefdevol, en – voor zover dat mogelijk is bij zo'n dikke pil – om in één adem uit lezen. – *Trouw*
Indrukwekkend. Een moedig én eerlijk boek. – *Viva*

Dagelijkse zonden

In de winter van 1953 is de liefste wens van puber Anthony Amedeo een sja-bloonkit om, net als andere kinderen in zijn buurt, het raam van zijn slaap-kamer te versieren. In plaats daarvan krijgt hij een heel ander kerstcadeau-tje: het gezin van zijn oom Malcolm.

Malcolm zit in de gevangenis, en Anthony's tante Floria en zijn nichtjes Bianca en Belinda (een tweeling) trekken bij hem en zijn ouders in. Ineens een kamer delen met twee meisjes is een hele toer, ook al is Anthony erg op de tweeling gesteld en zijn zij allebei hopeloos verliefd op hem. Een ware verandering in zijn leven komt echter op de avond waarop hij iets gruwe-lijks laat gebeuren. Niet alleen zijn eigen leven, maar ook dat van zijn fami-lieleden verandert daardoor voorgoed.

Dagelijkse zonden omspant drie generaties en voert ons van de Bronx in de jaren vijftig naar het Brooklyn van 1999. Het verhaal, doordrenkt van het Italiaanse levensgevoel, wordt weliswaar elegant verteld, maar is door-trokken van eenzaamheid. Ursula Hegi schreef een onovertroffen roman over hoe de transformerende kracht van één enkele gebeurtenis kan door-werken in een hele familie.

Ursula Hegi bestendigt haar faam als rasverteller. – *Los Angeles Times Book Review*
De pijn, schuld en woede die de vrouwelijke personages in het boek moe-ten verdragen staan in schril contrast tot de taal; deze lijkt als het ware bo-ven de bladzijden te zweven, zo licht van toon. – *The New York Times Book Review*